Emma Eberlein O. F. Lima
Samira A. Iunes

FALAR... LER... ESCREVER...

PORTUGUÊS

Um Curso Para Estrangeiros

Livro de Exercícios

Complemento Fonético de Vicente Masip

E.P.U.

EDITORA PEDAGÓGICA
E UNIVERSITÁRIA LTDA.

Sobre as autoras:

Emma Eberlein O. F. Lima, professora de Português para estrangeiros em São Paulo.
Co-autora de: *Avenida Brasil* - Curso básico de Português para estrangeiros (E.P.U.); *Português Via Brasil* - Curso avançado para estrangeiros (E.P.U.); *Inglês* - Telecurso de Segundo Grau (Fundação Roberto Marinho).
Diretora da Polyglot - Cursos de Português para estrangeiros em São Paulo.

Samira Abirad Iunes, professora do Departamento de Letras Modernas da Universidade de São Paulo.
Co-autora de : *Avenida Brasil* - Curso básico de Português para estrangeiros (E.P.U.); *Português Via Brasil* - Curso avançado para estrangeiros (E.P.U.); tradutora: francês/português.

Capa: Virgínia Fernandes Lima de Assis (Absoluta Criação Visual)
Diagramação: Departamento Gráfico E.P.U./ Eliene de Jesus Bizerra
Desenhos: Gilberto de Assis

Dados Internacionais de Catalogação na Publicação (CIP)
(Câmara Brasileira do Livro, SP, Brasil)

Lima, Emma Eberlein O. F.
Falar... Ler... Escrever... português:
um curso para estrangeiros : livro de exercícios /
Emma Eberlein O. F. Lima, Samira A. Iunes.
Complemento fonético de Vicente Masip. --São Paulo:
EPU, 2000.

ISBN 978-85-12-**54322**-2

1.Português - Estudo e ensino - Estudantes
estrangeiros I. Iunes, Samira A. II. Masip, Vicente.
III. Título.

00-1174 CDD-469.824

Índices para catálogo sistemático:

1.Português para estrangeiros 469.824

5ª Reimpressão, 2007.

ISBN 978-85-12-**54322**-2

E. P. U. - **Telefone** (0++11) 3168-6077 - **Fax.** (0++11) 3078-5803
E-Mail: vendas@epu.com.br **Site na Internet:** http://www.epu.com.br
R. Joaquim Floriano, 72 - 6º andar - salas 65/68 - 04534-000 São Paulo - SP

Impresso no Brasil

Printed in Brazil

ÍNDICE

Créditos

FOTOS

pg. 11: Foto 1: Vale do Anhangabaú em 1919-1920. Reprodução. Agência Estado.
Foto 2: Vale do Anhangabaú. Oswaldo Palermo. Agência Estado.
pg. 15: Porto de Santos, SP. Régis Filho. Abril Imagens.
pg. 17: Quiosques na orla da Praia de Santos, SP. Itamar Miranda. Agência Estado.
pg. 24: Restaurante Rei do Bacalhau. Rochelle Costi. Folha Imagem.
pg. 25: Fundo 1: Hotel Tropical das Cataratas, Foz do Iguaçu.
Fundo 2: Árvore na Praia de Guarujá, SP Fabiano Accorsi. Folha Imagem.
pg. 36: Trânsito. Fotógrafo Eduardo Knapp. Congestionamento: Estrada Piaçanguera, início da Anchieta/ Imigrantes. Folha Imagem.
pg. 37: Borboletas. Keith Brown, Campinas, SP.
pg. 38: Campos do Jordão, SP. Abril Imagens.
pg. 48/68/112/129:Plano Plurianual 2000-2003 – Orçamentos da União 2000. Avança Brasil.
pg. 49: Cleodenir Fernandes, 62, 93, 108, 129.
pg. 61: Lixo na esquina. Moacyr Lopes Junior. Folha Imagem.
pg. 64: Foto 1: Complexo Cultural Júlio Prestes, SP. Evelson de Freitas. Folha Imagem.
Foto 2:Museu do Ipiranga, SP. Joel Silva. Folha Imagem.
pg. 69: Manaus. Luiz Eduardo Wallace da Silva. FUMTUR.
pg. 72: Hotel Tropical das Cataratas/Foz do Iguaçu.
pg. 76: Poli. USP. Agência USP, Francisco Emolo. 049/97 5.3 JUSP.
pg. 83: Foto 1: Enchente. Antonio Gaudério. Folha Imagem.
Foto 2: Chuvas em São Paulo. Moacyr Lopes Junior. Folha Imagem.
pg. 90: Escola Municipal Carlos Augusto Queiros Rocha. Sebastião Moreira. Agência Estado.
pg.92: Balão-piracicaba. Marcos Perón. Folha Imagem.
pg. 94: Aviação Brasil, Reprodução. Agência Estado.
pg. 98: Fotografia da Sra. Silvia Pinho de Almeida.
pg. 99: Teste da moto BMW 1200 CC . Folha Imagem. Fotógrafo Lalo de Almeida.
pg.106: Manaus. Aluysio Sampaio Barbosa Júnior. FUMTUR.
pg.107: Pantanal Mato Grossense – Fazenda Caiman. Adriana Zehbrauskaus. Folha Imagem.
pg.109: Balões. Marcos Perón. Folha Imagem.
pg.120: USP. Agência USP, Francisco Emolo. JUSP.
pg.121: Museu de Arte Contemporânea, RJ. André Penner. Abril Imagens.
pg.123: Acidente de Trânsito. Folha Imagens.
pg.128: Cartões da Bienal de São Paulo. Arquivo Histórico Wanda Svevo. Fundação Bienal de São Paulo. Autores: XV Carlos Clémen, XVI Claudio Moschella, XVII Dario Chiaverini/ Donato Ferrari/ Antonio Celso Sparapan, XVIII Claudia Scatamacchia, XIX José Maria Lopez Prieto - Pepón, XX Rodolfo Vanni.
pg.132: Bar. Folha Imagem.
pg.136: Foto 1: Praia de Copacabana, RJ. Acervo RIOTUR..
Foto 2: Prainha, RJ.
Foto 3: Pão de Açúcar, RJ.
Foto 4: Praia da Barra da Tijuca, RJ. Marluce Balbino. Acervo RIOTUR.
pg.137: Foto 1: Jardim Botânico, RJ. Marluce Balbino. Acervo RIOTUR.
Foto 2: Recreio dos Bandeirantes, RJ. Marluce Balbino. Acervo RIOTUR.
Foto 3: Praia de São Conrado, RJ. Marluce Balbino. Acervo RIOTUR.
Foto 4: Vista Chinesa, RJ. Marluce Balbino. Acervo RIOTUR.
pg.138: Foto 1: Corcovado, RJ. Acervo RIOTUR.
Foto 2: Rio de Janeiro. Acervo RIOTUR.

PREFÁCIO

Este **Livro de Exercícios** foi criado para acompanhar a obra **Falar... Ler... Escrever... – Português – Um Curso para Estrangeiros**, reelaboração do livro **Falando... Lendo... Escrevendo.... Português – Um Curso para Estrangeiros**.

Objetivos

Embora o Livro-texto contenha um número considerável de exercícios e atividades orais e escritas após cada item gramatical ou lingüístico, sentimos que seria oportuno dar ao aluno um instrumento que lhe permitisse **consolidar** e **ampliar os conhecimentos** adquiridos, bem como **aumentar** a compreensão e a fluência na língua.

Ele contém grande número de textos e atividades para trabalho oral e escrito.

Utilização

O **Livro de Exercícios**, obedecendo em suas grandes linhas aos objetivos acima, segue, passo a passo, o conteúdo das unidades do Livro-texto. O aluno pode passar ao Livro de Exercícios imediatamente após o final de cada unidade do Livro-texto, ou então estabelecer uma defasagem de duas ou três unidades entre os dois livros. Nesse último caso, os exercícios funcionarão, então, também como revisão. Finalmente, o Livro de Exercícios pode ser usado mais livremente, pela escolha dos itens, tanto mais que os dois livros possuem uma seqüência morfo-sintática fácil de ser detectada.

Estrutura das Unidades

As unidades oferecem duas partes bem definidas: **Ouvir e Falar** e **Ler e Escrever**. A primeira foi elaborada com o objetivo de auxiliar na competência oral. Ela é gravada, cabendo ao aluno ouvir atentamente e responder às questões oralmente ou completar, no livro, o que se pede na gravação. A segunda é dirigida inteiramente ao desenvolvimento da competência escrita. Ambas as partes, porém, convergem para uma correta e fluente maneira de elaborar e exprimir o pensamento em português, estimulando mecanismos lingüísticos já aprendidos.

O conteúdo gramatical foi distribuído entre as duas partes, reservando-se, em geral, para a oral, os aspectos mais cotidianos.

Ouvir e Falar – Estrutura

I. Ouça o texto
II. Gramática
III. Frases do cotidiano
IV. Automatização de verbos

O **texto gravado** encontra-se no final de cada unidade. Após a audição, seguem-se exercícios de compreensão, alguns dos quais contam com o auxílio do livro.

Os textos foram inteiramente criados, a fim de conter os elementos principais do Livro-texto.

Também na **Gramática**, o aluno trabalha com a gravação e, às vezes, com o auxílio do livro.

As **Frases do cotidiano** foram inspiradas nas expressões contidas no Livro-texto.

Na **Automatização de verbos**, perguntas são feitas de modo a provocar uma resposta imediata, nos tempos e modos adequados, levando o aluno a usar as formas verbais com mais espontaneidade.

Ler e Escrever – Estrutura

I. Leia o texto
II. Gramática
III. Expressão escrita
IV. Aprendendo palavras novas (a partir da unidade 3)

Os **textos** dessa parte são quase sempre autênticos. O cuidado de se colocar o aluno diante deles tem como objetivo ampliar o vocabulário, a compreensão o conhecimento de estruturas mais elaboradas.

A **Gramática**, como acontece em ***Ouvir e Falar***, baseia-se na seqüência do Livro-texto.

A **Expressão escrita** induz o aluno, de forma suave mas segura, a construir pequenos textos escritos. Um roteiro bem dirigido não o deixa perder-se em divagações ou "perder-se" no seu trabalho.

Aprendendo palavras novas é, ao mesmo tempo, uma parte de lazer, de descontração e de... aprendizagem de novas palavras, inteiramente independentes dos textos e da progressão gramatical. É um trabalho que pede, muitas vezes, o uso do dicionário.

Suplemento Fonético

Uma inovação desse **Livro de Exercícios** é conter um suplemento fonético inteiramente gravado.

Certamente, um apêndice fonético já é praxe nos livros de Português para Estrangeiros. Aqui, porém, a fonética vai um pouco além, pois aborda, de forma cientificamente correta, a linguagem fonética. Melhor dizendo, ela não se atém apenas à emissão dos sons, mas explica a elaboração dos mesmos, contextualizando-os no quadro das consoantes e no das diferenças das vogais orais e nasais, essas últimas tão correntes e características do português do Brasil.

Os exercícios apresentam duplo aspecto: de reconhecimento e de reprodução. Assim, o aluno aperfeiçoa sua percepção auditiva e sua pronúncia.

Considerando-se a extensão do Brasil, foram levadas em conta algumas pronúncias regionais: a pronúncia do **r** (erre) final, do **l** (ele), dos grupos **-de**, **-dia**, **-te**, etc.

O capítulo das junturas e da modulação é essencial para a apreensão do ritmo e da melodia da frase brasileira. Afinal, é graças a eles que se chega, enfim, a bem falar a língua.

As autoras

UNIDADE 1

OUVIR E FALAR

I. Ouça os textos

Uma entrevista

Reportagem da jornalista

(Os textos estão no final da unidade. Confira depois.)

COMPREENSÃO DO TEXTO

Ouça o texto novamente para preencher as lacunas com palavras ouvidas na **Reportagem da jornalista**.

1) Marcos Ferraz ____________ na empresa "Morar bem". Ele _______de Curitiba.
2) Ele mora _________de Campinas.
3) Ele trabalha em colaboração com a _________ .
4) O trabalho de Marcos Ferraz é _________ para a cidade.
5) Regina de Barros é________________ Ela trabalha na revista "Arquitetura urbana".

II. Gramática

A. Modifique, de acordo com o modelo.
(morar) A casa de Marcos Ferraz é antiga.
Marcos Ferraz mora na casa antiga.

1) (morar) As casas dos arquitetos são antigas.
....
2) (morar) A rua da jornalista é antiga.
....
3) (trabalhar) A revista da jornalista é nova.
....
4) (trabalhar) O projeto do arquiteto é importante. ....
5) (trabalhar) Os projetos dos arquitetos são novos. ....

B. Responda, de acordo com o modelo.

(Japão) De onde você é? Eu sou do Japão.

1) (Brasil) De onde eles são?
....
2) (França) De onde ela é?
....
3) (Itália) De onde vocês são?
....
4) (Estados Unidos) De onde você é?
....
5) (Alemanha) De onde elas são?
....

C. Responda, de acordo com o modelo.
(Tóquio-Japão)
Onde você trabalha?
Eu trabalho em Tóquio, no Japão.

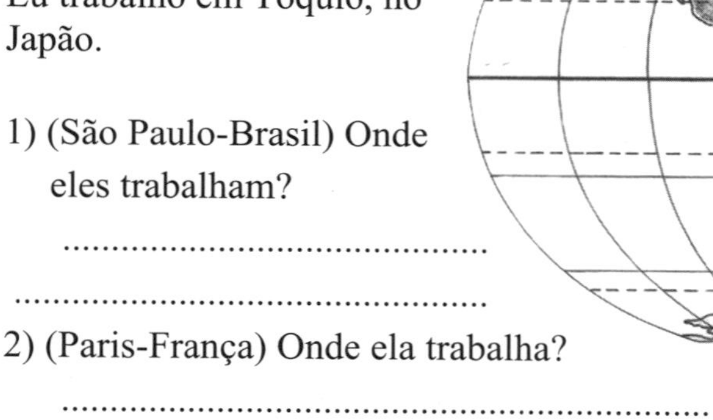

1) (São Paulo-Brasil) Onde eles trabalham?
....
....
2) (Paris-França) Onde ela trabalha?
....
3) (Roma-Itália) Onde vocês trabalham?
....
4) (Washington-Estados Unidos) Onde você trabalha? ....
5) (Berlim-Alemanha) Onde elas trabalham?
....

D. Ouça as perguntas e escolha a alternativa correta.

1. Onde Marcos Ferraz trabalha?
   a) na Prefeitura
   b) na revista "Arquitetura urbana"
   c) na firma "Morar bem"
2. O arquiteto mora
   a) em Curitiba
   b) no centro antigo de Campinas
   c) no centro comercial
3. Marcos Ferraz
   a) é o arquiteto dos novos projetos
   b) trabalha em projetos antigos
   c) realiza os projetos da Prefeitura

III. Frases do Cotidiano

A. Ouça as frases e dê respostas.

1) Como o arquiteto se chama?
....
2) E você, como você se chama?
Eu me chamo ....
3) De onde é Marcos Ferraz?
....
4) De onde você é?
Eu sou de ....
5) Onde Marcos Ferraz trabalha?
....
6) Onde você trabalha?
Eu trabalho ....

B. Ouça as respostas e faça as perguntas, como no modelo.

Eu me chamo Pedro. Como você se chama?

1) .... Bem, obrigado.
2) .... Sou da Argentina.
3) ....
Estão, sim. Os documentos estão em ordem.

IV. Automatização de verbos

Ouça as frases e faça como no modelo.
(ser arquiteto)
Eu — Eu sou arquiteto.
Nós — Nós somos arquitetos.
Ele — Ele é arquiteto.
Eles — Eles são arquitetos.

1) ser engenheiro
Ele ....
Você..
Nós ....
Ela ....

2) estar aqui
Vocês ....
Eles...
Elas...
Nós ....

3) estar em Campinas
Eu ....
Você...
Ela ....
Ele ....

4) trabalhar muito
Ele ....
Você...
Eu ....
Ela ....

5) trabalhar na Prefeitura
Eles...
Vocês ....
Nós ....
Ele ....

LER E ESCREVER

I. Leia o texto

Idéias para dar vida nova ao centro de São Paulo

A Prefeitura de São Paulo, em colaboração com o Instituto dos Arquitetos do Brasil (IAB), tem novos projetos para recuperar o centro antigo. É o Concurso Nacional de Urbanismo.
Os projetos principais são três: a organização das ruas, a organização do trânsito e a organização das áreas verdes. Para controlar o progresso de São Paulo, é necessário organizar a cidade.

COMPREENSÃO DO TEXTO

A. Escolha a alternativa correta.

1. O Concurso Nacional de Urbanismo é para:
   a) engenheiros brasileiros.
   b) arquitetos do Estado de São Paulo.
   c) arquitetos do Brasil.

2. O Concurso é para
   a) recuperar ruas e avenidas.
   b) organizar a cidade.
   c) organizar o trânsito da cidade.

B. Complete as orações.

— Não gosto ________ cidades grandes. Elas têm muito trânsito. Gosto ________ cidades pequenas. As pessoas andam ________ ruas tranqüilamente.

— ________ você mora? ________ você trabalha?

Moro ________ Porto Alegre e trabalho ________ Prefeitura.

— Por que você não gosta ________ trabalhar ________ Prefeitura?

Não ________ trabalhar na Prefeitura, porque ela não tem projetos.

— Ela fala ________ projetos ________ a jornalista.

II. Gramática

A. Complete.

Ele mora no Japão.
Ele mora __________ Canadá.
Ele mora __________ Filipinas.
Ele mora __________ Estados Unidos.
Ele mora __________ Brasil.
Ele mora __________ França.
Ele mora __________ Recife.
Ele mora __________ Rio de Janeiro.
Ele mora __________ Brasília.
Ele mora __________ Nova York.
Ele mora __________ rua da Consolação.

B. Faça frases.

Eu	são	no	centro
Ela	trabalho	em	Prefeitura
Nós	trabalham	do	Paris
Vocês	mora	na	Canadá
Eles	somos	de	Estados Unidos
Elas	são	dos	Buenos Aires

III. Expressão escrita

A. Primeira entrevista.

A médica: Margarida Nabuco, brasileira, de Belo Horizonte, hospital, Praça da Liberdade, centro da cidade.

1. Leia as fichas e responda às questões. (Você é Margarida Nabuco.)

1) Como você se chama?

....
....
....
....

2) Você é brasileira?

....
....
....

3) De onde você é?

....
....
....
....

4) Onde você mora?

....
....
....
....

5) Por que você trabalha no hospital?

....
....
....
....

2. Escreva um texto sobre Margarida Nabuco.

Margarida Nabuco é brasileira. Ela ....

....

....

....

....

B. Segunda entrevista.

Ester Araújo, secretária, residência: Rua Joaquim Alves, 300, apto. 2, Curitiba.

1. Faça as perguntas para as respostas dadas.

1) Como se chama a secretária?
Ela se chama Ester Araújo.

2) ....
Na firma de importação.

3) .... ?
"Bebidas e Produtos Estrangeiros".

4) .... ?
Em Curitiba.

5) .... ?
Na rua Joaquim Alves, 300, apto. 2

2. Escreva um texto sobre Ester Araújo.

....

....

....

....

TEXTOS GRAVADOS

Uma entrevista

Personagens:
Jornalista da revista "Arquitetura urbana"
Arquiteto da firma "Morar bem"

Jornalista: Bom dia. Eu sou Regina Barros, da revista "Arquitetura urbana".

Arquiteto: Bom-dia. Muito prazer.

Jornalista: Como o senhor se chama?

Arquiteto: Marcos Ferraz.

Jornalista: O senhor é engenheiro?

Arquiteto: Não. Sou arquiteto e também urbanista. Trabalho na firma "Morar bem".

Jornalista: De onde o senhor é? O senhor é aqui de Campinas?

Arquiteto: Não. Sou de Curitiba, capital do Estado do Paraná, mas moro em Campinas, no centro.

Jornalista: Por que o senhor mora em Campinas?

Arquiteto: Porque minha firma trabalha para a Prefeitura da cidade.

Jornalista: O senhor é o arquiteto dos novos projetos para o centro?

Arquiteto: Sou. Gosto de ruas antigas. Eu sempre trabalho com projetos para a conservação do centro antigo.

Jornalista: Estamos contentes com a notícia.

Arquiteto: Ótimo. Começo a trabalhar amanhã.

Reportagem da jornalista.

Marcos Ferraz trabalha na empresa "Morar bem". Ele é arquiteto e urbanista. Ele é de Curitiba, capital do Estado do Paraná, mas mora aqui em Campinas.
Ele mora no centro da cidade e trabalha em projetos para conservar o centro antigo.
"Morar bem", a empresa de Marcos, trabalha em colaboração com a Prefeitura de Campinas.
É um trabalho importante para a cidade e estamos contentes com a idéia.

O Brasil na América Latina

UNIDADE 2

OUVIR E FALAR

I. Ouça o texto

Santos, uma cidade grande.
(O texto está no final da unidade. Confira depois.)

COMPREENSÃO DO TEXTO

A. Ouça o texto novamente e preencha as lacunas.

1) As pessoas que moram em cidade grande ______ muito o ______ todo.
2) Santos é uma cidade grande e ______ um porto muito ______.
3) A rua onde Paulo e Maria Clara moram é ______.
4) Ele tem um escritório perto do ______.
5) A rua do escritório é muito ______.
6) Ele ______ em um restaurante, ______ escritório.
7) Ele não tem tempo para ______ em casa.
8) Os filhos não ______ carro e vão ______ para a escola. Eles são ______.
9) Os filhos ______ esportes e ______ línguas estrangeiras.
10) Muitas famílias só se ______ à noite, no jantar, para ______ e ______ os problemas.

B. Ouça o texto e escolha a alternativa correta.

1. Nas cidades grandes
   a) muitas famílias só se encontram no jantar.
   b) muitas famílias almoçam em casa.
   c) muitas famílias não conversam no jantar.
2. Os filhos de Paulo e de Maria Clara
   a) não praticam esportes.
   b) não são muito ocupados.
   c) praticam esporte.
3. Maria Clara vai de ônibus para a Prefeitura porque
   a) ela não gosta de dirigir.
   b) ela não tem carro.
   c) o ônibus é confortável.
4. O apartamento de Paulo e de Maria Clara
   a) é grande e confortável.
   b) é pequeno, mas é confortável.
   c) é moderno, mas não é confortável.
5. Pelo porto de Santos
   a) só entram produtos estrangeiros.
   b) só entram e saem navios brasileiros.
   c) entram e saem grandes navios todos os dias.

II. Gramática

A. Modifique de acordo com o modelo.

As autoridades modernizam o porto.

Agora as autoridades estão modernizando o porto.

1) As crianças praticam esportes.

Agora..

2) Os filhos estudam em casa.

....

3) Maria Clara pega o ônibus.

....

4) Ele come no restaurante.

....

5) Paulo toma um táxi.

....

6) Paulo atende os clientes.

....

7) A família conversa no jantar.

....

8) Eles falam com os clientes.

....

9) Os alunos aprendem línguas.

....

10) Eu escrevo uma carta.

....

B. Modifique de acordo com o modelo.

Ele tem uma moto para ir ao trabalho.

Ele vai de moto para o trabalho.

1) Ela tem um carro para ir ao trabalho.

....

2) Eles têm uma bicicleta para ir à escola.

....

3) Ela toma o metrô para ir ao escritório.

....

4) Eles andam para ir à escola.

....

III. Frases do cotidiano

Ouça as frases e repita.

(As frases estão no final da unidade).

IV. Automatização de verbos

Ouça as frases e faça como no modelo.

Vender casas e apartamentos.

Eu vendo casas e apartamentos.

Ele vende casas e apartamentos.

Nós vendemos casas e apartamentos.

Eles vendem casas e apartamentos.

1) compreender o filme

Eu ....

Nós ....

Eles ....

Ele ....

2) não ir à cidade a pé

Nós ....

Ele ....

Eu ....

Eles ....

3) atender os clientes no escritório

Eles ....

Ele ....

Vocês ....

Nós ....

4) estar falando com o diretor

O senhor ....

Eu ....

Nós ....

Vocês ....

5) estar aprendendo português

Vocês ....

Nós ....

Eu ....

A senhora ....

LER E ESCREVER

I. Leia o texto

Praia bonita

Em Santos, cidade praiana a 72 quilômetros de São Paulo, o prefeito está entregando à população 100 (cem) quiosques novos. Eles ficam à beira-mar.
Eles têm luz elétrica e água encanada. As velhas instalações, sem higiene, não existem mais.
Os quiosques vendem peixe, refrigerante, sorvete, cerveja etc.
A Prefeitura não está gastando nada. Uma firma de construção da cidade está fazendo o investimento. No início, a firma não tem lucros, mas vai ganhar dinheiro porque é ela que vende os quiosques e tem prioridade do espaço para publicidade durante 5 (cinco) anos.
A praia, agora, está mais bonita e mais agradável.

COMPREENSÃO DO TEXTO

Responda.

1) O que você sabe sobre: a cidade de Santos e os quiosques novos.
2) Quanto a Prefeitura está gastando com os quiosques? Por quê?
3) Quais são as vantagens da construtora?
4) Onde estão as velhas instalações?

II. Gramática

A. Complete com meu(s), minha(s), nosso(s), nossa(s).

1) Francisco, este é ________ filho Gabriel, esta é ________ filha Helena, esta é ____________ mulher e estes são ________ cachorros.
2) Eu guardo __________ carro na ___________ garagem.

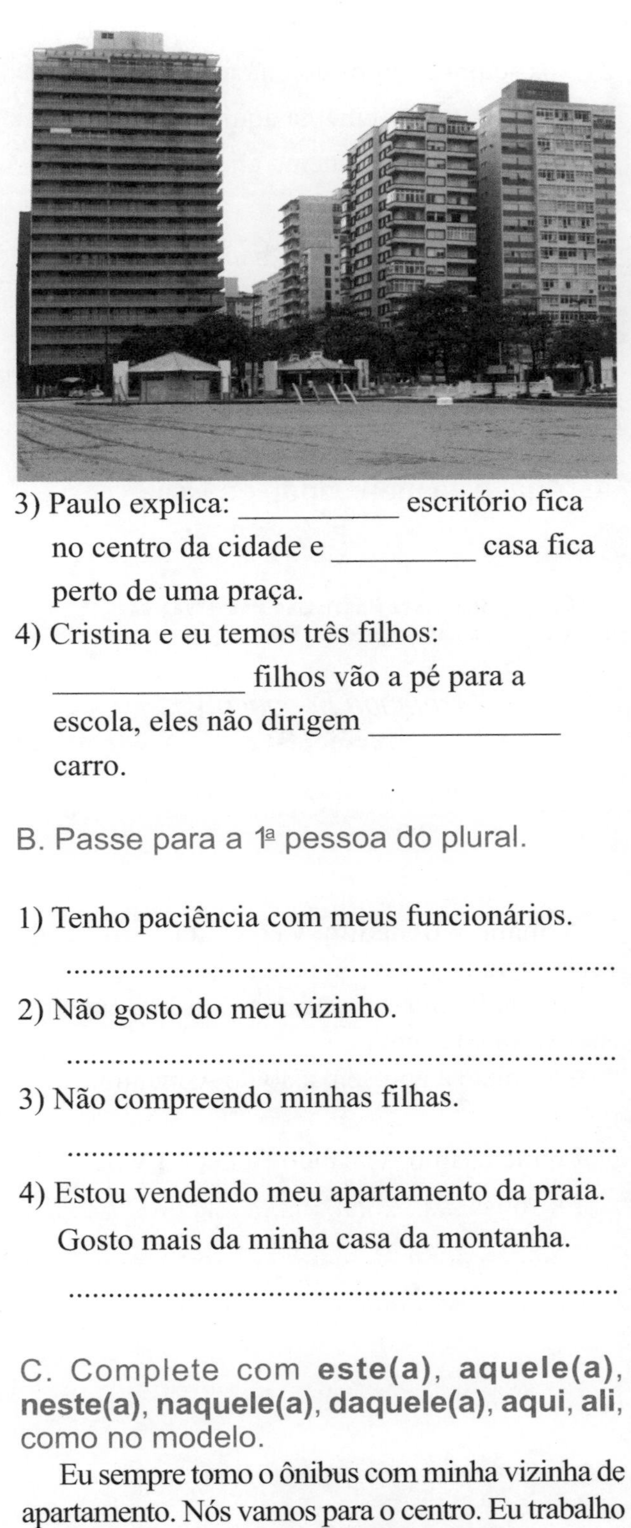

3) Paulo explica: __________ escritório fica no centro da cidade e _________ casa fica perto de uma praça.
4) Cristina e eu temos três filhos: ____________ filhos vão a pé para a escola, eles não dirigem ____________ carro.

B. Passe para a 1ª pessoa do plural.

1) Tenho paciência com meus funcionários.

....

2) Não gosto do meu vizinho.

....

3) Não compreendo minhas filhas.

....

4) Estou vendendo meu apartamento da praia. Gosto mais da minha casa da montanha.

....

C. Complete com **este(a)**, **aquele(a)**, **neste(a)**, **naquele(a)**, **daquele(a)**, **aqui**, **ali**, como no modelo.

Eu sempre tomo o ônibus com minha vizinha de apartamento. Nós vamos para o centro. Eu trabalho **neste** prédio **aqui** e ela **naquele** prédio **ali**.

1) Nós sempre comemos _________________ restaurante aqui bem perto. Não gostamos daquele restaurante ________ É muito caro.

2) Nós sempre vamos ao cinema, à noite.

____________ cinema aqui na esquina é novo, ________ cinema ali, naquela esquina, é antigo.

3) Eu não gosto ________ banco ali, ________ praça.

III. Expressão escrita

A. "Aqui está meu cartão de visita".

SBPPLS **SOCIEDADE BRASILEIRA PROTETORA DAS PRAIAS DO LITORAL SUL**

Armando Benedito Vaz

Ecologista

Escritório: Rua Marechal Fonseca, 15 — Centro — Cabo Frio (RJ)
Residência: Rua das Rosas, 80 — Bairro da Luz — Cabo Frio (RJ)

Armando Benedito Vaz visita a firma de construção de apartamentos na praia.

Armando entrega seu cartão ao engenheiro-chefe e se apresenta.

Complete a apresentação de Armando.

Eu me chamo Armando Benedito Vaz.

Eu sou ....
....
....

B. Você já leu sobre uma cidade grande. Escreva agora sobre sua cidade e seus habitantes. O vocabulário abaixo vai ajudar você.

1) A vida na minha cidade é.............................
....

2) A minha cidade tem ....
....

3) Os habitantes são ....
....

4) Eles gostam de ....
....

5) Na minha cidade há ....
....

Vocabulário

* grande-pequeno
* agitado-calmo
* moderno-antigo
* muitos-poucos
* prédios, casas
* nas montanhas, na praia, na capital, no interior
* restaurantes, bares, lanchonetes
* cinemas, teatros, videotecas
* lojas
* farmácia, drogaria, perfumaria
* supermercado, mercearia

TEXTOS GRAVADOS

Santos, uma cidade grande

Paulo e Maria Clara Gomes moram em Santos, na Rua da Praia. Santos é uma cidade grande e tem um porto muito importante. Produtos nacionais e estrangeiros passam por ele. Grandes navios entram e saem todos os dias. O porto é antigo, mas as autoridades estão modernizando as instalações.
O apartamento onde Paulo e Maria Clara moram é pequeno, mas é confortável. O prédio é moderno e a rua é calma.
Eles trabalham muito e correm o dia todo porque a cidade é grande.
Paulo vende casas e apartamentos. Ele tem um escritório na parte antiga da cidade, perto do porto. Ele não vai trabalhar de carro porque a rua do escritório é muito agitada. Ele vai de táxi. Ele atende muitos clientes e não tem tempo para almoçar em casa. Ele come em um restaurante, perto do escritório.
Maria Clara, sua mulher, trabalha na Prefeitura. Ela vai de ônibus para o centro, porque não gosta de dirigir.
Fernando e Gabriel, os filhos, e Helena, a filha, são estudantes. Eles não têm carro e vão a pé para a escola. Eles também são muito ocupados: praticam esporte e aprendem línguas estrangeiras.
A família só se encontra à noite, no jantar, para conversar e resolver os problemas. É sempre assim nas cidades grandes.

Ouça as frases e repita.

1. — Por favor, preciso de uma informação.
   — Pois não.
2. — Uma informação, por favor.
   — Pois não.
3. — Aqui estão as informações.
   — Obrigado.
4. — Por favor, onde fica a rua da Praia?
   — Fica ali.
5. — Oi!
   — Oi!
6. — Tudo bem?
   — Tudo bem.
7. — Tudo bem no escritório?
   — Tudo bem.
8. — Maria, este é meu amigo Roberto.
   — Muito prazer.

Mapa Político do Brasil

UNIDADE 3

OUVIR E FALAR

I. Ouça o texto

Cena familiar

(O texto está no final da unidade. Confira depois.)

COMPREENSÃO DO TEXTO

A. Ouça o texto novamente e preencha as lacunas.

1) Posso _____________ bola no parque?
2) Você __________________ não estudou.
3) E depois _______________ estudar, posso?
4) Mas, __________________ com o sol.
5) Hoje __________________ muito quente.
6) Você não pode tomar _____________ agora porque você ______________ não jantou.
7) Mais ______________ você não vai ______________ tempo.
8) A família está _____________ os amigos do México. A mãe está ______________ um peixe assado com muita pimenta.
9) O menino vai gostar ___________ do sorvete.
10) Os mexicanos gostam de ______________ brasileira.

B. Ouça o texto e escolha a alternativa correta.

1. O menino
   a) não pode jogar bola no parque hoje.
   b) só pode jogar bola depois de estudar.
   c) não pode jogar bola.
2. O menino vai tomar banho
   a) antes do jantar.
   b) antes de ir ao parque.
   c) depois de estudar.
3. No cardápio do jantar há
   a) peixe com molho de pimenta.
   b) peixe assado simples.
   c) peixe assado com camarão e muita pimenta.
4. O menino toma sorvete
   a) na sobremesa.
   b) depois de voltar do parque.
   c) depois de tomar banho.
5. O menino gosta
   a) do sorvete de sobremesa.
   b) do cardápio do jantar.
   c) do peixe com pimenta.

6. A mãe diz: Cuidado! por causa
   a) do trânsito.
   b) do jogo de bola.
   c) do sol.

II. Gramática

A. Ouça as frases. Diga de outra forma.
Use o verbo **ser**, como no modelo.
(vendedor) Ele vende carros. Ele é vendedor.

1) (rico) Ele tem muito dinheiro.

....

2) (pobre) Ele não tem dinheiro.

....

3) (jogador) Ele joga futebol.

....

4) (cozinheiro) Você cozinha para o
   restaurante. ....

5) (médicos) Nós trabalhamos no hospital.

....

B. Veja as figuras e diga o que eles estão fazendo. Por quê? Ouça a resposta na gravação.

(estar com calor) Ele está tomando sorvete porque está com calor.

1) (estar com fome)
   Elas..

2) (estar com sede)
   Eles..

3) (estar com sono)
   Ele ....

4) (estar com pressa)
   Ele ....

C. Ouça as frases. Diga de outra forma.
Use o verbo **estar**, como no modelo.
   Ele nunca fica em casa.
   Ele nunca está em casa.

1) Eles sempre ficam em casa.

....

2) O advogado fica sempre no escritório.

....

3) Eu sempre fico em casa.

....

4) Nós nunca ficamos aqui.

....

III. Frases do cotidiano

Ouça as respostas.
Faça as perguntas, como no modelo.

Há um bom restaurante ali na esquina.
Onde há um bom restaurante?

1) Há uma mesa livre, ali no canto, perto da janela. ....

....

2) Vou comer um sanduíche.

....

3) Vou tomar um cerveja bem gelada. Estou com sede. ....

....

4) (A pé) O restaurante fica perto.

....

5) Acho o cardápio bom. Gosto dele.

....

IV. Automatização de verbos

A. Ouça as frases e faça como no modelo.

(Paris/Londres)
— Eu moro em Paris.
No ano que vem vou morar em Londres.

1) (Japão/China) — Ele conhece o Japão.
No mês que vem, ...
2) (gerente/diretor) — Hoje você é o gerente.
No ano que vem, ...
3) (em casa/no restaurante) — Nós sempre almoçamos em casa.
No domingo que vem, ...
4) (visitar a fábrica do Rio/ a fábrica de Belém). — Eles sempre visitam a fábrica do Rio.
Amanhã, eles ....
....
5) (viajar para a Europa/Estados Unidos)
— Ela sempre viaja para a Europa.
Na semana que vem, ...
....

B. Ouça as frases e faça como no modelo.
(comer a sobremesa/tomar cafezinho)
— Agora, ele está comendo a sobremesa.
Depois, ele vai tomar o cafezinho.

1) (tomar aperitivo/almoçar) — Agora eles estão tomando aperitivo. Depois, eles ....
....
2) (ler o jornal/revista) — Agora ela está lendo o jornal. Depois, ela ....
....
3) (ver televisão/sair) — Agora nós estamos vendo televisão. Depois, nós ....
....
4) (morar num apartamento/em uma casa)
— Eles estão morando em um apartamento.
No mês que vem, eles ....
....
5) (falar com o diretor/falar com o presidente)
— Agora eu estou falando com o diretor.
Mais tarde, ...
....

LER E ESCREVER

I. Leia o texto

Restaurante "Sabor de Lisboa" — Simples, mas de boa qualidade.

O restaurante "Sabor de Lisboa" fica na rua Afonso de Matos, nº 157, em São Paulo, em um bairro industrial simples e longe do centro. Existem aí muitos bares e lanchonetes e alguns restaurantes simples, mas muito bons.
Há restaurantes japoneses, chineses, italianos e até franceses. É possível ainda encontrar um bom restaurante alemão, onde se come um chucrute excelente.
O "Sabor de Lisboa" é especialista em comida portuguesa. Aí, você pode comer um saboroso bacalhau à "Gomes de Sá" e tomar um verdadeiro vinho verde português.
A sala do restaurante é pequena, mas acolhedora. Tudo é muito limpo e os garções são atenciosos. Os proprietários - marido e mulher - atendem os fregueses e preparam a comida.
Entre as várias sobremesas, você tem os deliciosos pastéis de Santa Clara.
No final da refeição, a casa oferece uma aguardente de uva.
O restaurante funciona de 2ª. a 6ª. feira, no almoço, das 11h30 às 14h30 e no jantar, das 18h30 às 23h30. Ele não abre aos sábados e domingos.

COMPREENSÃO DO TEXTO

Responda.

1) O que você sabe sobre o restaurante "Sabor de Lisboa"?

a) tipo de restaurante: ....

b) a sala: ....

c) os proprietários: ....

d) os garçons: ....

e) a comida: ....

f) os horários: ....

2) O que você sabe sobre o bairro industrial?

a) localização: ....

b) tipos de restaurante: ....

II. Gramática

A. Há no texto muitas palavras no singular e no plural.

1) Dê o singular:

Os bares: ....

Japoneses: ....

Italianos: ....

Os garções: ....

Os fregueses: ....

Os pastéis: ....

2) Dê o plural:

O professor alemão: ....

A refeição completa: ....

A cidade industrial: ....

O freguês bom: ....

A mulher feliz: ....

O hotel simples: ....

O irmão atencioso: ....

B. Numere as perguntas à direita, de acordo com as respostas à esquerda.

Respostas		Perguntas
1) Meus amigos Pedro e Roberto são mexicanos. Eles vão estudar nos Estados Unidos.	( )	Quais são seus projetos para o futuro?
2) Seus pais são funcionários da Embaixada dos Estados Unidos, em Brasília.	( )	Quanto tempo vão ficar nos Estados Unidos?
3) Eles vão ficar dois anos em Washington.	(1)	Quem são meus amigos?
4) Eles vão estudar inglês em uma escola de línguas.	( )	Quantos amigos americanos eles têm?
5) Eles vão voltar para o Brasil quando o curso terminar.	( )	O que seus pais fazem?
6) Eles vão viajar de avião.	( )	Como eles vão viajar?
7) Eles têm muitos amigos americanos.	( )	O que eles vão fazer nos Estados Unidos?
8) Eles querem trabalhar em uma firma americana, no Brasil, depois da viagem...	( )	Quando eles vão voltar para o Brasil?

C. Complete com o verbo **poder.**

1) O senhor __________ me ajudar?
2) Eu não_________ tomar cerveja gelada.
3) Eles não ________________ andar a pé. Estão muito cansados.
4) Você _______ me ajudar? Não, não ______.
5) Eu _______ ler este livro? Não, não _____.
6) O que eu _______ fazer por você? Você não __________ fazer nada.

III. Expressão escrita

A. Responda.

1) Geralmente onde ficam os bairros industriais?
2) Por que em um bairro industrial há muitos bares e lanchonetes?
3) Por que os restaurantes típicos desse bairro não abrem no fim de semana?

B. Leia os anúncios abaixo. Escolha um deles e escreva um pequeno texto sobre ele.

POUSADA DOS TRÊS IRMÃOS

Localização: 280 km de Curitiba (PR) - Região tranqüila e clima de montanha. Hotel/ Restaurante/ Lojas
Hospedagem: 35 quartos com banheiro - café da manhã
Comida: cozinha caseira
Especialidades: comida alemã, pães caseiros, doces da região.

HOTEL "VIDA MANSA"

Localização: Praia da Areia Branca - 100 km de Vila Nova (SP) Hotel/Restaurante
Especialidades: frutos do mar - massas
Hospedagem: 42 quartos com banheiro - café da manhã completo
Lazer: Passeios de barco pelas praias vizinhas
Aceita-se cartão de crédito.

IV. Aprendendo palavras novas

A. Relacione.

1) abelha	☐	perigo
2) cobra	☐	mar
3) rã	☐	veneno
4) peixe	☐	vôo
5) galinha	☐	vaca
6) boi	☐	mel
7) pássaro	☐	galo
8) cabra	☐	fêmea
9) macho	☐	méééé!
10) tigre	☐	pântano

B. Separe por categorias

1 macacos
2 coruja
3 tucano
4 arara
5 onça
6 elefante
7 veado
8 leão
9 vaca
10 javali
11 cavalo
12 tamanduá
13 cabrito
14 ovelha
15 tatu
16 jumento
17 galo
18 galinha
19 abelha
20 pato
21 burrico
22 pombo
23 zebra
24 rato
25 lagartixa
26 tartaruga
27 coelho

Quais voam? ....

....

....

Quais são perigosos? ....

....

....

Quais são alimento para os homens? ....

....

....

TEXTO GRAVADO

Cena Familiar

— Mamãe, posso jogar bola no parque?
— Agora não. Você ainda não estudou.

— E depois de estudar, posso?
— Pode sim. Mas cuidado, hoje está muito quente para brincar no sol.

Mais tarde

— Posso tomar um sorvete agora? Estou com sede.

— Agora não. Você ainda não jantou. Se você está com sede, tome um copo de água.

— E depois do jantar, posso?

— Pode. Mas, antes do jantar você vai tomar banho. Mais tarde você não vai ter tempo. Estamos esperando nossos amigos do México. Eles vão jantar aqui.

— Gostam sim e gostam também de pimenta.
Estou preparando um peixe assado com camarão e muita pimenta.

Vou servir uma salada de palmito e torta de frango. Como sobremesa, um pudim de leite e sorvete de chocolate e de creme. O que você acha do cardápio? Gosta?

— Eu não vou gostar do jantar. Só do sorvete.

Países da Europa no Brasil

1. Albânia
2. Alemanha
3. Áustria
4. Belarus
5. Bélgica e Luxemburgo
6. Bósnia
7. Bulgária
8. Croácia
9. Dinamarca
10. Eslováquia
11. Eslovênia
12. Espanha
13. Estônia
14. Finlândia
15. França
16. Islândia
17. Itália
18. Iugoslávia
19. Letônia
20. Lituânia
21. Macedônia
22. Moldávia
23. Países baixos
24. Portugal
25. Polônia
26. Reino Unido
27. República Tcheca
28. Romênia
29. Suécia
30. Suíça

UNIDADE 4

OUVIR E FALAR

I. Ouça o texto

Notícia de jornal
(O texto está no final da unidade. Confira depois.)

COMPREENSÃO DO TEXTO

A. Ouça o texto novamente e preencha as lacunas.

1) O texto é sobre uma __________ de jornal.
2) Um motorista __________________ o carro ____________________ um prédio.
3) O prédio fica __________ ponto de ônibus.
4) O prédio é antigo, tem ________________ andares e não tem ____________________ .
5) Os moradores ficaram ________________ com o ___________________ da batida.
6) Depois, desceram as __________________ e __________________ para ver o acidente.
7) De ________________ , a rua é tranqüila.
8) O motorista ___________ está no hospital.
9) Ele não ________________ ou não______ __________ dar informações sobre o acidente.
10) É _______________ determinar a causa do acidente.
11) O motorista precisa fazer um ___________ médico ________________.
12) Provavelmente, o motorista estava_______ __________ na _____________ quando o acidente aconteceu.

B. Ouça o texto e responda.

1. O acidente. Onde aconteceu?
rua - ....
bairro - ....
local - ....
Quando aconteceu?
dia - ....
hora - ....
O que aconteceu? ....

2. O prédio
É moderno? ....
É muito alto? ....
É confortável? ....

3. Os moradores do prédio:
Como ficaram? ....
O que fizeram? ....

4. A rua do prédio
Como é de manhã? ....
O que há na rua? ....

5. O motorista
Onde está? ....
Por quê? ....

II. Gramática

Onde? Em cima de, atrás de ...

A. Ouça as frases e escreva os números nos desenhos correspondentes.

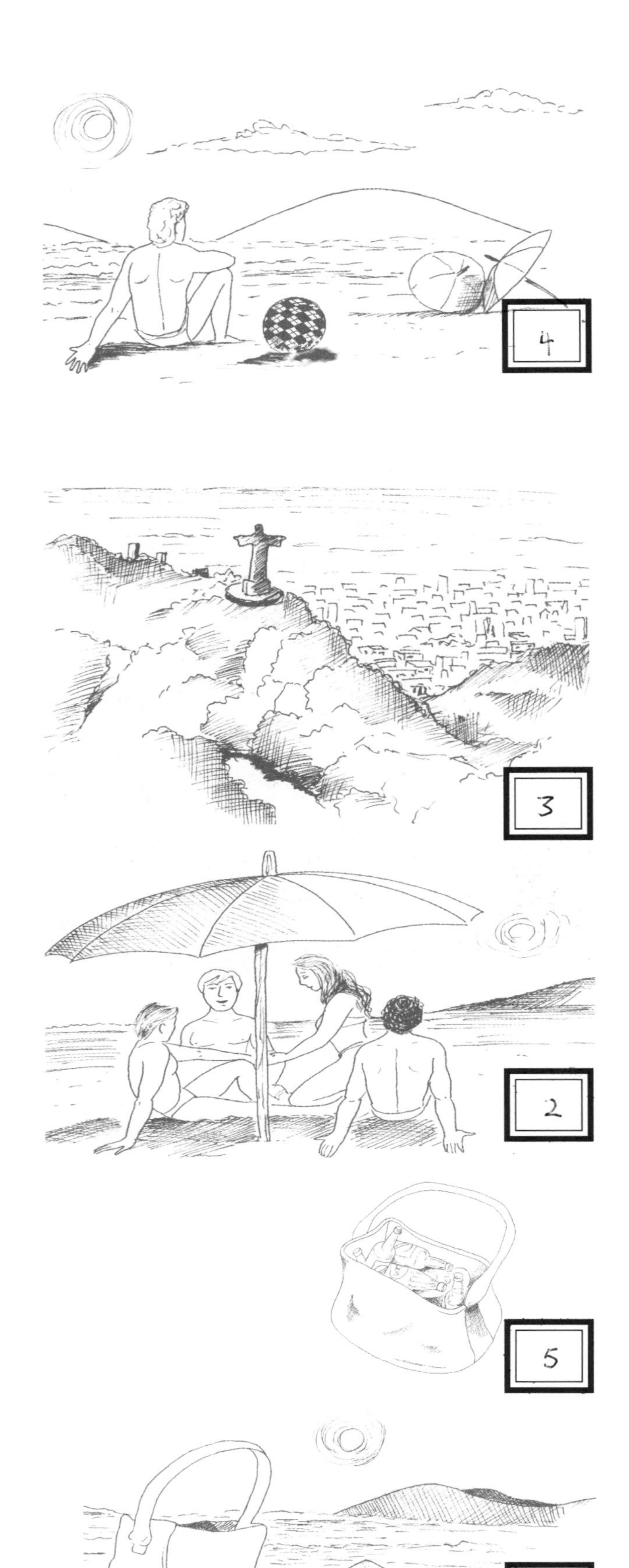

B. **Precisar** e **precisar de**. Ouça as frases e faça como no modelo.

(descansar)— Meu pai está cansado.
— Ele precisa descansar.
(férias)— Meu pai está cansado.
— Ele precisa de férias.

1) (dormir) — Este menino está com sono.

....

2) (comer) — Nós estamos com fome.

....

3) (beber água) — Nós estamos com sede.

....

4) (ir ao banco) — Eles estão sem dinheiro.

....

5) (fazer exercícios) — Estes médicos não saem do hospital.

....

6) (dinheiro) — Minha mulher vai fazer compras.

....

7) (carro) — Eu trabalho longe de casa.

....

8) (casa grande) — Eles têm muitos filhos.

....

9) (médico) — Eu estou doente.

....

10) (professor) — Quero aprender japonês.

....

III. Frases do cotidiano

Ouça as expressões:

— Fazer um negócio da China ...
— Valeu a pena?
— É mais prático.
— Puxa, que absurdo!
— Puxa, que bom!
— Puxa, que pena!

Agora, ouça as frases e aplique uma dessas expressões nas respostas, como no modelo.

Troquei minha casa velha por um apartamento novo. Estou muito contente.
— Puxa, que bom!

1) Meu prédio é antigo e não tem elevador. Todos os dias preciso subir e descer seis andares. ....

....

2) Estou sem dinheiro, mas comprei um carro novo, um carro excelente.

....

3) Vamos comprar a melhor casa da praia por um preço bem baixo.

....

4) Por que você quer morar perto do seu escritório?

....

5) O preço deste carro é o preço de um apartamento grande.

....

IV. Automatização de verbos

Ouça as frases e responda, como no modelo.

Você vendeu sua casa? Vendi.

1) Ele comprou os livros?

....

2) Eles desceram as escadas?

....

3) O motorista bateu o carro?

....

4) Você correu para ver o acidente?

....

5) Você morou em Paris?

....

6) O senhor trabalhou em Tóquio?

....

7) Vocês estudaram a lição?

....

8) Vocês receberam a carta?

....

9) Você quer ir ao cinema?

....

10) Você prefere andar?

....

11) Vocês estão contentes?

....

12) Vocês preferem ficar?

....

13) O senhor quer viajar?

....

14) Vocês querem ir ao cinema?

....

15) Você lê os jornais de manhã?

....

16) Você leu a notícia?

....

17) Eles lêem jornais?

....

18) Vocês lêem à noite?

....

19) Ele leu o relatório?

....

20) Você lê revistas?

....

21) A gente vai ao cinema?

....

LER E ESCREVER

I. Leia o texto

Bar irresponsável

O cliente escreve para o jornal:
— Sou cliente do Saint Paul Bar, um restaurante simpático, moderno, confortável e bem localizado. Ele fica na esquina das ruas Olavo Bilac e Castro Alves, e tem um grande estacionamento ao lado. O prédio, de dois andares tem pequenas salas, bem iluminadas no térreo e uma grande sala, com muitas mesas no 1º andar.
O serviço do Saint Paul Bar é excelente, mas quero dizer que o serviço do estacionamento é ruim.
Na sexta-feira tomei um aperitivo no andar térreo e depois jantei no 1º andar.
Na saída, recebi meu carro, com a porta amassada.
Nenhum funcionário explicou como aconteceu o acidente, mas acho que a responsabilidade é deles. Foi o jantar mais caro da minha vida.

O gerente do Saint Paul Bar responde:
— O acidente aconteceu durante minha ausência, pois eu não trabalho às sextas-feiras. Mas, quero dizer que a gente já tomou as providências para pagar o conserto do carro. Todo acidente que acontece no nosso estacionamento é de nossa responsabilidade. Trabalhamos com manobristas registrados e com seguro geral para proteger nossos clientes.

COMPREENSÃO DO TEXTO

Certo (C) ou Errado (E).

1) O cliente não gosta do Saint Paul Bar porque ele é bar e restaurante. .... ☐
2) O cliente acha o serviço do Saint Paul Bar perfeito. .... ☐
3) É fácil estacionar o carro no Saint Paul Bar. .... ☐
4) O serviço de estacionamento é feito por manobristas registrados. .... ☐
5) O restaurante não se preocupa com os acidentes de carros no estacionamento. ... ☐
6) Os manobristas do estabelecimento são muito responsáveis. .... ☐
7) A direção do Saint Paul Bar não quer pagar o conserto do carro. .... ☐

II. Gramática

A. Passe as frases abaixo para as pessoas indicadas.

1) Na saída, recebi meu carro com a porta amassada.
(ele). ....
2) Foi o jantar mais caro da minha vida.
(eles) ....
3) O acidente aconteceu durante minha ausência.
(ele) ....
4) Acho que a responsabilidade é minha.
(nós) ....
5) Na saída do restaurante, espero meu carro na porta.
(nós) ....

B. Leia o texto. Passe o texto para a 1ª pessoa do plural e depois para a 3ª pessoa do plural.

Quando cheguei a São Paulo, procurei um apartamento para alugar. Nos primeiros dias comprei muitos jornais e anotei os endereços mais interessantes.

Mas, quando visitei os apartamentos, percebi logo a dificuldade de achar um bom lugar. Meu apartamento precisa ser pequeno mas funcional, moderno e confortável, novo e barato. Meu apartamento precisa ter uma sala grande com janelas grandes, um quarto com armários embutidos e banheiro, lavabo social, cozinha e área de serviço bem claras. E, naturalmente, uma garagem. Não posso deixar meu carro na rua.

III. Expressão escrita

Vão abrir um restaurante na esquina de sua casa. Você escreve para um jornal protestando, na seção "Escreve o leitor".

— Você mora em um bairro residencial.
— Ruas tranqüilas. Só casas com jardins.
— Não há prédios altos.
— Não é zona comercial. Não é possível haver bares, restaurantes, lojas.

IV. Aprendendo palavras novas

A. Relacione os sinônimos.

1. a língua	3	inscrever-se
2. rápido	☐	o idioma
3. matricular-se	☐	a queixa
4. o proprietário	☐	o dono
5. o sentido	☐	reparar
6. voltar	☐	depressa
7. a reclamação	☐	regressar
8. festejar	☐	o início
9. observar, notar	☐	celebrar
10. o começo	☐	o significado

B. Relacione as duas colunas.

1. linhas	6	térreo
2. doença	☐	paralelas
3. filho	☐	telefônica
4. o conto	☐	e o sobrenome
5. a lista	☐	de terror
6. o andar	☐	grave
7. o código	☐	único
8. o nome	☐	postal

C. Relacione.

1. diário	[ ] por semana
2. mensal	[1] todo dia
3. semanal	[ ] de hoje
4. atual	[ ] por ano
5. contemporâneo	[ ] por mês
6. anual	[ ] da mesma época

D. Relacione o local com sua definição.

1. a bilheteria
2. o cais do porto
3. o porão
4. a cantina
5. a mercearia
6. a oficina

- [ ] parte debaixo de uma casa
- [ ] lugar ou guichê onde se vendem ingressos para espetáculos
- [ ] ponto onde fica o navio para o embarque ou desembarque de passageiros e carga
- [ ] loja onde se vendem gêneros alimentícios, especialmente queijos, frios e pães
- [ ] restaurante especializado em comida italiana e vinhos
- [ ] lugar onde se consertam veículos

TEXTO GRAVADO

Notícia de jornal

Ontem, às 7 horas da manhã, um motorista de táxi bateu o carro contra um prédio. O acidente aconteceu na rua São Joaquim, no bairro da Liberdade, perto de um ponto de ônibus.
O prédio não tem elevador porque é antigo. Ele é pequeno, tem apenas seis andares.
Os moradores dos apartamentos ficaram assustados com o barulho da batida. Depois, desceram as escadas e correram para ver o acidente.
De manhã, a rua é tranqüila.
Há uma padaria ao lado do prédio. Em frente do prédio há uma farmácia e um banco.
O motorista ainda está no hospital e não quer, ou não pode dar informações sobre o acidente. Ele precisa fazer um exame médico completo e precisa de repouso.
É difícil determinar a causa do acidente. Às 7 horas da manhã, as lojas e o banco ainda estão fechados e não há muito trânsito. Provavelmente, o motorista estava dormindo na direção quando o acidente aconteceu.

II. Gramática

Onde? Em cima de, atrás de ...

A. Ouça as frases e escreva os números nos desenhos correspondentes.

1) Os meninos estão jogando bola perto da calçada.
2) As moças e os rapazes estão embaixo do guarda-sol.
3) O morro do Corcovado fica longe da praia.
4) O banhista está sentado em frente do mar. Há uma bola ao lado dele.
5) Dentro da sacola há garrafas de água e de cerveja.
6) Fora da sacola, em cima da areia, há uma toalha de banho.
7) No mar há homens, mulheres e crianças. Os surfistas ficam sobre as ondas.
8) Atrás do banhista, há uma bola.

UNIDADE 5

OUVIR E FALAR

I. Ouça o texto

Errar é humano
(O texto está no final da unidade. Confira depois.)

COMPREENSÃO DO TEXTO

A. Ouça o texto novamente e preencha as lacunas.

1) Alô, __________ falam?
2) ______________ é Henrique Queirós, diretor do ________________ "Elite".
3) ____________ de falar com o sr. Carvalho.
4) Um momento, não ________________. Vou lhe _________________ sua secretária.
5) Qual é o _________________, por favor?
6) Acho que há um _____________ na fatura.
7) Recebi _________________ a fatura da nossa compra.
8) Acho que o ________ está _____________.
9) Sempre _________________ 15% no pagamento à vista.
10) O senhor _________________ uma fatura com 10%.
11) O número da fatura é realmente ________, de _____________ de março?
12) A nova fatura vai chegar daqui _________________ três dias.
13) Há uma ________________ a seu favor.

B. Assinale Certo (C) ou Errado (E), de acordo com o texto.

1) O sr. Henrique Queirós, diretor do Supermercado "Elite", recebeu a fatura e verificou o valor imediatamente. .... ☐
2) A fatura não apresentou nenhum desconto na compra. .... ☐
3) O sr. Henrique ligou diretamente para o fabricante. .... ☐
4) O sr. Carvalho, dono da fábrica, não atendeu o telefonema do sr. Queirós. ..... ☐
5) O desconto, na fatura, foi de 10%. .... ☐
6) O desconto normal, para pagamento à vista é de 15% .... ☐
7) O senhor Carvalho não percebeu o erro. .... ☐
8) O número da fatura e a data não estão certos. .... ☐
9) O senhor Carvalho vai emitir uma nova fatura. .... ☐
10) O sr. Queirós não aceitou o erro da fábrica. .... ☐

II. Gramática

A. Ouça o texto
Feriado de Páscoa.
(O texto está no final da unidade. Confira depois.)

1) Preencha o quadro abaixo, de acordo com o texto.

RETORNO PROGRAMADO

Operação volta	Horário de maior movimento nas estradas
Rodovias: Anchieta, Imigrantes	
Dutra e Fernão Dias	
Castelo Branco, Ayrton Senna, Raposo Tavares	

2) Agora responda às questões.

a) Qual o melhor horário de volta para as pessoas que viajam pela rodovia Anchieta/Imigrantes?

....

b) Por que a parte da manhã é mais tranqüila para se voltar a São Paulo pelas rodovias Castelo Branco e Fernão Dias?

....

c) Voltar pelas rodovias Castelo Branco, Ayrton Senna e Raposo Tavares ao meio-dia é bom? Por quê?

....

B. Ouça as frases e diga de outra forma, como no modelo.

O avião vai chegar às 22:45h (vinte e duas horas e quarenta e cinco minutos).
O avião vai chegar às 15 para as onze da noite.

1) O Supermercado abre das 7:30h (sete e trinta) às 20:45h (vinte e quarenta e cinco).

....

2) O horário de almoço da secretária vai das 12:15h (doze e quinze) às 13:45h (treze e quarenta e cinco).

....

3) Este avião sai às 8:50h (oito e cinqüenta) de São Paulo e chega às 10:20h (dez e vinte) a Porto Alegre.

....

III. Frases do cotidiano

Ouça as frases e responda, como no modelo.

estar atrasado - estar adiantado - na hora - daqui a pouco - há ...

O trem chega sempre às dez horas e já são dez e dez.
O trem está atrasado.

1) O trem parte às três e vinte e agora já são três e vinte. Ele já está saindo.

....

2) A aula começa às 9 horas. São nove horas agora. O professor está chegando.

....

3) Pedro saiu às 4 e vinte. Agora são quatro e meia. Há quanto tempo Pedro saiu?

....

4) São 4 e vinte. Os bancos fecham às quatro e meia. Quando os bancos vão fechar?

....

5) A firma abre às nove horas. Agora são 8:30h e o diretor já chegou.

....

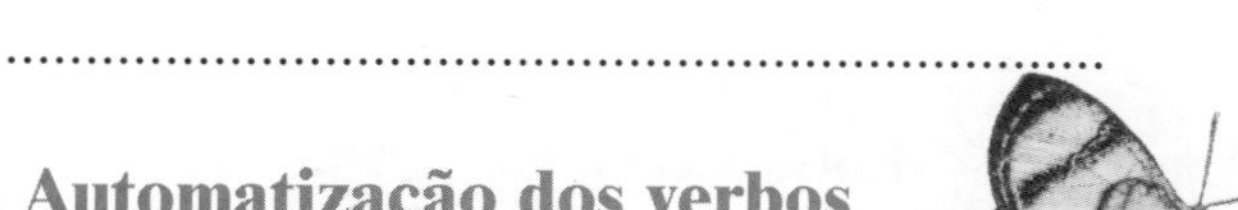

IV. Automatização dos verbos

A. Ouça as frases e responda, como no modelo.

Você esteve no Japão? Estive.

1) Ele esteve nos Estados Unidos?

....

2) O senhor esteve na reunião?

....

3) Vocês foram à festa?

....

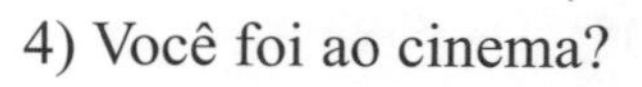

4) Você foi ao cinema?

....

5) Ele foi seu funcionário?

....

B. Ouça as frases e responda na forma negativa, como no modelo.

Ele abriu as cartas? Não, não abriu.

1) Ele insistiu para você ficar?

....

2) Ele emitiu nova fatura?

....

3) Você permitiu a reunião?

....

4) E você, você desistiu?

....

5) Seus filhos foram ao cinema?

....

6) Você permite animais, na sala?

....

7) Ele desistiu?

....

LER E ESCREVER

I. Leia o texto

As borboletas
Vinícius de Moraes

Brancas
Azuis
Amarelas
E pretas
Brincam
Na luz
As belas
Borboletas

Borboletas brancas
São alegres e francas.

Borboletas azuis
Gostam muito de luz.

As amarelinhas
São tão bonitinhas!

E as pretas, então ...
Oh, que escuridão!

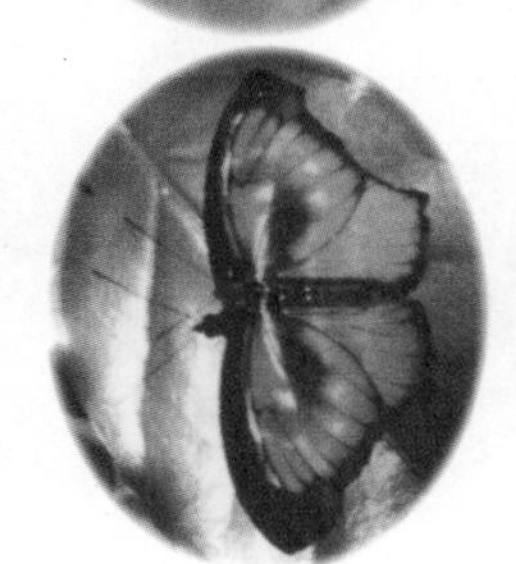

Fonte: Prof. K. Brown.

COMPREENSÃO DO TEXTO

Responda.

1) O poeta enumera as borboletas pelas cores. De que cores são as borboletas?
2) O poeta dá uma qualidade para cada borboleta, de acordo com sua cor. Diga quais são elas.
3) As borboletas das quatro cores gostam todas de praticar a mesma ação. Qual é ela?
4) Você conhece borboletas de outras cores?
5) Você já viu borboletas marrons?

II. Gramática

A. Passe para o masculino, como no modelo.

uma nuvem rosa — *um céu rosa*

1) uma pedra laranja —
muro — ....
2) uma folha verde —
pássaro — ....
3) umas árvores marrons —
galhos — ....
4) uma tarde cinza —
tempo — ....
5) uma luz alaranjada —
clarão — ....
6) uma água esverdeada —
mar — ....
7) uma flor rosada —
céu — ....

B. Passe para o feminino, como no modelo.

o diretor exigente — a diretora exigente

1) o cidadão ilustre — ....
2) o cirurgião-dentista — ....
3) o professor alemão — ....
4) um espião europeu — ....
5) um homem cristão — ....
6) um freguês exigente — ....
7) um escritor excelente — ....
8) um chefe difícil — ....

III. Expressão escrita

A. Leia o texto.

SÃO PAULO:
FRIO BATE RECORDE EM CAMPOS DO JORDÃO

Campos do Jordão (175 km de São Paulo) teve ontem o dia mais frio do mês de abril dos últimos 23 anos, segundo a estação meteorológica do Horto Florestal do município.
A estação registrou mínima de 3,2°C na madrugada de ontem. Até ontem, essa era a temperatura mais baixa do ano na região.
O funcionário da estação, Olivardo José da Silva, 54, disse que, em 23 anos de trabalho na estação, essa foi a temperatura mais baixa para essa época do ano.

Você leu um texto sobre um dia frio em Campos do Jordão. Escreva sobre o inverno no seu país. O vocabulário que segue pode ajudar você.

— fazer frio/ sol
— nevar - a neve
— o gelo - geada
— céu claro/encoberto/ nublado
— o vento
— a chuva
— temperaturas acima/ abaixo de zero: dois graus abaixo ...
— temperatura agradável

B. Santa Catarina. Escreva um pequeno parágrafo sobre o Estado de Santa Catarina, usando as informações abaixo. Escreva os números por extenso.

Santa Catarina, um dos estados brasileiros de melhor qualidade de vida

— Localização .... sul do Brasil
— Área .... 95.443 km^2
— Cidades 293
— População 4.836.624
— Data de fundação ... 23.3.1726

IV. Aprendendo palavras novas

A. Separe as palavras em dois grupos (1. sentido positivo - 2. sentido negativo).

(1) excelente ( ) estragar ( ) o êxito
( ) a delícia ( ) o desgosto ( ) fantástico
(2) a catástrofe ( ) esplêndido ( ) extraordinário
( ) fresco ( ) o desastre ( ) a mania
( ) o escândalo ( ) a desgraça

B. Família: parentescos

Dê o correspondente feminino.

o pai - a mãe............... o filho - a...................
o irmão - a .... o avô - a ....
o neto - a .... o tio - a ....
o sobrinho - a .... o primo - a.................
o marido - a................. o genro - a ....
o sogro - a .... o noivo - a ....
o cunhado - a..............

C. Assinale, nos parênteses, os substantivos coletivos.

( ) o casal ( ) a maioria
( ) a estrela ( ) a família
( ) a sociedade ( ) o planeta
( ) a turma ( ) o par
( ) a parede ( ) o maço
( ) a população

D. Ordene as palavras segundo o local onde podem estar.

( ) o refresco
( ) o chuveiro
( ) a torneira
( ) a rede
( ) a almofada
( ) o cálice
( ) o tapete
( ) o sabonete
( ) a cafeteira
( ) o lençol
( ) o garfo
( ) a travessa
( ) o saca-rolhas
( ) a caneca
( ) o gravador
( ) o detergente
( ) a pia
( ) o guardanapo
( ) o barbeador
( ) a panela de pressão
( ) o toca-fitas
( ) a prateleira
( ) a toalha
( ) o travesseiro
( ) o cassete
( ) a piscina
( ) a xícara e o pires
( ) o papel higiênico
( ) o talher
( ) o vaso
( ) a casa do cachorro
( ) o colchão
( ) sanitário
( ) o vídeo

TEXTOS GRAVADOS

Errar é humano

Uma fatura errada

(O diretor do Supermercado "Elite", sr. Henrique Queirós, telefona para o fabricante de queijos e de leite em pó "Puro Sabor", sr. Nestor de Carvalho.)

Henrique Queirós:

Alô, de onde falam?

A telefonista:

Aqui é de 8537-9241, fábrica de queijos e de leite em pó "Puro Sabor".

Henrique Queirós:

Aqui é Henrique Queirós, diretor do Supermercado "Elite". O sr. Nestor de Carvalho está? Gostaria de falar com ele.

A telefonista:

Um momento, por favor, não desligue. Vou lhe passar sua secretária.

A secretária:

Alô, aqui é a secretária do Sr. Carvalho. Qual é o assunto, por favor?

Henrique Queirós:

É sobre o pagamento de uma compra de queijos e de leite em pó. Acho que há um erro na fatura.

A secretária:

Um momento, vou lhe passar o sr. Carvalho.

Nestor de Carvalho:

Alô, como vai, sr. Queirós? Tudo bem? Qual é o problema?

Henrique Queirós:

Recebi agora mesmo a fatura da compra de 15 caixas de queijo e de 100 latas de leite em pó. Acho que o total não está certo. É o seguinte. Sempre tivemos 15% (quinze por cento) de desconto no pagamento à vista. O senhor emitiu uma fatura com apenas 10% (dez por cento) de desconto.

Nestor de Carvalho:

Realmente, não compreendo o que aconteceu. Estou vendo, na sua ficha, que o desconto é de 15%. O número de sua fatura está correto: fatura nº 873, de 21 de março?

Henrique Queirós:

É ela mesmo.

Nestor de Carvalho:

Realmente, foi um erro nosso. Há uma diferença a seu favor. Vamos emitir uma nova fatura. Ela vai chegar daqui a três dias. Desculpe nosso erro.

Henrique Queirós:

Tudo bem. Errar é humano. Até logo, sr. Carvalho e obrigado.

Nestor de Carvalho:

Até logo, sr. Queirós.

Feriado de Páscoa

Os feriados da Páscoa foram longos: 5ª-feira, 6ª-feira, sábado e domingo. Mais de 150.000 pessoas e mais de 100.000 carros desceram para o litoral. A volta dos feriados vai ser difícil.
A polícia rodoviária informa os horários de maior movimento no próximo domingo:

— na rodovia Anchieta-Imigrantes	- das 10 da manhã às 10 da noite
— nas rodovias Dutra e Fernão Dias	- da uma da tarde às 10 da noite
— nas rodovias Castelo Branco, Ayrton Senna e Raposo Tavares	- das duas da tarde às 8 da noite

UNIDADE 6

OUVIR E FALAR

I. Ouça o texto

Na casa do "seu" Roberto
(O texto está no final da unidade. Confira depois.)

COMPREENSÃO DO TEXTO

A. Ouça o texto novamente e preencha as lacunas.

1) Dona Olga, vou sair de casa bem _______ ______ amanhã.

2) Ontem, não ________________ dormir ________________.

3) Tive __________ de estômago a noite ___ __________.

4) ________________, não tenho uma boa noite de ________________ há três dias.

5) O senhor está ___________, "seu" Roberto?

6) O senhor sempre teve boa _____________.

7) Outra ________________, dona Olga. Meu amigo Otávio vem aqui para ___________ uns documentos. A senhora pode ________________?

8) Meu amigo não é muito _______________, tem ________________ cabelo, é moreno e ________________ óculos.

9) Os ________________ estão na gaveta da mesa do meu ________________.

10) A senhora não ______________ conhece. Ele ________________ esteve aqui.

B. Ouça as frases e escolha a alternativa correta.

1. "Seu" Roberto vai sair bem cedo amanhã porque
   a) acordou mais cedo.
   b) vai ao médico antes de ir à fábrica.
   c) vai à fábrica antes de ir ao médico.
2. "Seu" Roberto não pôde dormir direito porque, durante a noite,
   a) teve dor nas costas.
   b) teve dor de cabeça e dor de garganta.
   c) teve dor de estômago.
3. "Seu" Roberto vai ao médico porque
   a) não dorme direito há três dias.
   b) não dorme bem à noite há três semanas.
   c) não dorme bem e tem sempre dor de cabeça.
4. Dona Olga deve entregar a Otávio, amigo do "seu" Roberto,
   a) uma pasta com papéis sobre a venda de uma casa.
   b) uma pasta com documentos.
   c) uma pasta e alguns papéis.
5. Otávio, o amigo,
   a) sempre janta em casa do "seu" Roberto.
   b) nunca jantou com o "seu" Roberto.
   c) nunca jantou na casa de "seu" Roberto.

II. Gramática

A. Substitua por um pronome, como no modelo.

Dona Olga vai entregar os documentos.
Dona Olga vai entregá-los.

1) Vou ver minhas amigas amanhã.

....

2) Tenho que tomar os remédios todos os dias.

....

3) O senhor precisa consultar o médico.

....

4) Eu vou entregar a pasta para Otávio.

....

5) Vou abrir a gaveta.

....

B. Substitua por um pronome, como no modelo.

A senhora não conhece meu amigo.
A senhora não o conhece.

1) Não vi os documentos na gaveta da mesa.

....

2) Mandei as cartas pelo correio especial.

....

3) Comprei o remédio na farmácia da esquina.

....

4) Achei a pasta na gaveta da mesa.

....

5) Não convidei minhas colegas para o almoço.

....

C. Imperativo. Ouça a frase e responda como no modelo.

(abrir) A porta está fechada. Por favor, abra.

1) (ler) Este documento é muito importante.

....

2) (não pegar) Este vaso é delicado.

....

3) (escrever) Vou lhe dar meu endereço.

....

4) (não insistir) Não quero ouvir mais nada.

....

5) (ir) Ele quer falar com você.

....

D. nem ... nem. Ouça a frase e responda como no modelo.

O que você quer, chá ou café?
Não quero nem chá, nem café.

1) Que língua você fala, inglês ou francês?

....

2) Onde você vai passar suas férias, na praia ou na montanha?

....

3) Você é amigo de quem, de Marcos ou de Rodrigo?

....

4) De quem você está falando, de Ivete ou de Cristina?

....

5) Com quem você vai sair, com Pedro ou com Gabriel?

....

III. Frases do cotidiano

A. Ouça as perguntas e responda com: **acho que sim** ou **acho que não**, como no modelo.

Ele não tem dinheiro.
Você acha que ele vai comprar um carro novo? — Acho que não.

1) Você está de férias. Você vai viajar no próximo fim de semana?

....

2) Ele está muito cansado. Você acha que ele vai à festa, no sábado?

....

3) Você não gosta de feijoada. Vamos comer feijoada hoje. Você quer ir também?

....

4) Isabel quer falar com você hoje mesmo. Ela vai telefonar para você?

....

5) Meus amigos chegaram ontem. Posso convidá-los para o jantar?

....

B. Ouça as perguntas e responda, começando a frase com **acho melhor** ..., como no modelo.

Está chovendo muito. É melhor ir ao cinema ou ficar em casa? Acho melhor ficar em casa.

1) O tempo está bonito. É melhor ir ao clube ou ao cinema?

....

2) Estou com dor de cabeça e dor nas costas. É melhor jogar tênis ou ficar em casa?

....

3) Pedro me telefona às vezes, mas preciso falar com ele hoje. É melhor esperar ou telefonar para ele? ....

....

4) Quero ir à cidade hoje, mas é difícil estacionar. É melhor ir de carro ou de táxi?

....

5) O carro dele é muito velho. O carro da mulher dele é novo. É melhor ele viajar com o carro dele ou com o carro da mulher?

....

IV. Automatização de verbos

Ouça a frase e responda como no modelo.

Você vê seus amigos, aos domingos? Vejo.

1) Vocês vêem tudo? ....
2) Eles viram vocês? ....
3) Vocês viram José Carlos lá? ....
4) Você quer ficar aqui? ....
5) Ela quis ver você? ....
6) Eles quiseram ajuda? ....
7) Eles querem nos esperar? ....
8) Eles podem nos esperar? ....
9) E você também pode? ....
10) Ontem eles puderam ver o show?

....

11) E você, você também pôde?

....

12) Todo mundo pôde? ....
13) Você vê bem sem óculos?

....

14) E ele ? Também vê bem sem óculos?

....

15) Eles viram José ontem? ....
16) Eles sempre vêem José? ....
17) Você viu o filme? ....
18) Ele também viu? ....
19) Ele pode nos ajudar? ....
20) Vocês podem sair agora?

....

21) E ontem, vocês puderam?

....

22) Vocês querem sair agora?

....

23) E ele, ele também quer?

....

24) Ontem você quis falar comigo?

....

25) Ontem vocês quiseram falar comigo?

....

LER E ESCREVER

I. Leia os textos

Texto 1: Zezé, um grande jogador

Ontem fomos ao Estádio do Morumbi para assistir a um jogo importante: o Brasil contra a Itália.

Foi um jogo difícil. Quase todos os nossos jogadores jogaram bem. Só Zezé jogou mal. Nós saímos tristes do estádio. O técnico do time disse que Zezé é um problema. Ele dorme pouco, come muito, às vezes bebe. Ele nunca treina direito. Ele fuma demais e discute com todo mundo. Ele discute com os outros jogadores, com o técnico, com os adversários, com os jornalistas. Zezé discute até com o público!

O técnico acha que Zezé não pode continuar no time. É pena! Zezé é um grande jogador, mas não tem juízo.

COMPREENSÃO DO TEXTO

Responda

1) O que um bom jogador deve fazer?

....

2) Por que Zezé discute com todo mundo?

....

3) O técnico acha que Zezé é um problema para o time. Por quê?

....

Texto 2: Como ele é mesmo?

— Marta, como é seu amigo Pedro? Ele é loiro ou moreno?

— Ele não é nem loiro, nem moreno. É ruivo.

— Ah! E ele é alto ou baixo, gordo ou magro?

— Pedro não é nem alto, nem baixo, nem gordo, nem magro. Ele tem peso normal para sua altura.

— Sei. De que cor são os olhos dele: azuis ou verdes?

— São castanhos.

— Afinal, como ele é mesmo?

COMPREENSÃO DO TEXTO

Agora descreva, em poucas palavras, como é Pedro.

....

....

....

II. Gramática

A. Formas e dimensões.

1. Dê o antônimo.

a) largo — ....

b) comprido — ....

c) alto — ....

d) grande — ....

e) fino — ....

2. Dê o adjetivo.

a) a altura — ....

b) o comprimento — ....

c) a largura — ....

d) a profundidade — ....

3. Complete.

a) Esta mesa é muito estreita: tem só 0,60 cm de ____________. Ela é muito comprida: tem 3,00 m de ________________.

b) Este corredor tem 0,50 cm de largura e 4,00 m de comprimento. Ele é ____________ e ________________.

c) Precisamos de uma mesa longa para nossas reuniões. A nova mesa precisa ter 2,5 m de __________ e 4,00 m de __________.

d) — Tiago, qual é sua ________________?

— Tenho 1,89 m.

4. Complete.

a) Girafas têm pescoço _______________.

b) Ela é baixa e gorda. Suas pernas são ___ ____________ e _______________.

c) Ele é alto, muito alto e magro. Suas pernas são _______________ e _______________.

d) Ele tem cabelos pretos e lisos, mas ela é muito diferente. Ela tem cabelos ___________ e ___________ .

B. Pronomes

1. Substitua as palavras sublinhadas por pronomes.

a) Eu faço o trabalho à noite.

....

b) Eu não quero fazer o trabalho à noite.

....

c) Deram a notícia pela televisão.

....

d) Mandaram o cheque pelo correio.

....

e) Roubaram meus documentos.

....

2. Substitua as palavras sublinhadas por pronomes.

Ontem, Fernando e André foram ao cinema e viram Teresa e Isabel. Na saída, Fernando e André (_______________) convidaram as moças (_______________) para tomar um café. Os quatro entraram num bar e tomaram o café (_______________) rapidamente. Conversaram pouco. É que André gosta de Teresa mas ela não gosta de André (_____________) e Fernando não gosta de Isabel e não fala com Isabel, (_____________) mas ela só pensa em Fernando (_____________) .

C. Escolha a alternativa correta,

a - à - as - às - há

1. Hoje, ele não vai
   a) à fábrica.
   b) há fábrica.
   c) a fábrica.

2. Não vemos nossos amigos
   a) a muitos anos.
   b) há muitos anos.
   c) à muitos anos.

3. Ela escreveu
   a) à todas as amigas.
   b) a todas às amigas.
   c) a todas as amigas.

4. Nós só enviamos convites
   a) as pessoas que pediram.
   b) às pessoas que pediram.
   c) há pessoas que pediram.

5. Ela mostrou
   a) à amiga a planta do novo apartamento.
   b) a amiga a planta do novo apartamento.
   c) há amiga a planta do novo apartamento.

6. Ele ajudou
   a) às irmãs.
   b) as irmãs.
   c) há irmãs.

III. Expressão escrita

A. Descreva as formas e dimensões deste armário. Diga o que acha dele

Este armário tem 2 metros de... ....

....

....

....

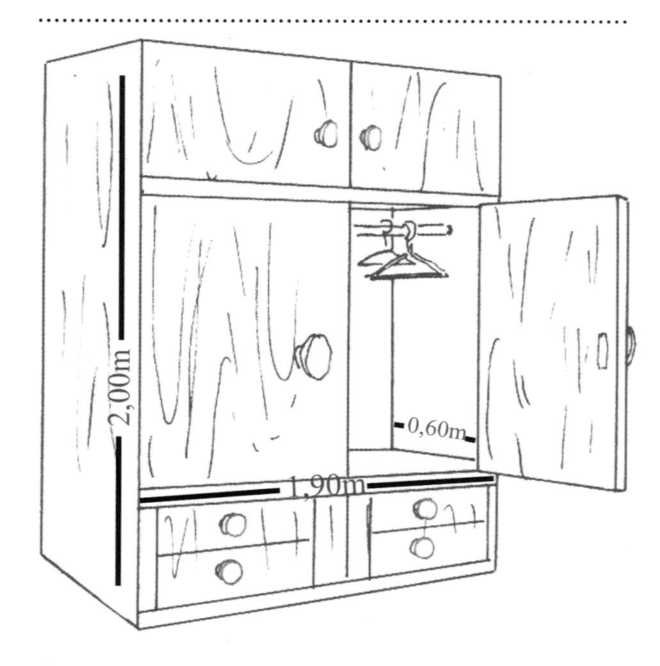

B. Descreva as formas e dimensões deste sofá. Diga o que acha dele.

Este sofá tem 2,40 metros de... ....

....

....

....

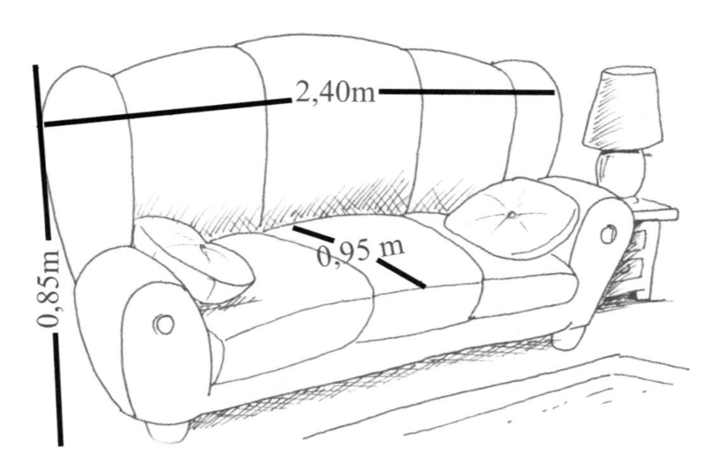

C. Escreva.

Características

Nome: Rex	Pelo: liso
Idade: três meses	Patas: grandes
Tamanho: pequeno	Rabo: curto
Cor: branco e marrom	Focinho: longo

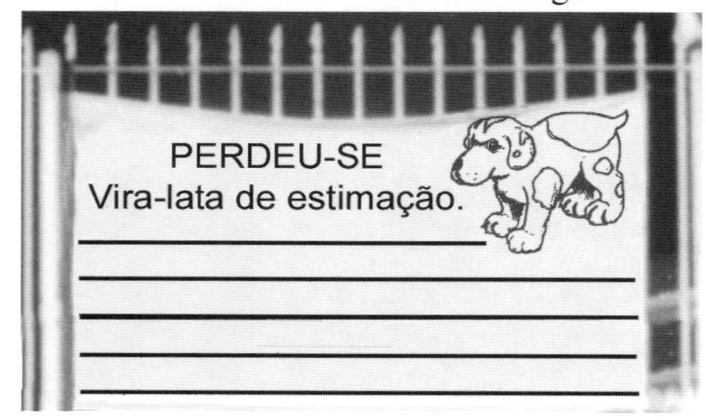

IV. Aprendendo palavras novas

A. O corpo humano é o tema. Separe as palavras na caixa de acordo com sua categoria.

o remédio ✔	tossir	enjoar	a pele
o comprimido	a medicina	o rim	o pé
o fígado	o bigode	adoecer	a ambulância
o paladar	a ferida	o sangue	a unha
curar	o pulmão	a pílula	o tato
a vacina	o lábio	gripado	pálido
o raio X	a injeção	desmaiar	ruivo
machucar	o medicamento	vomitar	o pescoço ✔
a enfermeira	o joelho	o cotovelo	a dor

1. Partes do corpo		2. Saúde	
o pescoço		o remédio	
....	....	....	....
....	....	....	....
....	....	....	....
....	....	....	....
....	....	....	....
....	....	....	....
....	....	....	....
....	....	....	....
....	....	....	....

B. Relacione.

1. a reforma
2. repetir
3. a causa
4. interromper
5. a fechadura
6. o fogo
7. a origem
8. mobiliar

❑ da casa
❑ o efeito
❑ da porta
❑ do problema
❑ a sala
❑ o erro
❑ na lareira
❑ a reunião

C. Dê as palavras que faltam.

1. o veneno — um produto venenoso
2. a natureza — um remédio....................
3. o número — uma família ....
4. a profissão — .... problema ....
5. a nação — .... fruta ....
6. o espaço — .... casa ....
7. a política — .... sistema ....
8. o oriente — .... tradição ....
9. o ocidente — .... costume ....
10. a maravilha — .... mulher ....

D. Complete os verbos com uma ou mais palavras da caixa.

moto	imitação
mudança	um salário mínimo
um beijo	aluguel
adeus	avião
multa	uma refeição
marcha-a-ré	a barba
bom-dia	um salto
a mala	hora extra

1) dar *um beijo, adeus...*.......................................
....

2) pagar ....
....

3) andar de ....
....

4) fazer ....
....

TEXTO GRAVADO

Na casa do "seu" Roberto

— Dona Olga, amanhã vou sair de casa bem cedo. Vou ao médico, antes de ir à fábrica.
— O senhor está doente, "seu" Roberto?
— Acho que sim. Tive dor de estômago a noite toda e não pude dormir direito. Aliás, não tenho uma boa noite de sono há três dias. Hoje estou com dor de cabeça.
— O senhor precisa mesmo consultar um médico. O senhor sempre teve boa saúde.
— Outra coisa, dona Olga. Meu amigo Otávio vai passar aqui para pegar uns documentos sobre a venda de um terreno. Como não vou estar em casa, a senhora pode entregá-los? A pasta com os papéis está na mesa do meu quarto.
— Como é seu amigo?
— Ele não é muito alto, é magro, moreno, tem pouco cabelo e usa óculos.
— Ah! É aquele que vem sempre aqui para jantar?
— Não. A senhora não o conhece, ele nunca esteve aqui em casa.

Mapa do Brasil — Ecossistemas

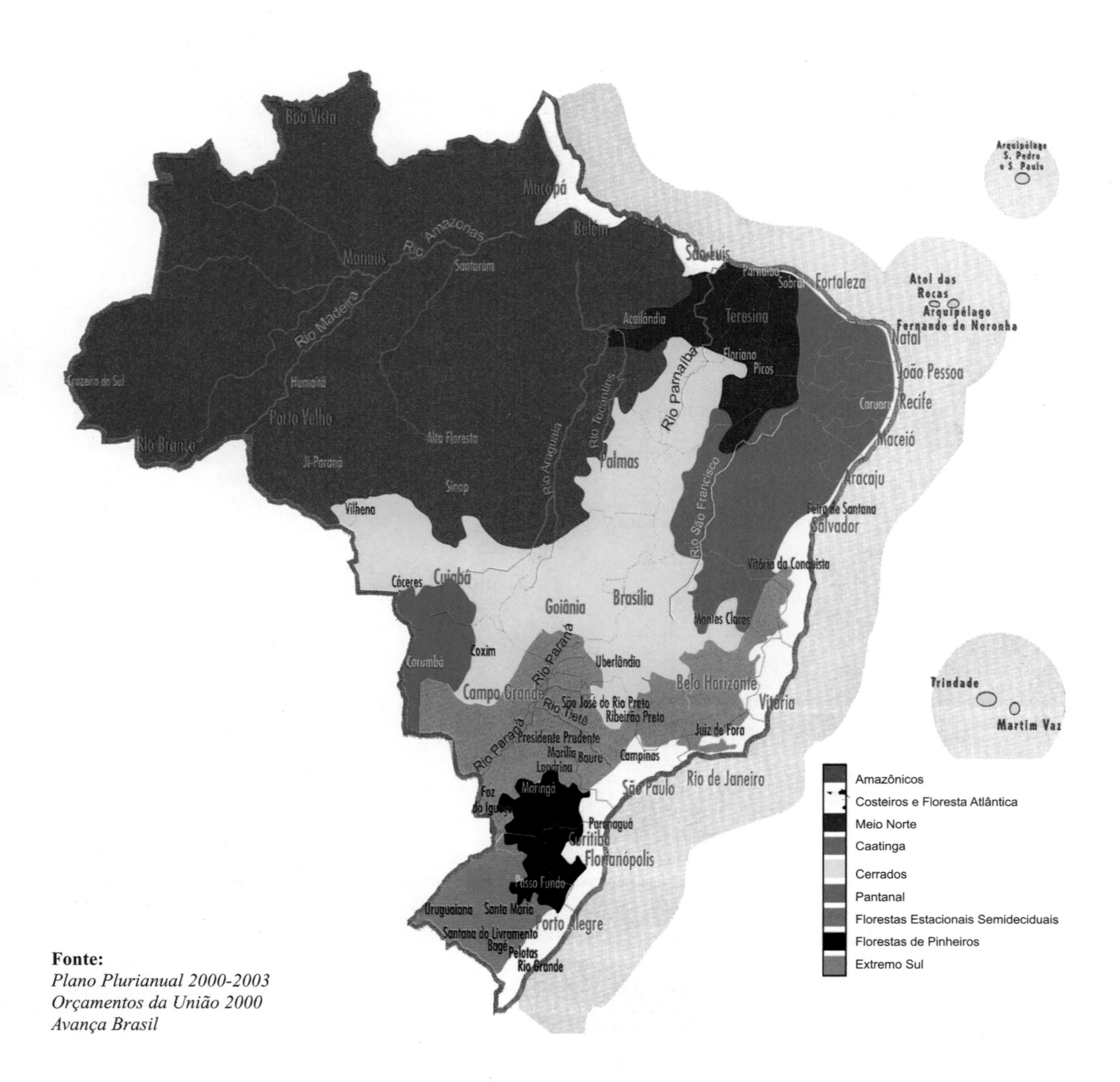

Fonte:
Plano Plurianual 2000-2003
Orçamentos da União 2000
Avança Brasil

UNIDADE 7

OUVIR E FALAR

I. Ouça o texto

Supermercado em domicílio

(O texto está no final da unidade. Confira depois.)

COMPREENSÃO DO TEXTO

A. Ouça o texto novamente e preencha as lacunas.

1) Faça seu pedido ________ telefone, fax ou ___________________.

2) Para pedidos por fax, ___________________ o formulário anexo.

3) Para pedidos por computador, siga as ___________ na ____________ de seu computador.

4) Com o Cartão Aurora, você vai ter _______ : mais tempo para pagar e ________ especiais.

5) Queremos você ____________ satisfeito.

B. Ouça as frases e assinale Certo (C) ou Errado (E).

1) Você escolhe os produtos no supermercado e os recebe em casa. .... ❑
2) Há várias formas de fazer o pedido para entrega em domicílio. .... ❑
3) Para fazer seu pedido, você precisa ter em casa o catálogo de produtos do supermercado. .... ❑
4) O supermercado não entrega produtos de geladeira em domicílio. .... ❑
5) O prazo para a entrega é sempre de 24 horas. .... ❑
6) É mais vantajoso pagar com o Cartão Aurora. .... ❑
7) A taxa de frete depende do valor da compra. .... ❑

II. Gramática

A. lhe, lhes = para você, para vocês. Responda, como no modelo.

O que vocês me oferecem? (vantagens)
— Nós lhe oferecemos vantagens.

1) O que vocês trouxeram para mim?
(um presente) ....

2) O que você nos deu?
(um livro) ....

3) O que você me disse?
("não") ....

4) O que você nos fez?
(um café) ....

5) O que vocês mandaram para nós?
(um cartão postal) ....

B. lhe, lhes = para ele, ela, para eles, elas. Responda como no modelo.

O que você deu para eles?
(uma boa notícia) Eu lhes dei uma boa notícia.

1) O que vocês disseram para ela?
(a verdade) ....

2) O que vocês fizeram para eles?
(um bolo) ....

3) O que você trouxe para ele?
(o jornal) ....

4) O que você disse para eles?
(tudo) ....

5) O que você escreveu para eles?
(uma carta) ....

III. Frases do cotidiano
e
IV. Automatização de verbos

Responda negativamente, como no modelo.

— Você já pôs a mesa?
— Não, ainda não pus.

1) Você já pôs o dinheiro no banco?
....

2) Vocês já puseram açúcar no café?
....

3) Vocês já trouxeram as informações?
....

4) Você já disse o que quer?
....

5) Você já deu a gorjeta?
....

6) Ele já fez a mala?
....

7) Eles já fizeram as compras?
....

8) Você já disse até logo para todos?
....

9) Você já deu a notícia para eles?
....

10) Você já fez o jantar?
....

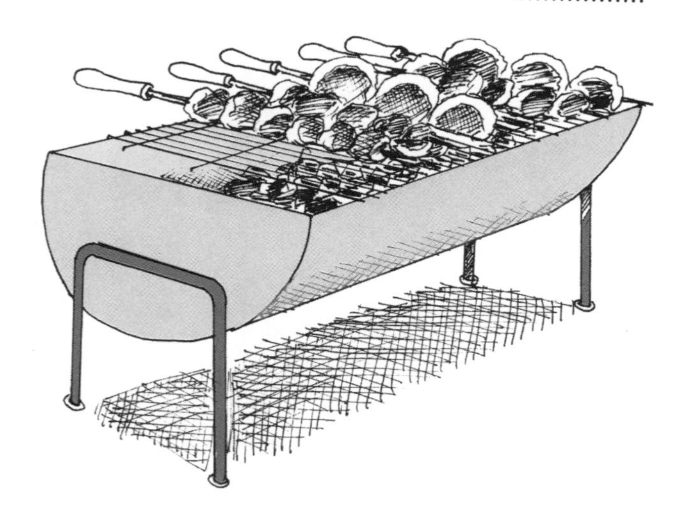

LER E ESCREVER

I. Leia o texto

A Cidade reclama

Caro Editor

Em fevereiro, decidi passar as férias em Maceió. Comprei um pacote de viagem da Turismo Praladelá, em sua agência à Avenida Tordesilhas. O pacote incluía passagem de avião, 5 dias em hotel 4 estrelas, na praia de Jatiúca, com frente para o mar, mais meia pensão e programação de lazer ininterrupta, com direito ao uso de um buggy (100 km por dia). Dei o sinal e paguei o saldo quando me deram a passagem aérea. Fiz bem a viagem. Mas, em Maceió, me puseram num hotel sem estrelas, longe da praia, longe de tudo, no fim do mundo. Para poder acompanhar a programação de lazer, tive de abrir mão da meia pensão por causa da distância do hotel. Assim, gastei muito mais do que esperava. E a programação que fizeram foi, toda ela, desorganizada. Um horror! Buggy? Não vi nenhum.

Como até agora, apesar das minhas várias tentativas, a empresa não me deu explicação, não me disse nada, nem fez nada para compensar o meu prejuízo, escrevo-lhe para que outros leitores seus não caiam nesta armadilha. A Turismo Praladelá é um caso de polícia! Fujam dela!

COMPREENSÃO DO TEXTO

A. Em uma coluna, escreva o que o pacote de viagem incluía. Em outra coluna, escreva o que realmente aconteceu com o turista.

Conteúdo do pacote	Fatos da viagem
....	....
....	....
....	....
....	....

B. Escolha a alternativa correta.

O leitor escreveu a carta para o jornal para

a) receber de volta o dinheiro que pagou pelo pacote.
b) pedir uma explicação da companhia de turismo.
c) ajudar outras pessoas.
d) chamar a atenção da polícia.

II. Gramática

A. Complete com **dar**, **fazer**, **pôr** e **dizer** no tempo adequado.

1) No ano passado, ela _________ uma grande viagem e, no último dia, quis _____________ compras, mas o plano não ____________ certo porque as lojas não abriram. Aborrecida, ela

voltou ao hotel, ____________ a mala, _________ um cheque para pagar a conta, _________ até logo aos amigos, _________ a mala num táxi e foi embora.

2) Em janeiro passado, ele ____________ anos. Eu lhe ____________ um presente. Seus amigos no escritório lhe _________ parabéns. Em casa, sua esposa _________ um jantar especial. Foi um dia agradável.

B. Levar ou trazer? Complete o diálogo.

Disk-Pizza

— Pizzaria Giovanella, às suas ordens.
— Boa-noite. Eu pedi uma pizza há uma hora e, até agora, ela não chegou.
— Seu endereço, por favor.
— Avenida Tibiriçá, 58.
— Ah! sim. O garoto já saiu. Ele está __________ várias pizzas aí para sua região e por isso ainda não chegou na sua casa.
— Ele está __________ também uma garrafa de vinho, não é?
— Certo. E ele está __________ também um refrigerante. Logo, logo ele vai chegar aí.
— Tudo bem. Vou esperar mais um pouco.

III. Expressão escrita

Você comprou um carro, mas ele só lhe trouxe problemas. Escreva uma carta de reclamação à firma revendedora. Explique-lhe o caso e peça providências.

O vendedor garantiu:
— velocidade normal até 180 km/h
— gasolina - 10 km/l
— motor silencioso

Seu carro:
— velocidade só 50 km/h
— gasolina 5 km/l
— motor barulhento

IV. Aprendendo palavras novas

A. A que categoria se referem as palavras abaixo?

1) geografia
2) agricultura
3) indústria
4) centros urbanos
5) economia e finanças

[3] o aço
[4] o cidadão
[2] o sítio
[ ] a ilha
[ ] o crédito
[ ] a chaminé
[ ] o clima
[ ] a serra
[ ] a multidão
[ ] o lago
[ ] a produção
[ ] a borracha
[ ] a favela
[ ] a ecologia
[ ] o edifício

[ ] o mapa
[ ] o estacionamento
[ ] o empresário
[ ] a planície
[ ] a população
[ ] a inflação
[ ] o orçamento
[ ] a rocha
[ ] a técnica
[ ] a comunidade
[ ] o consumo
[ ] o consumidor
[ ] o desemprego
[ ] os juros
[ ] o vencimento

B. Dê o verbo.

a produção	—	produzir
o negócio	—	....
a planta	—	....
a atividade	—	....
a automação	—	....
o movimento	—	....
a realização	—	....
o transporte	—	....
o morador	—	....
a residência	—	....
a crítica	—	....
o resumo	—	....
a transferência	—	....

TEXTO GRAVADO

Supermercado em domicílio

O Supermercado Aurora vai agora até sua casa. Através do sistema "Aurora em sua casa", nós lhe entregamos, no seu endereço, todos os produtos de nosso supermercado, incluindo carnes, frios, frutas, legumes e verduras. Para você poder fazer seu pedido, vamos lhe mandar nosso catálogo.

Faça seu pedido por telefone, fax ou computador. Por telefone, informe à atendente o código e a quantidade do produto que você quer receber. Por fax, preencha o formulário anexo, lembrando-se de indicar o código do produto. Por computador, conecte-se ao nosso sistema e faça seu pedido, seguindo as instruções na tela de seu vídeo.

Faça seu pedido entre 8 e 20 horas, de segunda a quinta-feira. Vamos entregar-lhe as compras no dia seguinte. Faça seu pedido na sexta-feira para receber sua encomenda na segunda.

Pague com cheque ou cartão. Aceitamos todos. Mas, usando nosso Cartão Aurora, você vai ter muito mais vantagens: mais tempo para pagar e ofertas especiais sempre.

Cobramos pequena taxa de frete, independente do valor de sua compra.

Mande sua opinião sobre nossos serviços e dê-nos sugestões. Queremos você 100% satisfeito.

Brasil, Portugal e Países Africanos de Língua Oficial Portuguesa (PALOP).

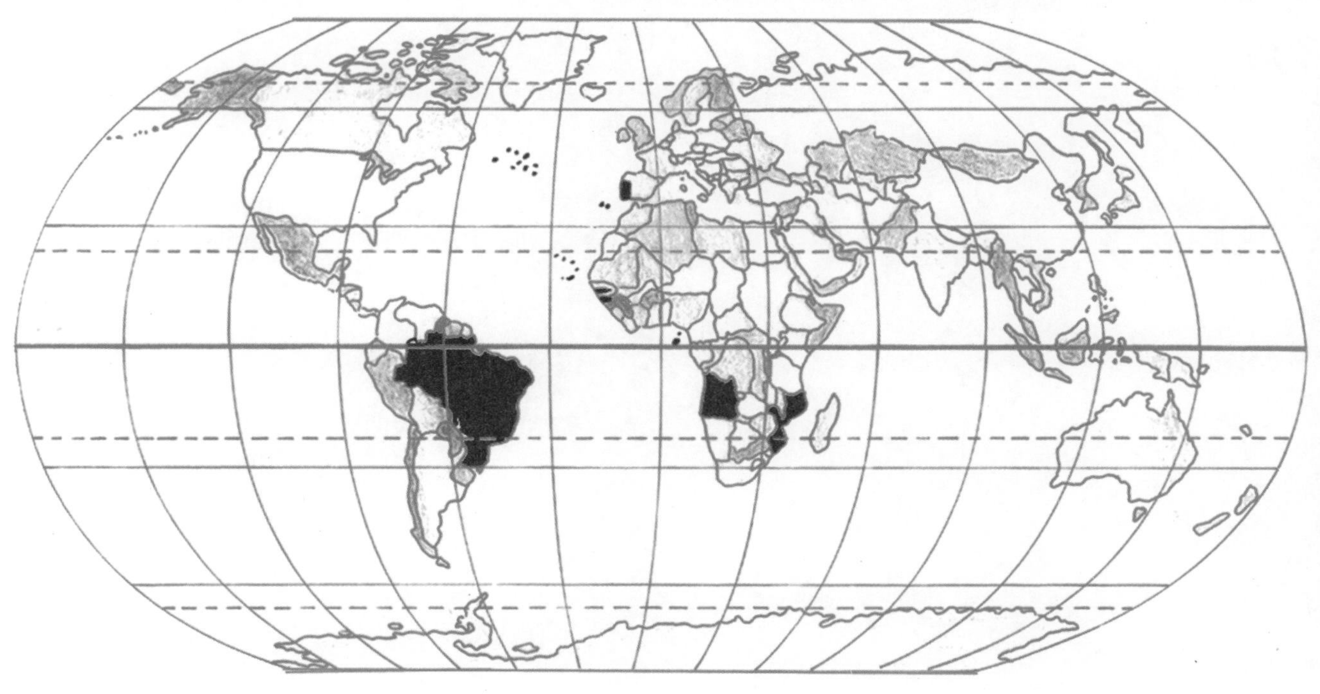

UNIDADE 8

OUVIR E FALAR

I. Ouça o texto

Alegrias e decepções

(O texto está no final da unidade. Confira depois.)

COMPREENSÃO DO TEXTO

A. Ouça o texto novamente e preencha as lacunas.

1. Alberto

a) No ano passado fiz um __________ de 8 meses em um escritório de __________

b) Nas primeiras semanas eu __________ trabalhar bem cedo e sempre ficava __________ no escritório.

c) Havia muitos documentos para ler e eu __________ tudo.

d) Gostei __________ do trabalho que ________ me especializar em Direito ____ __________.

2. Cirilo

a) Quando eu era criança, eu sempre __________ que era médico, que __________ em um hospital muito importante e que tinha um consultório __________ .

b) As coisas não são __________ nem __________, mas eu gosto, __________ de tudo.

c) Um bom médico tem que ter muita __________ e __________.

3. Vitória

a) Eu sempre __________ que o curso de Engenharia era difícil.

b) Eu ________ muito, __________ muito e __________ entrar na Universidade.

c) Comecei a trabalhar em um escritório de

__________ e descobri que não gostava da __________.

d) Para fazer esse curso tenho que _______ para o __________ ano da Faculdade.

e) Não faz __________. Perder um ano é __________ do que fazer um curso _________ a vontade.

B. Ouça o texto e responda.

1) Alberto

a) Que curso faz?

b) Em que ano está?

c) Onde trabalha?

d) Está contente com o curso?

e) Está contente com o trabalho?

f) Quais são seus planos para o futuro?

2) Cirilo

a) Que curso faz?

b) Em que ano está?

c) Onde trabalha?

d) Está contente com o curso?

e) Está contente com o trabalho?

f) Quais são seus planos para o futuro?

3) Vitória

a) Que curso fazia?

b) Em que ano estava?

c) Onde trabalhava?

d) Estava contente com o trabalho?

e) Quais são seus planos para o futuro?

II. Gramática

A. Ouça as perguntas e responda, empregando o comparativo de igualdade, como no modelo.

Estudar é mais difícil do que trabalhar?
Não, estudar é tão difícil quanto trabalhar.

1) O curso de Direito é mais interessante do que o curso de Medicina?

....

2) Os livros de Medicina são mais caros do que os livros de Direito?

....

3) O arquiteto é menos importante do que o engenheiro?

....

4) O engenheiro é mais inteligente do que o arquiteto?

....

B. Ouça as perguntas e responda com o comparativo de superioridade (**melhor/pior/maior/menor**), como no modelo.

São Paulo é menor do que Santos?
Não, São Paulo é maior do que Santos.

1) O ar da montanha é pior do que o ar de uma grande cidade?

....

2) O trânsito de uma grande cidade é melhor do que o trânsito de uma pequena cidade?

....

3) Trabalhar em uma empresa pequena é pior do que trabalhar em uma empresa grande?

....

4) Dirigir um caminhão é melhor do que dirigir um ônibus?

....

C. Ouça a frase e complete a idéia, como no modelo.

Hoje eu só vendo carros usados.
Antigamente era diferente.
Eu só vendia carros novos.

1) Hoje ele trabalha pouco. (trabalhar muito)

....

2) Hoje eles só ouvem música clássica.(ouvir música popular)

....

3) Hoje nós só lemos jornais e revistas. (ler livros) ....

4) Hoje em dia ela vem aqui só aos domingos. (vir todos os dias) ....

....

5) Hoje ele tem muitos amigos. (ter poucos amigos) ....

....

6) Hoje em dia ele põe paletó e gravata para trabalhar. (pôr jeans)

....

III. Frases do cotidiano

A. Ouça as perguntas e responda com: **vale a pena** ou **não vale a pena**, como no modelo.

Vale a pena ficar uma hora na fila para ver este filme? Não, não vale a pena.

1) Vale a pena gastar um pouco mais e comprar um bom carro?

....

2) Vale a pena passar as férias em Paris?

....

3) Vale a pena almoçar neste restaurante tão caro?

....

B. Ouça a pergunta e a resposta. Repita a resposta, como no modelo. (Se não me engano/ Por falar nisso)

Você sabe onde está Carlos?
Se não me engano, ele foi ao cinema.
Se não me engano, ele foi ao cinema.

1) Não tem mais açúcar? Se não me engano, já acabou.

....

2) O bolo já acabou? Se não me engano, as crianças comeram tudo.

....

3) Quem vem amanhã para seu aniversário? Se não me engano, todos os primos e primas.

....

4) Não consigo mais ler sem óculos. Por falar nisso, onde pus meus óculos?

....

5) Não vejo um bom filme há muito tempo. Por falar nisso, você não quer ir ao cinema comigo hoje?

....

6) Gosto muito dos doces que ela faz. Por falar nisso, você já experimentou seu doce de coco?

....

IV. Automatização de verbos

Responda às perguntas, como no modelo.
Ele tinha muito dinheiro?
Tinha.

1) Vocês tinham muitos amigos nos Estados Unidos?
....
2) Nós tínhamos alguma chance de conhecer o cantor?
....
3) Você punha o carro na garagem?
....
4) Eles eram seus amigos?
....
5) Nós éramos bons amigos?
....
6) Vocês iam sair com Carlos?
....
7) Roberto ia sair conosco?
....
8) Ela ia sair com a mãe dela?
....
9) Vocês iam sair da firma?
....
10) Vocês vinham sempre aqui?
....

LER E ESCREVER

I. Leia o texto

Não dá para acreditar.

Eu já andava nervoso, mas ontem, o dia foi horrível demais. Fui dormir depois da meia-noite, cansado e de mau humor.
Como sempre, de manhã cheguei ao escritório às 8 horas e, como sempre, fui o primeiro a chegar. Todos os funcionários chegaram atrasados.
Durante o dia, o trabalho não avançava e só havia problemas. Nada dava certo. Foi um dia perdido.
Às 10 horas da noite, estava chegando em casa, nervoso e desanimado, quando a luz acabou. Chovia muito e havia um vento muito forte que balançava as árvores. Fazia frio, também.
Meu apartamento fica no 18º andar. Subir pelas escadas? Nem pensar! Além de serem muitos andares, não havia luz também nas escadas. Estava tudo escuro.
O porteiro telefonou para a Companhia de Força e Luz, perguntando a razão da falta de energia. É que tinha caído uma árvore sobre os fios de eletricidade na rua de cima. De fato, várias ruas

estavam às escuras. Mas, ninguém sabia dizer quando o conserto ficaria pronto. Só sabiam que ia demorar horas.
Mesmo cansado, entrei outra vez no carro e fui jantar num restaurante, pois estava com fome.
Voltei para casa duas horas depois e soube, pelo porteiro, que a luz tinha voltado alguns minutos depois que eu tinha saído.
Dá para acreditar?

COMPREENSÃO DO TEXTO

A. Ponha na ordem cronológica, as ações que aparecem no texto.

1) Logo de manhã no escritório: ....
....
2) Durante o dia no escritório: ....
....

3) À noite: ....
....

B. Descreva, em frases completas, como estavam naquela noite.

1) o tempo ....
2) o vento ....
3) as ruas e as escadas do prédio ....
....
4) O narrador ao chegar em casa à 10 horas da noite? ....

II. Gramática

A. Complete as frases com pronomes precedidos de preposição.

1) Hoje é o aniversário de Susana. Comprei um presente ____________.
2) Adélia gosta muito de mim e de meu marido. Ela sempre sai ____________
3) Não vejo Sérgio há muito tempo. Vou telefonar ____________.
4) Vera, venha ____________, vou fazer algumas compras.
5) Eu gosto de Marcos, mas ele não gosta ____________.
6) João,espere. Quero sair ____________. Não vá embora ____________.

B. Complete as frases com os verbos **existir** e **haver** no imperfeito, como no modelo.

Existiam muitas árvores no centro da cidade, antigamente.
Havia muitas árvores no centro da cidade, antigamente.

1) ___________ muitos problemas na firma.
____________ muitos problemas na firma.
2) No fim da rua, ____________ um casarão velho e feio. No fim da rua, ___________ um casarão velho e feio.
3) Desde quando ___________ dúvidas sobre o projeto? Desde quando ________ dúvidas sobre o projeto?

C. Complete com o imperfeito.

1) (ler) Hoje não tenho muito tempo para ler. Antigamente eu _______ muito mais.
2) (ter) Hoje os empregados trabalham 7 horas por dia. Antigamente ________ de trabalhar muito mais.
3) (haver) Ontem não pude entrar na loja porque ____________ gente demais.
4) (estar) Quando abri o cofre, vi que o dinheiro não ____________ lá.
5) (chover) ___________ forte quando saí de casa.
6) (estudar) Conheci meus amigos quando _______________ na Universidade.
7) (falar-ouvir) Ele _____________ enquanto elas _________________.
8) (fazer-preparar) Ele ________________ a caipirinha enquanto eu ________________ a salada.
9) (ir) Eles _________ comprar a casa, mas desistiram.
10) (ir) Ela _______ contar tudo, mas ficou com medo.
11) (olhar) Ontem, toda vez que você _______ para ele, ele ____________ para você.
12) (telefonar-estar) Não pude falar com ele: sempre que eu ________________, ele ____________ ocupado.

III. Expressão escrita

Baseado no texto **Não dá para acreditar**, escreva uma pequena história.
Agora é o porteiro que conta suas dificuldades.

IV. Aprendendo palavras novas

A. Risque o intruso.

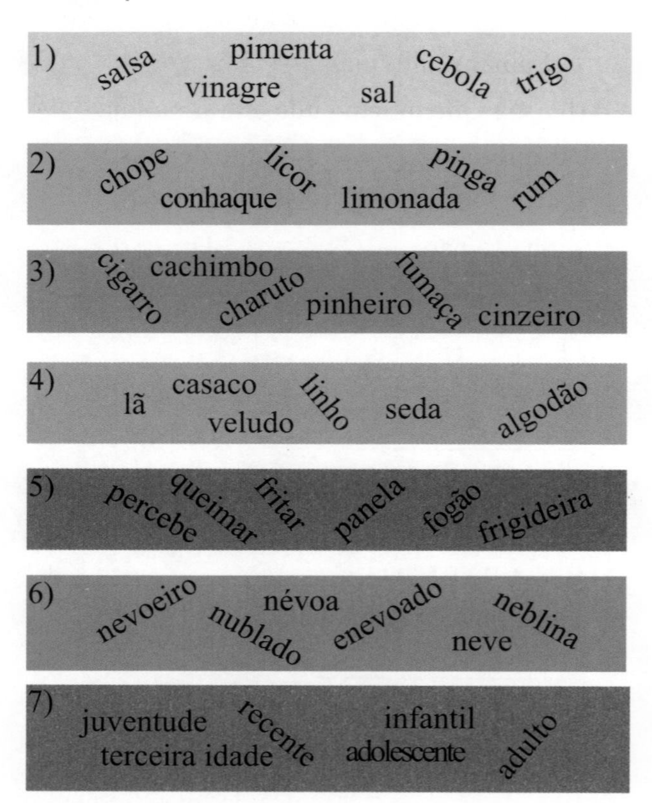

B. Considere as palavras do exercício anterior, sem o intruso, e relacione.

a) [4] todos são tipos de tecido
b) [ ] a idéia é sempre nuvem
c) [ ] todos são bebidas alcoólicas
d) [ ] todos são temperos
e) [ ] a idéia é sempre fumar
f) [ ] todos são fases da vida

TEXTO GRAVADO

Alegrias e decepções

Alberto, Cirilo e Vitória, três jovens entre 20 e 25 anos, estão trabalhando. Cada um deles obteve um emprego e nos fala de suas experiências, alegrias e decepções.

Alberto. Está no 4º ano de Direito. (20 anos)
No ano passado, fiz um estágio de 8 meses em um escritório de advocacia, especializado em direito trabalhista.
Nas primeiras semanas, eu vinha trabalhar bem cedo e sempre ficava até tarde no escritório.. Havia muitos documentos para ler e eu lia tudo duas vezes para entender bem. Depois, me acostumei com o assunto e tudo ficou mais fácil.
Gostei tanto do trabalho que decidi me especializar em Direito Trabalhista.
O escritório também ficou contente comigo e já me contratou.

Cirilo. Está terminando o 5º ano de Medicina. (22 anos)
Eu sempre quis ser médico.
Quando eu era criança, eu sempre sonhava que era médico, que trabalhava em um hospital muito importante e que tinha um belo consultório particular com muitos pacientes. Tudo parecia fácil e bonito.
Hoje, as coisas são diferentes. Nada é fácil: os estudos são tão cansativos quanto os plantões na enfermaria do hospital; temos que considerar ainda as condições de trabalho e a dura realidade dos doentes.
As coisas não são fáceis nem bonitas, mas eu gosto, apesar de tudo. Um bom médico tem que ter muita paciência e muita dedicação.

Vitória. Abandonou o curso de Engenharia no 2º ano. (19 anos)
Sempre soube que o curso de Engenharia era difícil. Estudei muito, li muito e consegui entrar na Universidade.
Mas, quando estava já no 2º ano, comecei a trabalhar em um escritório de engenharia e descobri que não gostava da profissão. Desisti do curso.
Quero ser arquiteta. Para fazer o curso de arquitetura tenho que voltar para o 1º ano da Faculdade. Não faz mal. Perder um ano é melhor do que fazer um curso contra a vontade.

UNIDADE 9

OUVIR E FALAR

I. Ouça o texto

Consultas pelo rádio

(O texto está no final da unidade. Confira depois.)

COMPREENSÃO DO TEXTO

A. Ouça o texto novamente e preencha as lacunas.

1) Os __________ do programa "Conheça sua cidade" falam de seus problemas, de seu amor e de seu ódio por ela.
2) O sr. Bernardo mora há 21 anos no _______ bairro e na __________ casa.
3) A rua do sr. Bernardo era a ____________ do bairro.
4) Na esquina da Alameda Santos com a rua Rafael de Barros há _________ 24 horas por dia. O _________ cheiro é insuportável.
5) O sr. Bernardo diz: "Peço ao programa para tomar __________".
6) O programa vai entrar em __________ com o Secretário de Obras Públicas para __________ explicações.
7) Dona Carmem diz: "Não tenho problemas. Ao ________, gosto de tudo desta cidade."
8) Carlos Alberto diz: "É um __________ ter uma ouvinte __________ a senhora".
9. Dona Carmem não __________ saudades dos tempos antigos.
10. Nas grandes cidades, as pessoas trabalham

__________ e __________.

B. Ouça o texto e responda.

1) Como se chama o programa de rádio ?
2) Como se chama o animador do programa?
3) Do que falam os ouvintes?
4) Há quanto tempo o sr. Bernardo mora no mesmo bairro?
5) Como era a sua rua até há pouco tempo?
6) O que há agora na esquina da Alameda Santos com a rua Rafael de Barros?
7) O sr. Bernardo se diverte com a sujeira? E os outros moradores?
8) Quando o sr. Bernardo terá uma resposta para seu problema?
9) Por que dona Carmem gosta da agitação da cidade?
10) Por que dona Carmem ouve sempre o programa?

II. Gramática

A. Ouça as frases e substitua **precisar** por **ter de** ou **ter que**, como no modelo.

A Secretaria de Obras Públicas precisa tomar providências.

A Secretaria de Obras Públicas tem de / tem que tomar providências.

1) O trânsito da cidade precisa melhorar.

....

2) Os carros estão muito caros. Os preços precisam baixar. ....

....

3) O bairro tem problemas. Os moradores precisam reclamar.

4) Esta rua está muito suja. A Prefeitura precisa limpá-la.

5) Este programa é muito antigo. O diretor precisa atualizá-lo.

B. Sinais de trânsito:

Você está no final da Avenida 9 de julho e quer ir à Biblioteca Municipal, na esquina da Avenida São Luis com a Rua da Consolação, de carro. (Centro da cidade.)

1) Por que você tem que dar uma volta tão grande para chegar à Biblioteca Municipal?

2) Por que você não pode entrar nas ruas Barão de Itapetininga e 7 de Abril?

3) Por que você tem que se manter à direita, saindo do primeiro túnel, o "Anhangabaú"?

4) Por que no final da Rua Senador Queirós você não pode virar à direita?

III. Frases do cotidiano

Ouça as perguntas e responda como no modelo.

Você está com dor de garganta?
(falar) Estou. Mal posso falar.

Você vai ver o jogo amanhã?
(esperar) É verdade. Mal posso esperar.

1) Você está com dor nas pernas?
(andar) ....
2) Você está com os olhos irritados?
(ler) ....
3) Vocês ganharam o maior prêmio da loteria? Que sorte! (acreditar) ....
....
4) Nossa! Este café está muito doce. Tem muito açúcar. (tomar) ....
....
5) Puxa! Que problema difícil! (resolver) ....
....
6) As instruções deste trabalho são complicadas. (compreender) ....
....

IV. Automatização de verbos

Responda como no modelo.
No frio, ele veste pulôver? Veste.

1) Você veste pulôver quando está frio? ....
2) Eles servem vinho no jantar? ....
3) E você, você também serve? ....
4) Você sente muito frio? ....
5) Você ouve rádio? ....
6) Antigamente você se divertia? ....
7) Antigamente eles serviam vinho no jantar?
....
8) Você pede licença para sair de férias?
....
9) Você mente? ....
10) De noite, o senhor vê o telejornal com as notícias do dia? ....
11) Você ouve os conselhos de seu chefe?
....
12) Antigamente eles ouviam música popular?
....
13) As crianças se divertem no parque? ....
14) Você se divertiu na festa? ....
15) Quando você se levanta, você logo se veste? ....
16) Se necessário, você repete as instruções?
....

LER E ESCREVER

I. Leia o texto

O melhor de São Paulo

O frescor do outono, com um sol que aquece mas não esquenta, luzes alaranjadas no final da tarde, friozinho à noite — "cool" em todos os sentidos da palavra.
O Teatro Cultura Artística. O Espaço Unibanco, a Cinemateca, o Cine Sesc e o Belas Artes.
A livraria de Pedro Correa do Lago, na rua João Cachoeira, com livros, gravuras e documentos, tudo de ótimo gosto. O centro à noite, de carro. Andar pela Avenida Paulista no fim de semana. A Livraria Cultura, e as livrarias de idiomas (Francesa, Italiana, etc.). Comidas internacionais: chinesa, japonesa, a espanhola no Don Curro, portuguesa, grega, indiana, a árabe, no Almanara, a suíça, a francesa ... Pizzarias entre as melhores do mundo: Cristal, Camelo, Castelões, I Viteloni, Mastroianni.
As megastores de livros, discos e vídeos, não tão megas quanto pensam, mas bem-vindas.
Tudo que é 24 horas: Fran's Café, as bancas de

jornais e de frutas da Cidade Jardim e da Avenida República do Líbano, café dos hotéis Maksoud e Eldorado, Drogaria São Paulo, Casa do Padeiro.
As empadinhas do Bar das Empanadas, as batidas do Rei das Batidas e os pastéis das feiras.
O Teatro Municipal, quando a atração é boa.
As casas de carne : Dinho's , Rubayat, Rodeio e as churrascarias de rodízio.
O Parque Ibirapuera, de manhã, dia de semana para andar e praticar esportes, o Parque Alfredo Volpi, a qualquer hora, na Cidade Jardim, também.
Ouvir cantos no Mosteiro de São Bento aos domingos.
Comprar flores nas bancas do Largo do Arouche.
O Cemitério da Consolação, com a escultura "Sepultamento", de Victor Brecheret, no túmulo da família Guedes Penteado.
A calma de Higienópolis, Pacaembu e Campo Belo, a agitação dos Jardins, centro, Pinheiros e Vila Madalena.
A tradicional feijoada e as cantinas.
O Jardim Botânico, o Ceasa e o Museu do Ipiranga.
São Paulo by night, todo dia.
O MASP (Museu de Arte de São Paulo), o MAM (Museu de Arte Moderna), a Pinacoteca do Estado e a Sala São Paulo, no Complexo Cultural Júlio Prestes.

COMPREENSÃO DO TEXTO

O texto indica alguns dos melhores programas de São Paulo para restaurantes, livrarias, esporte, bairros etc. Para alguns programas, existem algumas condições.

1. Quais os horários e condições para:
   a) a Avenida Paulista: ....
   b) o Teatro Municipal: ....
   c) o Parque Ibirapuera: ....
   d) o centro de São Paulo: ....

2) Quais são os programas que não impõem nenhuma condição?
   ....
   ....

3) O que você acha da visita ao cemitério?
   ....
   ....

4) Como o jornalista descreve o outono de São Paulo? O tempo, — o sol, o céu , o pôr-do-sol (no final da tarde), a temperatura à noite.
   ....
   ....

5) Diga onde:
— se serve uma boa caipirinha: ....
....
— se pode andar e praticar esportes: ....
....
— se ouve música sacra: ....
....
— se pode comprar revistas a qualquer hora:
....

II. Gramática

A. Diga de outra forma, empregando o superlativo.

1) Tudo de muito bom gosto.

....

2) Neste restaurante tudo é muito ruim.

....

3) Os garçãos são muito amáveis.

....

4) Conhecer São Paulo é muito fácil.

....

5) Conhecer São Paulo é muito difícil.

....

6) Morar no Campo Belo é muito agradável.

....

B. Observe as imagens e faça frases, empregando o superlativo.

III. Expressão escrita

A. Leia a carta de Ernesto.

Ernesto escreve para o programa "Conheça sua cidade"

Caro Carlos Alberto

Eu me chamo Ernesto e tenho 13 anos. Sou bom aluno e gosto muito de estudar Biologia e História. Para mim são disciplinas muito interessantes. Por isso, não compreendo como a natureza está tão esquecida e tão desprotegida. Eu procuro protegê-la e respeitá-la. Não jogo nada no chão, cuido das árvores e das plantas. Também sou consciencioso. Não jogo fora o que ainda pode ser utilizado. Muitos colegas caçoam de mim e dizem que exagero. Quem tem razão: eles ou eu?

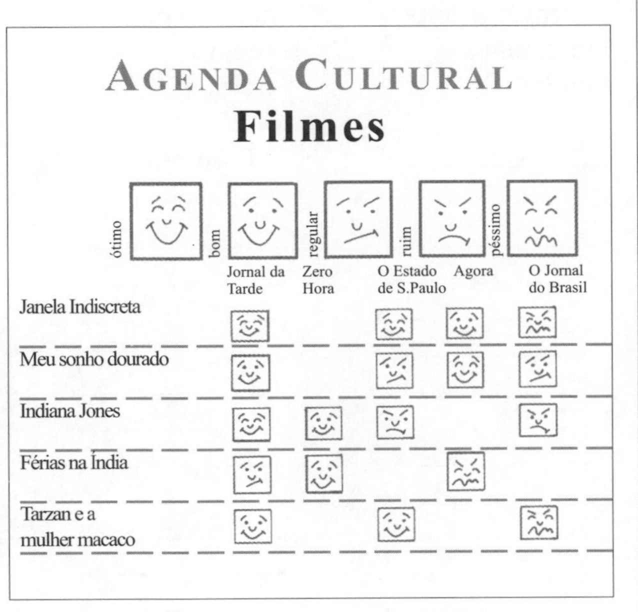

AGENDA CULTURAL

Filmes

ótimo | bom | regular | ruim | péssimo

	Jornal da Tarde	Zero Hora	O Estado de S.Paulo	Agora	O Jornal do Brasil
Janela Indiscreta	ótimo		ótimo	bom	péssimo
Meu sonho dourado	bom		regular	ótimo	regular
Indiana Jones	ótimo	bom	ruim		ruim
Férias na Índia	regular	bom		péssimo	
Tarzan e a mulher macaco	bom		bom		péssimo

B. Agora responda a carta de Ernesto. Use superlativos. Comece assim:

Caro Ernesto, você está certíssimo e seus colegas erradíssimos.

....

....

....

....

....

....

....

....

IV. Aprendendo palavras novas

A. Separe as palavras abaixo em duas categorias (carro e trânsito).

a roda	o pára-brisa
o passageiro	a alameda
o desvio	o cruzamento
o meio de transporte	a batida
a placa	o motorista
o pára-choque	o farol
o mecânico	a lotação
o viaduto	o pára-lama
a ultrapassagem	a hora do pico
a mão única	o seguro
a multa	o freio

Carro	**Trânsito**
a roda	o desvio
______________	______________
______________	______________
______________	______________
______________	______________
______________	______________
______________	______________
______________	______________
______________	______________
______________	______________
______________	______________
______________	______________

B. Relacione.

Nosso lançamento: Active! Um carro grande, mas econômico. Vários modelos.

1. A potência do motor	❑	amplo
2. O câmbio manual e automático	❑	2.8
3. O comprimento	❑	sóbrio e elegante
4. A largura	❑	5 marchas
5. O peso	❑	1.400 quilos
6. O espaço interno	❑	5 passageiros
7. A capacidade	❑	4,70 metros
8. O estilo	❑	$$ $urpreendente!
9. A qualidade	❑	1,80 metros
10. O preço	❑	Ótima! Atingimos a perfeição

C. Dê o antônimo.

1. adorar — detestar
2. ______________ — discordar
3. melhorar — ______________
4. ______________ — antipático
5. ______________ — antiquado
6. ______________ — profundo
7. o começo — ______________
8. saudável — ______________
9. a vitória — ______________
10. letra maiúscula — ______________

D. Relacione.

1. jamais	❑	novamente, de novo
2. de vez em quando	❑	freqüentemente
3. outra vez	❑	em lugar de
4. muitas vezes	❑	nunca
5. em vez de	❑	às vezes

TEXTO GRAVADO

Consultas pelo rádio

(Voz do locutor): Aqui, quem lhes fala é Carlos Alberto da rádio "Metropolitana", com o programa "Conheça sua cidade". Nossos ouvintes nos falam de seus contatos com a cidade, de seus problemas, de seu amor ou ... de seu ódio por ela. Vamos ouvir nosso primeiro cidadão.

C. A.: Boa tarde, sr. Bernardo.

Sr. Bernardo: Boa tarde, Carlos Alberto.

C.A.: Obrigado por telefonar, sr. Bernardo. Nossos ouvintes estão muito curiosos para ouvi-lo. Do que o senhor quer nos falar?

Sr. Bernardo: Moro há 21 anos no mesmo bairro e na mesma casa. Até há pouco tempo, a vida era calmíssima e a rua era a mais limpa do bairro. Todos os moradores respeitavam a limpeza e podíamos andar tranqüilos a qualquer hora do dia. Agora, na esquina da Alameda Santos com a rua Rafael de Barros há lixo 24 horas por dia, deixado pelos bares próximos. O mau cheiro é insuportável. Os clientes dos bares devem se divertir muito, mas eu não me divirto e os outros moradores também não se divertem. Tenho certeza. Para que serve a Secretaria de Serviços e Obras Públicas? Já escrevi para lá, mas até agora nada. Ninguém me ouve! Peço ao programa "Conheça sua cidade" para tomar providências.

C.A.: Muito bem, sr. Bernardo. Vamos entrar em contato com o Secretário de Serviços e Obras Públicas para pedir explicações. Vamos lhe dar uma resposta no próximo programa.

Sr. Bernardo: Obrigado, Carlos Alberto. Fico esperando.

C.A.: Temos agora uma ouvinte.
Alô, dona Carmem Alvarado. Boa tarde. Qual é o seu problema?

Dona Carmem: Boa tarde, Carlos Alberto. Não tenho problemas. Ao contrário, gosto de tudo desta cidade:do movimento, das pessoas que trabalham dia e noite, dos carros nas ruas. Tudo isso é vida, é alegria. Moro nessa cidade há mais de 30 anos e não sinto saudades dos tempos antigos. Ouço sempre o seu programa e gostaria de lhe dizer que me divirto com ele, com as opiniões diferentes das pessoas. Este programa de rádio é o melhor de todos.

C.A.: Muito obrigado, dona Carmem. É um prazer ter uma ouvinte como a senhora.

Mapa rodoviário e hidrográfico

Fonte: Embratur - Instituto Brasileiro de Turismo.

UNIDADE 10

OUVIR E FALAR

I. Ouça o texto

Os jovens e seus projetos

(O texto está no final da unidade. Confira depois.)

COMPREENSÃO DO TEXTO

A. Ouça o texto novamente e preencha as lacunas.

1) Mariana trabalha na ____________ de recursos fluviais.
2) Após o curso, Marcelo Torres fará pós-graduação na própria universidade, antes de ____________ a uma bolsa de estudos.
3) Marcelo ____________ se dedicar à pesquisa.
4) O repórter pergunta:" ____________, ou melhor, ____________ empresa estatal ou particular se interessa pelo seu projeto?"
5) Mariana diz: "Há ____________ empresas interessadas."
6) O projeto é caro e ____________. O pesquisador deve ____________ muita paciência.
7) Mariana diz:" ____________ dele. Só avancei um ______________ no assunto. Ainda tenho muito ______________".

B. Ouça o texto e escolha a alternativa correta.

1) O repórter Tadeu Vasconcelos
   a) é pesquisador da empresa "Projetos".
   b) é colega de jovens pesquisadores.
   c) é repórter da revista "Projetos".

2) Marcelo Torres
   a) é aluno brilhante de pós-graduação.
   b) é aluno brilhante do último ano de engenharia.
   c) é aluno brilhante no exterior.

3) Marcelo Torres
   a) vai se dedicar à pesquisa, após seu curso de engenharia.
   b) vai se dedicar a escrever artigos para as revistas científicas.
   c) vai concorrer a uma bolsa de estudos para terminar seu curso.

4) Mariana Correa
   a) é uma jovem cientista que está fazendo um curso de especialização.
   b) é uma jovem cientista que faz estudos no campo de águas limpas.
   c) é uma jovem colega de curso de Marcelo Torres.

5) O projeto "Águas limpas, águas ricas"
   a) não apresenta interesse para ninguém.
   b) é um projeto caro mas rápido.
   c) é um projeto longo e caro.

II. Gramática

A. Ouça as palavras e dê o diminutivo.

1) amigo ....
2) pouco ....
3) artigo ....
4) animal ....
5) mesa ....
6) violão ....
7) canção ....
8) cavalo ....
9) colher ....
10) caixa ....
11) canal ....
12) baile ....
13) cão ....
14) sono ....
15) dinheiro ....

B. Ouça as frases e responda, negativamente, como no modelo.

Quem chegou? Ninguém.

1) Quem saiu? ....
2) Quem quer falar comigo? ....
3) O que aconteceu? ....
4) O que você trouxe? ....
5) Alguém vai me ajudar? ....

C. Ouça as frases e responda, afirmativamente, como no modelo.

O que você quer desta lista de compras? Tudo.

1) Quais presentes você quer desta lista?
   ....
2) Quais pessoas você conhece desta sala?
   ....
3) O que você quer? ....

D. Ouça as frases e responda, afirmativamente, como no modelo.

Quantos dias você passou em Porto Seguro? Alguns.

1) Quantos amigos você tem nesta cidade?
   ....
2) Quantas vezes você foi lá? ....
3) Quantos anos ele trabalhou aqui? ....
4) Quantas pessoas já se queixaram? ....

III. Frases do cotidiano

A. Ouça as frases e responda negativamente, como no modelo.

Você conhece alguém nesta cidade?
Não, não conheço ninguém.

1) Você já falou com alguém sobre seu problema? ....
2) Ele fez alguma coisa para melhorar sua situação? ....

3) Vocês trarão alguém para a festa?

....

4) Você descobriu tudo?

....

5) Você tem alguma preferência por comida?

....

6) Você tem algum livro sobre culinária?

....

B. Ouça as perguntas e dê respostas com a expressão **de jeito nenhum**, como no modelo.

Você pode trabalhar todos os dias da semana, 20 horas por dia?
De jeito nenhum.

1) Você não gosta de crianças. Você aceita trabalhar em uma escola infantil? ....

2) O governo não tem dinheiro. Ele dará aumento aos funcionários? ....

3) Vocês têm que acabar o trabalho para amanhã. Vocês vão à festa hoje? ....

C. Ouça as frases e dê respostas com **de mal a pior**, como no modelo.

Como vai a situação entre João e Luísa?
Ela vai de mal a pior.

1) Pedro, como vai sua saúde?

....

2) Mário, você anda muito preocupado. Como vão seus negócios?

....

3) Como vão as coisas na empresa?

....

D. Ouça as frases e responda com **estar caindo aos pedaços**, como no modelo.

Como está a casa da praia?
Está bem conservada?
Não, ela está caindo aos pedaços.

1) Por que você não comprou o carro do Pedro?

....

2) Vocês conheceram a parte velha do porto? Gostaram? ....

....

3) Por que você jogou o livro fora?

....

4) Como está a casa onde eles nasceram?

....

IV. Automatização de verbos

A. Ouça as frases. Passe os verbos para o futuro, como no modelo.

Eu trago boas notícias.
Amanhã, eu trarei boas notícias.

1) Ele traz presentes para todo mundo.

....

2) Eles dizem sim.

....

3) Você faz café.

....

4) Eles fazem as malas em 5 minutos.

....

5) Nós só dizemos a verdade.

....

6) Vocês trazem informações importantes?

....

7) Quem faz as compras para a festa?

....

B. Ouça as perguntas e responda, como no modelo.

Vocês farão tudo?
Faremos.

1) Vocês dirão tudo?

....

2) Marcos, você fará seu trabalho para amanhã? ....

....

3) José, você trará sua sugestão amanhã?

....

4) Antônio, você trará seu carro para esta oficina? ....

5) Dr. Marcos, o senhor dará um remédio para a minha tosse? ....

C. Ouça as perguntas e responda, como no modelo.

Você descobre o endereço do hotel?
Descubro.

1) Você descobre a receita deste bolo?

....

2) Ela cobre o bolo com calda de chocolate?

....

3) Você dorme bem?

....

4) E eles, eles dormem bem, também?

....

5) Você sobe as escadas devagar?

....

6) As crianças sobem as escadas correndo?

....

7) Você subiu de elevador?

....

8) Você descobriu o nome do livro?

....

LER E ESCREVER

I. Leia o texto

Férias na Foz do Iguaçu.

João Carlos Prado e sua mulher Maria da Glória foram à Foz do Iguaçu conhecer as cataratas. Na volta, Maria da Glória conversa com suas amigas Célia e Amanda sobre o hotel "Quedas d'Água", onde se hospedaram.

Maria: A localização do hotel era ótima. Ficava praticamente a dois passos das cataratas e tinha todo o conforto e partes de lazer que vi no anúncio: piscinas, quadras de tênis, campo de golf, sauna, sala de leitura e mais algumas coisas. O pessoal da recepção foi muito amável. Eu adorei o hotel.

Célia: Seu marido também gostou?

Maria: Bem, ele gostou, porém não voltará mais lá. O hotel era grande, mas só tinha um elevador. Nós estávamos no 2º andar, mas meu marido não sobe escada. E

Fonte: Hotel Tropical das Cataratas. Foz do Iguaçu.

também lá era muito barulhento. Ele só conseguia pegar no sono altas horas da noite.

Eu não. Eu durmo bem. Nenhum barulho me incomoda. Nada me tira o sono.

Amanda: E como eram os quartos? E o café da manhã era bom?

Maria: Os quartos eram confortáveis e o hotel tinha mania de limpeza. Tudo era impecável. As roupas de cama e banho eram trocadas dia sim, dia não. Nunca ninguém poderá reclamar disso. O café da manhã era abundante e traziam tudo o que pedíamos a mais.

Célia: Tudo bem, mas apesar de tudo isso,

estou de acordo com seu marido. Em nenhum lugar público é permitido fazer barulho depois das 10 horas da noite.

Maria: João Carlos fará uma reclamação sobre isso na agência. Para falar a verdade, acho que ele tem razão.

Amanda: Afinal, vocês fizeram muitos passeios? Conheceram algumas pessoas interessantes? Viram alguém conhecido? Tendo chance, farão novamente esta viagem?

Maria: Da minha parte, eu digo que sim. Quanto ao meu marido, não sei não.

COMPREENSÃO DO TEXTO

A. Escolha a alternativa que tem o mesmo significado.

1. Ele ficava praticamente a dois passos das cataratas:
   a) bem perto.
   b) bem longe.
   c) a uma distância razoável.
2. Ele só conseguia pegar no sono altas horas da noite:
   a) muitas horas, à noite.
   b) com a noite muito avançada.
   c) no final da noite.
3. Nada me tira o sono:
   a) eu durmo em qualquer situação.
   b) meu sono é leve.
   c) nada consegue me acordar.
4. As roupas de cama e de banho eram trocadas dia sim, dia não:
   a) o quarto e o banheiro eram limpos a cada dois dias.
   b) os empregados trocavam as camas de dois em dois dias.
   c) os empregados trocavam os lençóis e as toalhas do banheiro, dia sim, dia não.
5. O café era abundante e traziam tudo o que pedíamos a mais:
   a) o café era abundante e não traziam o que pedíamos a mais.
   b) o café era muito variado e mesmo assim traziam o que pedíamos a mais.
   c) o café era muito bom mas, além dele, não podíamos pedir nada mais.

II. Gramática

A. Leia o texto

A viagem.

Fizemos uma longa viagem, porém não conhecemos ninguém interessante. Eu sempre trago algumas lembranças dos lugares para onde vou. Mas, em nenhuma cidade havia coisas interessantes para comprar. Além do mais, tudo era muito caro.

Complete o texto abaixo com palavras de "A viagem".

Amanhã farei exame de matemática. Estudei bastante, __________ estou nervosa. Sei que __________ questões serão fáceis e __________ outras difíceis. __________ sabe dizer se o exame será muito complicado. Os professores guardam segredo absoluto sobre as questões. Não tenho __________ informação sobre o exame.

B. Escreva por extenso os números contidos nas frases.

1) No 25º aniversário de seu casamento, eles viajaram para a Tailândia.

....

2) Dar uma festa no 15º aniversário de uma jovem, ainda está na moda?

....

3) Qual é o 7º dia da semana?

....

4) O 1.000º gol de Pelé, o grande jogador de futebol, foi superfestejado.

....

5) Dentre os dez primeiros capítulos deste livro eu prefiro o 2º, o 6º e o 7º.

....

6) Não serei nem a 1ª nem a última pessoa a fazer este comentário.

....

7) O 100º comprador deste carro ganhará da empresa um seguro contra roubos.

....

8) Ela foi a 18ª candidata.

....

9) Esta é a 13ª vez que eu telefono para você.

....

C. Escolha, na caixa abaixo, o significado dos diminutivos nas frases.

Vamos fazer uma visitinha ao Francisco. .... (____)

Saia daqui rapidinho! .... (____)

A sala do restaurante é ruinzinha, mas a comida é boa. .... (____)

No canto da sala havia um banquinho para apoiar os pés. .... (____)

Ela usava uma correntinha de ouro e nunca a tirava do pescoço. .... (____)

Não suporto a risadinha dele quando alguém dá uma opinião. .... (____)

Vou dizer uma coisinha só sobre o assunto e depois não digo mais nada. .... (____)

a. uma passagem rápida pela casa de alguém

b. bem depressa

c. um objeto pequeno

d. uma atitude irônica

e. um lugar não muito bom

f. dar uma opinião rápida

III. Expressão escrita

Uma agência de viagens propõe um cruzeiro pelas costas brasileiras. Saída do porto de Paranaguá (Paraná) pelo navio "Cruzeiro do Sul" até o porto de Natal (Rio Grande do Norte). Volta - de avião.

"Cruzeiro: Brasil histórico"

Saída Paranaguá (Paraná) -

Programa:

— **Rio de Janeiro**:
passeio em micro-ônibus pela cidade. Pão de Açúcar, Corcovado, Praia da Urca, Jardim Botânico

— **Porto Seguro**:
passeio pela cidade, local da 1ª Missa no Brasil - almoço: moqueca de camarão, em restaurante típico.

— **Salvador**:
passeio pela cidade colonial - visita às igrejas - jantar: vatapá.

— **Natal**:
passeio pela cidade - visita à ponta do Brasil mais próxima da África - a Ponta Seixas

Você está interessado nessa viagem. Escreva uma carta para a agência para saber:

— duração da viagem.
— preço.
— se é obrigatório descer do navio em todos os portos.
— se o navio pode ancorar em todos os portos ou se haverá botes em alguns deles.
— se, nos restaurantes, o cardápio é obrigatório e se os preços das refeições estão incluídos no preço do cruzeiro.

IV. Aprendendo palavras novas

A. Dê a palavra que falta.

correr — a corrida
__________ — o aquecimento
caçar — a __________
__________ — o treinador

______	—	o vencedor
______	—	o remo
______	—	a natação
navegar	—	a ______
protestar	—	o ______
______	—	a interrupção

B. Separe em categorias

1 *Material* 2 *Dinheiro*

◯ o couro	◯ o ferro
◯ a senha	◯ o vale
◯ a quantia	◯ o rendimento
◯ o talão	◯ a pedra
◯ a prata	◯ grátis
◯ o valor	◯ a porcelana
◯ o plástico	◯ a madeira
◯ o câmbio	◯ a lã

C. Complete os verbos

1 ***dar*** 2 ***ficar*** 3 ***estar***
4 ***ser*** 5 ***fazer*** 6 ***tirar***
7 ***ter***

◯ culpado	◯ uma boa impressão
◯ boas intenções	◯ férias
◯ assinatura	◯ uma reserva
◯ à vontade	◯ culpa
◯ interesse	◯ com vontade
◯ grávida	◯ limpeza
◯ greve	◯ responsabilidade
◯ fotografia	◯ idade
◯ caro	◯ barato
◯ um trajeto	◯ hora extra
◯ bravo	

Faça frases com as combinações do exercício anterior.

....
....
....
....
....
....
....
....
....
....
....
....
....
....
....
....
....

D. Dê as palavras que faltam.

1. o gosto	uma	comida	gostosa
2. o sabor	uma	sobremesa	______
3. a gordura	uma	carne	______
4. o gelo	____	______	______
5. o orgulho	____	______	______
6. o creme	____	______	______
7. a estupidez	____	homem	______
8. a velocidade	____	______	______
9. o terror	____	______	______
10. o tipo	____	costume	______

TEXTO GRAVADO

Os jovens e seus projetos

O repórter Tadeu Vasconcelos da revista "Projetos" entrevista Marcelo Torres, aluno do último ano de Engenharia Química e Mariana Correa, jovem pesquisadora do Instituto Biológico, da área de recursos fluviais.

Repórter Tadeu Vasconcelos: Marcelo, você é um aluno de engenharia e um aluno brilhante. Você terminará seu curso no final deste ano e, naturalmente, tem alguns projetos para o futuro.

Marcelo Torres: Claro. Primeiro, farei um curso de pós-graduação na minha própria universidade. Depois, concorrerei a uma bolsa de estudos no exterior. Pretendo me dedicar à pesquisa.

Revista "Projetos": Isto é muito bom. Já soube que seu grande interesse é estudar a possibilidade da navegação comercial dos nossos rios. Você já tem algum trabalho sobre isso?

Marcelo: Tenho. Publiquei alguma coisa em revistas que se dedicam a futuros cientistas. Pouca coisa. Só tenho um lugarzinho nessas revistas.

Revista "Projetos": Mas, já é um bom começo. Você conhece Mariana Correa, esta jovem cientista que também participa desta entrevista?

Marcelo: Eu a conheço muito bem. É uma grande amiga. Conheço todo o trabalho dela. É sobre águas limpas. É um trabalho muito importante.

Revista "Projetos": O que você diz, Mariana?

Mariana: Exagero dele. Só avancei um pouquinho no assunto. Ainda há muito a fazer.

Marcelo: E você fará, com certeza.

Revista "Projetos": Mariana, você tem um projeto chamado "Águas limpas, águas ricas". Ninguém, ou melhor, nenhuma empresa estatal ou particular se interessou, ainda, por esse projeto?

Mariana: Não posso dizer que ninguém me contatou, ainda. Eu direi que há várias empresas interessadas. Mas, você sabe, o projeto é caro e demorado. O pesquisador deve ter muita paciência e as empresas muito dinheiro.

Revista "Projetos": Mariana, por favor, avise-me quando o projeto será realizado. Faremos uma reportagem na nossa revista. Temos confiança em vocês, jovens cientistas.

Fonte: Poli. USP. Agência USP, Francisco Emolo. 049/97 5.3 JUSP

UNIDADE 11

OUVIR E FALAR

I. Ouça o texto

Carta ao amigo Rogério

(O texto está no final da unidade. Confira depois.)

COMPREENSÃO DO TEXTO

A. Ouça o texto novamente e preencha as lacunas.

1) Não posso sair, então_____________ para lhe mandar notícias minhas, como _____________ prometido.
2) _____________ três dias que cheguei a essa pequena cidade de praia.
3) O dono do hotel disse que eu estava ______ _________ .
4) Na semana anterior tinha chovido _______ ________ dias.
5) Estou de _________ humor. Mas ________ pessoa ficaria de ____________ humor.
6) Imagine! Ter dez dias de férias, três ______ _________ já estão perdidos.
7) Ela não avança porque, primeiramente, não tenho _____________ nada e não tenho nada ou _____________ nada para contar.
8) Vou até a janela e só vejo _____________ homens na praia, pescando, mesmo _________________ da forte chuva.
9) É verdade que já tinha _____________ em uma revista que essa praia é boa para a _______________ .
10) Para o próximo ano, vou programar _____ ________ tipo de férias.
11) Amanhã, se a chuva continuar, mando-lhe _____________ carta, tão _____________ humorada como essa.
12) Se não chover, não lhe ___________ mais.

B. De acordo com o texto, complete o quadro abaixo.

— A carta foi escrita no _____________ dia, depois da chegada do autor.
— O autor tem só _____________ dias de férias.
— O autor da carta levou, no mínimo _____________ hora para escrever a carta.
— Escrevendo a carta, ele se levanta a cada _____________ minutos para ir olhar pela janela.
— Na janela, ele fica durante _____________ minutos.
— Na praia, debaixo da chuva, há __________ homens pescando.
— Choverá o dia todo porque o céu está _____________ .
— Se o autor não escrever outra carta é porque a chuva _____________ .

II. Gramática

A. Ouça as frases e substitua as palavras **todos os**, **todas as** pelo pronome **cada**, como no modelo:

Todos os convidados receberam uma lembrança da festa.
Cada convidado recebeu uma lembrança da festa.

1) Todos os livros têm um código.

....

2) Todas as casas da rua receberam o aviso.

....

3) Todos os sócios tinham pago a mesma mensalidade.

....

4) Eles tinham visto todos os filmes desse diretor.

....

5) O diretor tinha resolvido todos os problemas do contrato.

....

B. Refaça as frases, empregando os pronomes: **outro**, **outros**, **outra**, **outras**, ou com o pronome **qualquer um, qualquer uma**, como no modelo:

Não gostei de nenhuma casa. Vou procurar outra.
Que lugar você prefere: praia ou montanha?
Tanto faz. Qualquer um.

1) Nenhum candidato é bom. Temos que achar

....

2) As soluções não são boas. Ele vai ter de achar ....

3) Nossos sapatos estão velhos. Vamos ter de comprar ....

4) Todos os nossos cálculos estão errados. Vamos ter de fazer ....

5) Você quer um sorvete de creme ou de chocolate? ....

6) Ele quer uma revista nacional ou estrangeira? ....

III. Frases do cotidiano

Refaça as frases acrescentando: **Você está louco? Ora essa! É incrível!**, como no modelo:

Não vou ao teatro porque não gosto desse autor.
Não vou ao teatro porque não gosto desse autor, ora essa.

1) Não temos dinheiro para comprar essa casa.

....

2) Como você vai viajar um ano sem dinheiro?

....

3) Não vou me casar porque não gosto dele.

....

4) Ele fez um gol no último minuto do jogo.

....

5) Ele sempre consegue o melhor lugar do restaurante.

....

IV. Automatização de verbos

Responda afirmativamente às perguntas:

1) Você sai com seus filhos?

....

2) Eles saem à noite?

....

3) Vocês saem comigo amanhã?

....

4) Paulo saiu mais cedo do trabalho?

....

5) Você saiu ontem com Roberto?

....

6) Antigamente eles saíam todos os sábados?

....

LER E ESCREVER

I. Leia o texto

O culto solar

Até há bem pouco tempo, o sol não fazia parte de nossos programas de lazer da forma como acontece hoje em dia. O século XX já tinha começado há várias décadas, duas grandes guerras já tinham acontecido, mas o sol era considerado, ainda, um elemento indesejável, não para a natureza, naturalmente, mas para o homem. "Ficar bronzeado" não estava na moda naqueles tempos. Ao contrário, todos eram fiéis às idéias do século XIX, que tinha insistido na moda da pele bem branca como sinal de beleza. Com efeito, quando a civilização ocidental descobriu praias e montanhas como lugares de lazer, o sol não estava no programa.

Por volta de 1950, bronzear-se passou a ser uma verdadeira obsessão coletiva, uma forma de alcançar prestígio social. Começou aí o culto ao sol, um fato dos dias de hoje. O Brasil, com sua imensa costa atlântica, é um verdadeiro paraíso solar.

Essa moda desenvolveu com ela uma grande indústria que movimenta muito dinheiro: a indústria de cosméticos.

Há vários tipos de creme para proteger a pele antes, durante e depois do banho de sol. Eles existem, também, para proporcionar um bronzeado mais bonito e mais duradouro. Cada um desses produtos promete maravilhas.

Não há nada a dizer contra esse fenômeno industrial. Somente, não devemos confiar cegamente em cremes e loções para neutralizar a ação solar. Os médicos não se cansam de apontar os efeitos nocivos de uma longa exposição da pele ao sol.

É estranho que nossa civilização, que cultiva a juventude e o rejuvenescimento, pratique, de forma pouco inteligente, o culto ao sol. Tomar banho de sol deveria ser uma fonte de prazer e de saúde e não um ato que pode resultar em desastre, como acontece freqüentemente.

COMPREENSÃO DO TEXTO

A. Certo ou errado?

O texto diz que

1) os jovens não devem tomar banhos de sol muito prolongados. .... ❑
2) a moda mudou: antes era bonito ter pele clara, agora o bonito é estar bronzeado. .... ❑
3) os cosméticos prometem sempre ótimos resultados, mas nem sempre funcionam. .... ❑
4) ficar exposto muito tempo ao sol não é uma atitude inteligente. .... ❑
5) os médicos são contra a indústria de cosméticos. .... ❑

B. Relacione:

muito sol	desastre!
sol demais	pele clara, pálida
nenhum, pouco sol	pele bronzeada

C. Explique:

1) o sol não estava no programa ....
....
2) uma obsessão coletiva ....
....
3) tomar banho de sol ....
....
4) prometer maravilhas ....
....
5) efeitos nocivos ....
....

D. Indique a alternativa que melhor resuma as idéias do texto:

1) Ao contrário de antigamente, hoje em dia o bronzeado da pele é moda e dá prestígio social, além de movimentar uma grande indústria.

....

....

2) A moda do culto ao sol, um fenômeno de nossos dias, é responsável pela existência de uma grande indústria e por problemas de saúde para muitas pessoas

....

....

II. Gramática

A. Complete com o mais-que-prefeito composto, como no modelo.

(ler) Ele disse que já tinha lido o jornal.

1) (dar) Ele não deu gorjeta porque seu amigo já ____________________
2) (ir) Não fomos lá porque ___________ no domingo.
3) (viajar) Quando telefonei para a casa dele, a esposa me disse que ele ______________.
4) (ver) Ele não cumprimentou o amigo porque não o _______________.

B. Passe o texto abaixo para o passado, empregando os tempos necessários: imperfeito, perfeito, ou mais-que-perfeito.

Ele nunca quer realmente viajar. Faz planos, consulta agências, fala com os amigos, prevê datas. Até já fez economias e abriu uma poupança para isso. Mas, na verdade, não tem coragem para largar tudo e partir. Nunca fez isso.

III. Expressão escrita

Escolha uma das propostas e escreva um ou dois parágrafos.

1) Durante um passeio (de barco, a um museu, em uma cidade etc.), você notou uma pessoa que

lhe chamou a atenção, por seu comportamento, seu físico, seus gestos, sua maneira de se vestir etc.
Conte como aconteceu e qual foi sua reação.

2) Descreva uma pessoa da qual não se esquece por várias razões: porque influenciou sua vida, porque era um tipo diferente, por sua beleza, etc.

IV. Aprendendo palavras novas

A. Dê as palavras que faltam, como no modelo.

1) a produção — um trabalho produtivo
2) o esporte — um homem ....
3) o mundo — um ....
4) a região — ....
5) o hábito — ....
6) a urgência — ....
7) a economia — ....
8) a família — ....

B. Relacione.

1. o aluguel
2. o hóspede
3. a jarra
4. o interruptor
5. a graça
6. a champanha
7. o aquecedor
8. o rochedo
9. o passaporte
10. Zé (José)

❑ o cômico
❑ o gás
❑ a pedra
❑ a lâmpada
❑ a taça
❑ o hotel
❑ o líquido
❑ o apelido
❑ o inquilino, o locatário
❑ o visto

C. Dê os antônimos, usando os prefixos **des**-, **a**- ou **i**(**m**,**n**)-.

1) obedecer — ....
2) pessoal — ....
3) justiça — ....
4) normal — ....
5) diferente — ....
6) determinado — ....
7) encontro — ....
8) ativo — ....
9) completo — ....
10) realidade — ....

D. Relacione.

1. voltar
2. manifestar-se
3. sofrer
4. arrumar
5. desenhar
6. matar
7. garantir
8. afastar
9. receitar
10. pesar

❑ contra a idéia
❑ um remédio contra gripe
❑ a fome e a sede
❑ de dor-de-cabeça
❑ a sala
❑ os prós e os contras
❑ um projeto
❑ a qualidade do trabalho
❑ para casa
❑ o perigo

Fazer frases com as combinações acima.

....
....
....
....
....
....
....
....

TEXTO GRAVADO

Carta ao amigo Rogério

Querido Rogério:

Estou lhe escrevendo em uma manhã de chuva. Não posso sair, então aproveito para lhe mandar notícias minhas, como tinha prometido.

Faz três dias que cheguei a essa pequena cidade de praia. Havia um sol maravilhoso e o dono do hotel disse que eu estava com sorte, pois tinha chovido durante vários dias na semana anterior. Pois minha sorte durou pouco. Choveu ontem, chove agora e parece que a chuva vai continuar o dia todo porque o céu está cinza escuro. Certamente chove amanhã também.

Estou de mau humor. Mas, qualquer pessoa ficaria de mau humor: imagine, ter 10 dias de férias na praia, três dos quais já estão perdidos. Até agora só vi o mar e a praia da janela do hotel.

Faz uma hora que comecei a escrever essa carta. Ela não avança porque, primeiramente, não tenho feito nada e não tenho nada ou quase nada para lhe contar. Converso com o dono do hotel sobre a vida dos habitantes. Almoço, janto e é só. Segundo, a cada cinco minutos, eu me levanto, vou até a janela e só vejo alguns homens na praia, pescando, mesmo debaixo da forte chuva. Fico ali durante vários minutos, tentando compreender a paixão desses homens. É verdade que já tinha visto em uma revista que essa praia é boa para pesca.

Para o próximo ano, vou programar outro tipo de férias. Em primeiro lugar, não será na estação das chuvas; em segundo lugar, vou procurar uma cidade onde possa escolher entre vários programas: cinemas, restaurantes, jogos etc.

Amanhã, se a chuva continuar, mando-lhe outra carta tão mal-humorada como essa.

Se não chover, não lhe escrevo mais. Por isso, meu amigo, espero não lhe escrever até o fim das férias.

Um abraço

Teresa

Mapa do Brasil — Temperatura, clima e pluviosidade

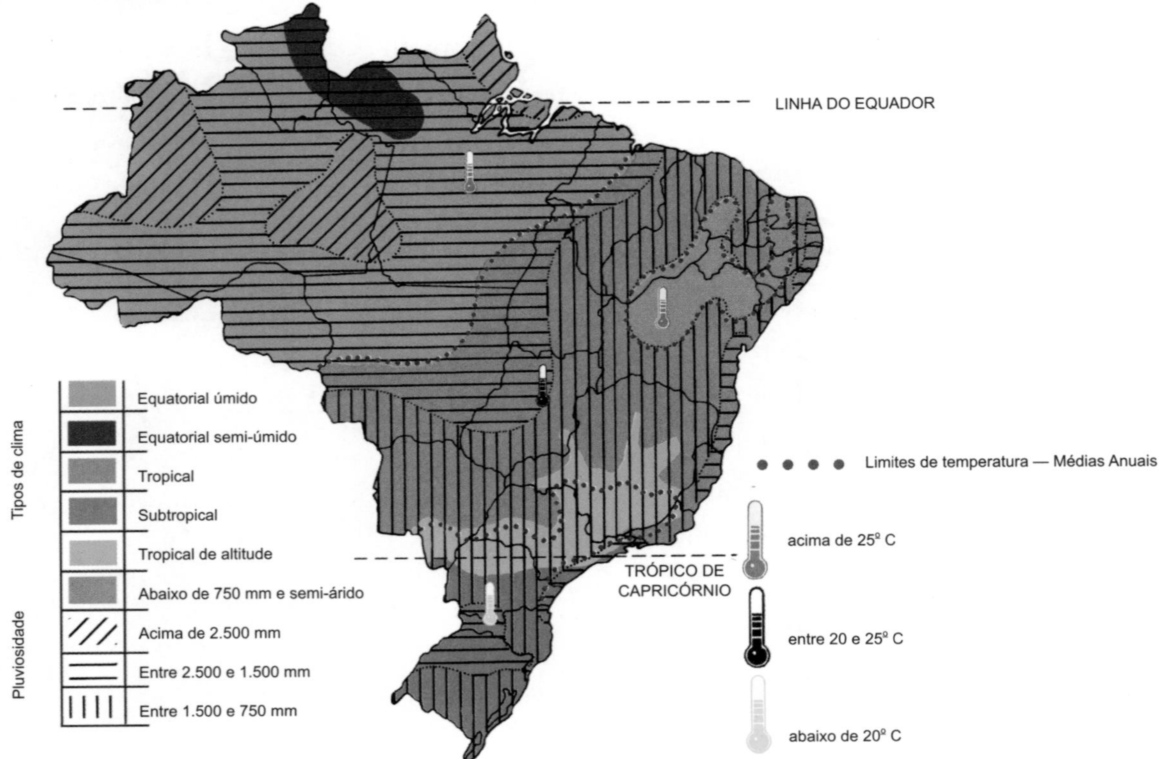

UNIDADE 12

OUVIR E FALAR

I. Ouça o texto

Chuvas de verão
(O texto está no final da unidade. Confira depois.)

COMPREENSÃO DO TEXTO

A. Ouça o texto novamente e preencha as lacunas.

1) Estamos no final do mês de __________ , no final do __________ e do período das grandes __________.
2) Mas, infelizmente, ainda houve tempo, para mais uma __________ .
3) Uma chuva torrencial __________ sobre a pequena cidade de Guacira, no __________ do estado.
4) A cidade ficou ________ durante mais de dez horas. O pequeno rio que passa ao sul da cidade __________, _________ as ruas mais próximas e __________ a ponte.
5) As casas mais __________ do rio _____ _______ e é possível que mais de 30 famílias __________ sem moradia.
6) Os __________ dessa tragédia podem ser muito grandes.
7) É possível que todas as plantações de _____ ________ e de verduras se __________ .
8) As estradas que ligam a pequena cidade de Guacira às cidades da região ficaram ____________.
9) Há dois anos atrás, um problema __________ ocorreu numa cidade próxima à Guacira.

10) As autoridades __________ tomar providências.
11) A população das duas cidades lamenta que ninguém __________ ou __________ alguma coisa para __________ a vida dos habitantes.
12) Os engenheiros estão __________ uma ponte de __________ para colocar a cidade de Guacira, novamente em ______________ com as outras cidades.
13) Mas, essa ponte __________ não é muito resistente.
14) Os habitantes esperam que os engenheiros __________ logo a __________ .

B. Escolha a alternativa adequada, de acordo com o texto.

1. No Brasil, as grandes chuvas de verão, geralmente,
   a) acabam no final do mês de março.
   b) caem no mês de março.
   c) acabam depois do mês de março.

2. A cidade de Guacira ficou ilhada, isto é,
   a) a cidade é uma ilha.
   b) a cidade sempre fica ilhada.
   c) a cidade ficou isolada por causa das águas e da ponte que desabou.

3. Porque o rio transbordou,
   a) 30 famílias vão mudar de cidade.
   b) as escolas municipais e o estádio de futebol foram fechados.
   c) as estradas que vão até Guacira ficaram congestionadas.

4. Guacira
   a) tem uma ponte para entrar na cidade e outra para sair.
   b) é uma cidade que fornece verduras e legumes para a região.
   c) é uma cidade que sempre fica com as ruas congestionadas quando chove.

5. Os engenheiros do Estado desviaram o trânsito para as estradas vizinhas
   a) porque vão construir uma nova ponte.
   b) para transportar as mercadorias das outras cidades.
   c) porque a ponte antiga estava em más condições.

6. A ordem dos acontecimentos, após a chuva torrencial, é a seguinte:
   a) o rio transbordou, as ruas ficaram inundadas, a ponte desabou e casas desabaram.
   b) o rio transbordou, casas desabaram, as ruas ficaram inundadas e a ponte desabou.
   c) o rio transbordou, a ponte desabou, as casas desabaram e as ruas ficaram inundadas.

II. Gramática

A. Ouça as frases e depois repita-as, começando com as palavras indicadas, como no modelo.

Os convidados chegarão atrasados.
(Receio que) Receio que os convidados cheguem atrasados.

1) A ponte poderá desabar.
(A população tem medo que) ....
....

2) A prefeitura tomará providências.
(A população quer que) ....
....

3) O prefeito pede ajuda ao estado.
(Tomara que) ....
....

4) Trinta famílias ficam sem moradia. (Todos lamentam que) ....
....

5) As autoridades dizem a verdade sobre a tragédia. (Ninguém está certo de que) ....
....

6) Os caminhões têm que esperar durante horas. (Lamentamos que) ....
....

B. Ouça as duas frases e una-as, como no modelo.

O rio transbordou. O rio passa por nossa cidade. O rio que passa por nossa cidade transbordou.

1) As casas desabaram. As casas estavam perto do rio. ....
....

2) O rio derrubou a ponte. A ponte era importante para a cidade. ....
....

3) Os agricultores estão em dificuldade. Eles perderam toda a produção deste ano.

....

....

4) A ponte nova não é muito resistente. Ela é provisória.

....

....

5) Várias famílias estão morando em escolas. Elas perderam suas casas com a inundação.

....

....

III. Frases do cotidiano

Ouça as frases e dê a resposta, como no modelo.

Tenho medo que chova hoje.
É mesmo. Eu também tenho medo que chova.

1) Tomara que não chova.

....

....

2) É pena que eu não viaje hoje.

....

....

3) Talvez vocês não concordem mesmo conosco.

....

....

4) Vocês querem mesmo que fiquemos aqui?

....

....

5) Talvez vocês partam mesmo amanhã.

....

....

IV. Automatização de verbos

A. Ouça as frases e faça como no modelo.

Nós já avisáramos os amigos.
Nós já tínhamos avisado os amigos.

1. Ele já soubera da notícia. ....

....

2) Nós planejáramos viajar. ....

....

3) Os engenheiros construíram uma nova ponte. ....

....

4) Eu já vendera meu carro. ....

....

5) A prefeitura não permitira a entrada de ninguém. ....

....

B. Ouça as frases e faça como no modelo.

Ele duvida que eu diga a verdade.
Ele duvida que nós digamos a verdade.
Eu duvido que ele diga a verdade.
Eu duvido que eles digam a verdade.

1) Ele proíbe que eu peça auxílio. ....

....

2) Ela espera que eu sirva champanha na festa.

....

3) Eles estão contentes que eu faça uma longa viagem. ....

....

4) Estou contente que meu amigo saia de férias. ....

....

5) Prefiro que você não fale com ele. ....

....

LER E ESCREVER

I. Leia o texto

Um novato na recepção do jornal

Uma noite, na hora em que a redação começava a ter maior movimento, a porta se abriu e uma moça entrou, me chamando de imediato a atenção: era clara, de cabelos castanhos, olhos grandes, sorriso maravilhoso. Antes que alguém dissesse qualquer coisa, eu já sabia que era Vanessa.

O que veio em seguida foi algo incomum no jornal. Dizer que a redação inteira se movimentou para ir ao encontro daquela moça seria exagero, mas foi essa a sensação que eu tive, pois em todos os setores vi gente se levantando. E foi então uma seqüência ininterrupta de abraços, beijos, risadas, uma verdadeira festa que eu ainda não tinha visto com ninguém da redação.

Quanto a mim, desde que ela entrara, eu não despregara os olhos: era tão bonita, tão viva, seu rosto parecia irradiar uma luz que a envolvia, deixando tudo ao redor ofuscado. E ela sorria, sorria sem parar, mostrando os dentes perfeitos, a cabeça, ora inclinando-se para um lado, ora caindo para trás.

[...] Mas, no jornal, essas coisas eram muito rápidas: com a mesma rapidez com que elas se faziam, elas se desfaziam. Alguém chegando naquele momento e dando com aquela moça encostada a uma mesa, sozinha e todo mundo ao redor trabalhando, não poderia imaginar o que houvera minutos antes. Foi então que ela, deixando correr os olhos pela redação, num ar ao mesmo tempo sério e distraído, deu comigo naquela estática e muda admiração: como era de se esperar, retribuiu-me com um gracioso sorriso, tão gracioso e tão alheio como o de uma rainha num cortejo. E assim como a rainha mal nota a fisionomia do súdito, assim também Vanessa mal devia ter notado que eu era uma nova cara na redação e sentido curiosidade de saber quem eu era, o que fazia naquela máquina. Claro. Por que seria diferente? O que ela queria,

via-se, era ser adorada, simplesmente isso. Adorada não importava por quem e de que modo — em gestos, palavras ou silêncio. Mas eu, [...] eu não estava a fim de adorar ninguém, mesmo que fosse a mulher mais bonita do mundo.
Concentrei-me em minhas anotações e voltei a bater minha reportagem. Mas como Vanessa ficara em meu rumo e não muito longe de mim (recebia naquele momento um informe geral de Raimundo), eu inevitavelmente acabava olhando para ela. E por que haveria de evitar isso? Diabo, afinal de contas eu andava bastante chateado com as coisas do jornal para que deixasse de olhar para uma mulher tão bonita como aquela. Eu a via agora de perfil, e não sabia se ela era mais bonita assim ou de frente: um nariz ligeiramente arrebitado e o lábio inferior destacado davam-lhe ao mesmo tempo um ar infantil e sensual.
— Linda, não é? ...
Olhei para trás: era — só podia ser, aparecendo, num momento como aquele — o gordo e bem vestido Lara, com seu eterno e ambíguo sorriso. Senti-me embaraçado por ter sido pego assim de surpresa naquela atitude.
— É ... — respondi apenas.
— Linda ... — ele tornou a dizer com admiração carinhosa, como se Vanessa fosse uma adolescente em flor e ele um homem já velho e vivido.

Luís Vilela
(O inferno é aqui mesmo. São Paulo, Ática, 1979, p. 104-5)

COMPREENSÃO DO TEXTO

A. Vanessa.

1) Descreva Vanessa fisicamente.
   cor da pele: ....
   cor dos cabelos: ....
   olhos: ....
   sorriso: ....
   dentes: ....
   nariz: ....
   boca: ....
2) Qual a sensação que a beleza de Vanessa despertava?
   ....
3) Como Vanessa sorriu para o autor?
   ....
   ....
4) Como os colegas receberam Vanessa quando ela entrou na redação?
   ....
   ....

B. O autor.

1) O que o autor pensa de Vanessa quando ela olha para ele?
   ....

2) Por que o autor, inevitavelmente, tinha de olhar para Vanessa?

....

C. Diga de outra forma.

1) Uma moça entrou, me chamando de imediato a atenção.

....

....

2) Quanto a mim, eu não despregara os olhos dela.

....

....

3) ..., dando com aquela moça encostada a uma mesa sozinha.

....

....

4) Foi então que ela (...) deu comigo.

....

....

5) Como Vanessa ficara em meu rumo ...

....

....

II. Gramática

A. Refaça as orações, empregando um pronome relativo.

1) Vanessa era uma linda jornalista. A mesa de Vanessa ficava perto da mesa de Luís.

....

....

2) A jornalista trabalhava com atenção. Seu sorriso encantava a todos.

....

....

3) Meus vizinhos não são simpáticos. Suas filhas, porém, são bonitas e educadas.

....

....

4) No avião, lemos um livro. Seu autor não é muito conhecido.

....

....

5) O filme não fez sucesso. Tínhamos falado muito desse filme.

....

....

6) Não vemos mais os velhos amigos. Saíamos muito com eles.

....

....

B. Complete o trecho abaixo com: **que**, **quem**, **o qual/os quais/a qual/as quais**, **cujo(s)**, **cuja(s)**, **onde**.

Durante sua viagem, ele comprou objetos de porcelana __________ poderiam se quebrar. As cidades por __________ passou nem sempre eram grandes, mas possuíam algum interesse. As pessoas com __________ falou eram simples e amáveis. Ele não viu tudo o __________ queria ver. Mas, as maiores cidades, __________ nomes constavam do roteiro, ele visitou.

C.Passe o verbo para o mais-que-perfeito simples.

1) Estávamos tranqüilos porque já tínhamos avisados os amigos.

....

....

2) Eles tinham planejado viajar, mas depois mudaram de idéia.

....

....

3) Ele tinha vendido o carro, por isso andava de táxi. ....

....

4) Eu não tinha entendido a pergunta, por isso não respondi. ....

....

III. Expressão escrita

A. Seguem abaixo, algumas orações inacabadas. Termine cada uma delas, como no exemplo.

Em todas as cidades **por onde passou** foi bem recebido.

1) .... , cujas folhas já estavam amareladas,

....

2) ...., em quem sempre pensava,

....

3) .... , nos quais sempre pensava,

....

4) .... , que nunca conheceu,

....

5) .... , que muito amava,

....

B. Ontem à tarde, seu carro teve um defeito no motor e parou em pleno trânsito. Esse defeito já era previsível, e você já tinha falado dele com o mecânico.

Escreva o relato que você fez ao mecânico, quando o carro chegou à oficina.

....

....

....

....

....

....

....

....

....

....

....

....

....

....

....

....

IV. Aprendendo palavras novas

A. Relacione.

1. o cabeleireiro	☐	as relações internacionais
2. o carpinteiro	1	o pente
3. o intérprete	☐	o espetáculo
4. o espectador	☐	a madeira
5. o embaixador	☐	o livro
6. o autor	☐	o dicionário

B. Descubra os 12 pares de antônimos.

1. por último - em primeiro lugar

por último —	— último
amor —	— forte
esquecer —	— verdadeiro
falso —	— reprovar
fraco —	— lembrar
acima —	— abaixo
despir —	— mole
conhecimento —	— feroz
duro —	— ignorância
aprovar —	— vestir
primeiro —	— em primeiro lugar
manso —	— ódio

C. Relacione o substantivo e o verbo

a tesoura —	— pica
a tinta —	— cobre
o fósforo —	— fecha
a agulha —	— pinta
a cortina —	— corta
carpete —	— queima

D. Relacione as duas colunas

boa —	— amanhã
bem —	— licença
estimo —	— tarde
com —	— favor
por —	— abraço
bom —	— suas melhoras
um —	— apetite
até —	— vindo

E. Separe as palavras em três categorias

1 jornalismo   2 polícia

3 escola

o telejornal	o crime
a reportagem	o ladrão
a lei	o telespectador
o diploma	o giz
a criminalidade	o exame
o rapto	a investigação
o ensino	educar
o noticiário	o criminoso
o anúncio	assassino

TEXTO GRAVADO

Chuvas de verão

Estamos no final do mês de março, no final do verão e das grandes chuvas de verão. Mas, infelizmente, ainda houve tempo para mais uma tempestade.
Uma chuva torrencial caiu sobre a pequena cidade de Guacira, no interior do estado. A cidade ficou ilhada durante mais de 10 horas. O pequeno rio que passa ao sul da cidade transbordou, inundando as ruas mais próximas e derrubando a ponte que servia de entrada e de saída da cidade.
As casas próximas ao rio desabaram e é possível que mais de 30 famílias fiquem sem moradia por meses. A prefeitura da cidade colocou-as nas escolas municipais e no estádio de futebol.
Os prejuízos dessa tragédia podem ser muito grandes. É possível que todas as plantações de verduras e de legumes se estraguem. A cidade de Guacira é uma das grandes áreas verdes da região. Os pequenos agricultores estão em situação muito difícil.
As estradas que a ligam as cidades da região ficaram congestionadas. Caminhões e carros ficaram parados durante horas.
Há dois anos atrás, um problema semelhante ocorreu numa cidadezinha próxima por onde passa o mesmo rio e as autoridades, naquela ocasião, prometeram tomar providências, mas até agora não fizeram nada.
A população das duas cidades lamenta que ninguém diga ou faça alguma coisa para melhorar a vida dos habitantes.
Os engenheiros do Estado desviaram o trânsito para as estradas vizinhas e estão construindo uma ponte de emergência para colocar Guacira, novamente, em comunicação com as outras cidades. Mas, esta ponte provisória não é muito resistente. Os habitantes esperam que os engenheiros acabem logo a definitiva.

UNIDADE 13

OUVIR E FALAR

I. Ouça o texto

Na selva

(O texto está no final da unidade. Confira depois.)

COMPREENSÃO DO TEXTO

Ouça o texto novamente e preencha as lacunas.

1) Os dois botânicos estavam ______________ uma espécie rara de orquídea.
2) Se este bicho nos atacar, estamos ________ .
3) O botânico ______________ rapidamente e começou a trocar suas ______________ pesadas por um par de ______________ .
4) Eu não preciso correr mais depressa ______________ o leão. Basta que eu ______________ mais ______________ do que você.

II. Gramática

Ouça a pergunta e dê a resposta, como no modelo.

— O que é que podemos fazer?
— Não há nada que possamos fazer.

1) — Quem é que pode nos ajudar?

....

2) — Quem é que fala chinês aqui?

....

3) — Quem é que quer trabalhar aos sábados?

....

4) O que é que podemos dizer?

....

5) — Quem é que sabe o que aconteceu?

....

III. Frases do cotidiano

Ouça a resposta e faça a pergunta, como no modelo.

— Eu quero um sanduíche.
— O que é que você quer?

1) O Felipe chegou.

....

2) Eu estou aqui na sala.

....

3) Eles vão voltar em abril.

....

4) Ele quer pagar o carro à vista.

....

IV. Automatização de verbos

Ouça a pergunta e responda, como no modelo.

— Ele vai? (É possível)
— É possível que ele vá.

1) Ele quer ajuda? (É possível)

....

2) Ele sabe o endereço do Júlio? (É possível)

....

3) Há lugar para todos? (É provável)

....

4) Ele está em casa agora? (É bom)

....

5) Eles vão dar uma explicação? (É importante)

....

LER E ESCREVER

I. Leia o texto

Cheia desabriga 14 mil pessoas em Rio Branco, no Acre.

Rio Branco — Cerca de 14.400 pessoas estão desabrigadas em Rio Branco, em conseqüência das enchentes do Rio Acre. O nível das águas chegou a 17,14 metros ontem à tarde. Há 60 bairros inundados, segundo a Defesa Civil. Quase 30 mil famílias foram atingidas diretamente pelas enchentes. Doze bairros estão sem energia.

Ontem um avião monomotor do governo do estado acidentou-se em Manuel Urbano, uma pequena cidade a 217 km de Rio Branco, também atingida por enchentes do Rio Acre. Quando tentava decolar, o avião derrapou na pista inundada e bateu em um burro que estava à beira da pista. O avião teve a asa, o trem de pouso e a hélice destruídos no choque. O piloto e os dois passageiros escaparam ilesos. O burro morreu.

As águas do Rio Acre continuam subindo e a previsão é de mais chuvas na região. A Prefeitura está alojando desabrigados em escolas, creches, igrejas e até num circo. Foi declarada situação de calamidade pública. Embora a situação seja muito crítica, até agora a população da região não recebeu ajuda do Governo Federal.

COMPREENSÃO DO TEXTO

A. Diga a que se referem estes números no texto.

17,14 ....
30.000 ....
14.400 ....
60 ....
12 ....

B. Extraia do texto palavras ligadas à idéia de enchente.

....
....
....
....

II. Gramática

A. Reformule a idéia, como no modelo.

A situação é crítica, mas até agora a população não recebeu ajuda.
(embora) Embora a situação seja crítica, até agora a população não recebeu ajuda.

1) (embora) O avião está destruído, mas o piloto está bem.

....

2) (contanto que) Eu vou ajudar você, mas você terá de trabalhar mais.

....

3) (para que) Ele vai trabalhar mais para poder viajar.

....

4) (até que) Ela vai esperar até ele chegar.

....

5) (antes que) Ele vai chamar a polícia. Fuja antes.

....

B. Complete com a conjunção adequada.

1) Ele vai falar alto ______________ todos possam ouvi-lo.
2) Posso tirar férias ______________ termine este projeto.
3) Vamos para a praia ______________ chova.
4) Ele vai comprar aquele carro ______________ o preço não seja absurdo.

C. Substitua o advérbio por uma expressão equivalente, como no modelo.

Ele leu as instruções atentamente.
Ele leu as instruções com atenção.

1) Eles vivem economicamente.

....

2) Ela vai pagar a casa facilmente.

....

3) Ela chegou tarde ao encontro propositalmente.

....

4) Faça tudo muito cuidadosamente.

....

III. Expressão escrita

Com a ajuda das informações do exercício A da Compreensão de Texto (pág. 94), escreva uma carta a um amigo, relatando o que está acontecendo na cidade de Rio Branco, no Estado do Acre.

IV. Aprendendo palavras novas

A. Risque o intruso.

B. Considere as palavras do exercício anterior sem o intruso e relacione.

- [6] são frutas
- [ ] são necessários para quem manda uma carta
- [ ] são tipos de vegetação
- [ ] a gente come todos eles
- [ ] têm água
- [ ] referem-se as cerdas para limpar ou pintar
- [ ] são verbos referentes à comida
- [ ] são alimentos para um lanche

C. Considere as palavras do exercício A, observe os desenhos e escreva os nomes.

1. __________
2. __________
3. __________
4. __________
5. __________
6. __________
7. __________

8. __________

D. Separe em categorias (esportes, turismo, artes).

1. Esportes 2. Turismo 3. Artes

( ) o artesanato
( ) a areia
( ) o passeio
( ) o programa
( ) o time
( ) o concerto
( ) o espetáculo
( ) a bola
( ) acampar
( ) a exposição
( ) o estilo
( ) a excursão
( ) a reserva natural
( ) a mala
( ) a estátua
( ) o romance
( ) o piloto
( ) o estádio
( ) o monumento
( ) o esqui
( ) o campeão
( ) a cerâmica
( ) o conto
( ) a piscina
( ) a auto-estrada
( ) o vôlei
( ) o feriado
( ) a personagem
( ) o judô
( ) o atletismo
( ) o barco a vela
( ) o tênis
( ) o músico
( ) a máquina fotográfica

E. Dê a palavra que falta.

a poesia, o poema — o poeta
a escultura — ....
a pintura — ....
a .... — o tradutor
o .... — o trabalhador

1) Dê a palavra que falta.

1) julgar — o juiz
2) transferir — a ....
3) .... — a conclusão
4) procurar — a ....
5) comparar — a ....
6) .... — a influência
7) iluminar — a ....
8) divorciar-se — o ....

2) Dê a palavra que falta.

a resistência — resistente
a transparência — ....
a exigência — ....
a evidência — ....
a independência — ....

3) Dê o substantivo.

a realidade — realista
a .... — vulgar
a .... — total
a .... — necessário
a .... — social

TEXTO GRAVADO

Na selva

Dois famosos botânicos norte-americanos percorriam uma planície africana à procura de uma espécie rara de orquídea. De repente, um barulho.
— O que é que é isso? — perguntou assustado um deles.
Era um leão. Um leão enorme.
— Se esse bicho nos atacar, estamos fritos — disse o outro, apavorado. Não há nada que possamos fazer.
O outro olhou para o colega, olhou para o leão e abaixou-se rapidamente, começando a trocar suas botas pesadas por um par de tênis.
— O que é que você está fazendo? Você pensa que pode correr mais depressa que o leão?
— Mais depressa que o leão, não. Basta que eu corra mais depressa do que você.
Há momentos na vida da gente em que a moral e o afeto não têm lugar. A vida, nesses momentos, é uma selva. Como a selva da historinha dos dois botânicos.

Fonte: Foto Silvia Pinho de Almeida.

UNIDADE 14

OUVIR E FALAR

I. Ouça o texto

Presente de aniversário
(O texto está no final da unidade. Confira depois.)

COMPREENSÃO DO TEXTO

A. Ouça o texto novamente e preencha as lacunas.

1) Gostaria de ganhar uma moto de ________ .

2) Meus pais não querem nem ___________ no assunto.

3) Não pensei que seus pais ____________ um casal com idéias tão ____________ .

4) Eles são ______________ , mas, como todos os pais, acham moto ____________ .

5) E se você lhes ______________ ser prudente, atenta e ______________ usar capacete para ______________ a cabeça?

6) Foi incrível que pusessem tanto ______________ .

7) Talvez se você fizesse uma demonstração ______________ deles, para que eles ______________ o medo.

8) Você está ______________ ? Nem ______________!

9) Pelo seu ______________, você ganhou a ______________.

10) Como você conseguiu que eles ______________ de idéia?

11) Para que eles me compreendessem e me dessem a moto ______________ que prometer não ______________, não passar por ______________os carros, ______________os sinais, não levar ninguém no ______________ de trás.

12) Estou ______________ para ver a moto. Parabéns!

B. Ouça o texto e escolha a alternativa correta.

1. Natália telefona para Frederico
   a) para criticar seus pais.
   b) para dizer que gostaria de ganhar uma moto de presente.
   c) para dizer que andar de moto é perigoso.

2. Frederico diz
   a) que os pais de Natália são liberais, modernos.
   b) que Natália deveria sempre usar capacete.
   c) que Natália deveria fazer uma demonstração de moto diante dos pais.

3. Os pais de Natália
   a) não queriam lhe dar a moto porque tinham medo.
   b) não queriam lhe dar a moto porque a filha corria muito.
   c) não queriam lhe dar a moto porque não eram um casal moderno.

4. Natália ganhou a moto
   a) porque insistiu sem parar.
   b) porque fez 18 anos e seus pais lhe prometeram a moto.
   c) porque prometeu ser prudente e respeitar as leis de trânsito.

II. Gramática

A. Una as frases, usando a conjunção **embora**, como no modelo.
Ele estava doente. Ele foi à festa.
Embora estivesse doente, ele foi à festa.

1) Ele estava com fome. Ele saiu sem almoçar.

....

2) Éramos muito amigos. Nunca viajamos juntos.

....

3) Nós fazíamos muitos planos. Não realizávamos nenhum.

....

4) Você dava muitos presentes às crianças. Elas não lhe agradeciam.

....

B. Ouça a pergunta e responda. Use **talvez** na resposta, como no modelo.
Eles queriam ver você?
Não sei. Talvez quisessem.

1) Eles sempre traziam presentes para todos?

....

2) Eles sempre diziam a verdade?

....

3) Ele queria viajar de navio?

....

4) Ele sabia o que estava acontecendo?

....

5) Eles sempre punham o carro no estacionamento?

....

III. Frases do cotidiano

Faça uma frase com o verbo **dar**, de acordo com a situação, como no modelo.
Ontem acordei tarde, cheguei atrasado ao escritório e perdi minha carteira. Foi um dia horrível.
Ontem deu tudo errado.

1) Ontem cheguei cedo ao escritório, trabalhei muito e à noite saí com os amigos. Foi um dia ótimo.

....

2) Ontem levei meu filho à festa de seu amiguinho de 3 anos. Só havia crianças na festa.

....

3) Avisei meu filho para não correr muito, senão bateria o carro, mas ele não me ouviu.

....

4) Não vou àquele bar de esquina no sábado de manhã. Lá só tem vagabundo.

....

5) Professor, não consegui fazer o exercício. Foi muito difícil. Me dê outra chance.

....

IV. Automatização de verbos

A. Repita a segunda parte da frase, como no modelo.
Ele falou como se conhecesse o assunto.
Como se conhecesse o assunto.

1) Falamos com eles como se fossem nossos amigos.

....

2) Andaram devagar como se tivessem muito tempo.

....

3) Eles vivem como se fossem milionários.

....

4) Ele fala comigo como se fosse meu pai.

....

5) Ele me atendeu como se me fizesse um favor.

....

6) Ele fala do futuro como se soubesse o que vai acontecer.

....

B. Passe as frases para o plural, como no modelo.

Se eu desse. Se nós déssemos.

1) Se eu pusesse. ....
2) Se eu pudesse. ....
3) Se eu viesse. ....
4) Caso eu estivesse. ....
5) Caso eu visse. ....

C. Passe a 2ª parte da frase para o plural, como no modelo.

Ela quis que ele falasse. Ela quis que eles falassem.

1) Ela proibiu que eu entrasse.

....

2) Ela duvidou que você soubesse.

....

3) Ela permitiu que eu visse as fotos.

....

4) Ela não acreditou que você viesse.

....

5) Ela lamentou que eu não pudesse ficar.

....

LER E ESCREVER

I. Leia o texto

Matemática

Tenho duas filhas no primário. Ou o que no meu tempo se chamava primário. De vez em quando recebo consultas delas sobre questões de Matemática. Ou o que no meu tempo se chamava Matemática. Não sei que nome tem agora, só sei que não tem nada a ver com o que eu conhecia. Envolve misteriosas operações com bases e outros enigmas que ainda não consegui decifrar. Está claro que não me entrego. Digo que não posso resolver os problemas para elas, pois assim não aprenderiam. Elas que tentem. É preciso resguardar a autoridade paterna. E enquanto elas tentam e — espantoso! — acertam suas questões,

eu fico discretamente espiando, tentando aprender alguma coisa. Ainda não aprendi nada. Que fim levaram aqueles velhos problemas que tinham todos os atrativos de uma boa charada e até um certo encanto literário?
Se a mãe tinha quatro laranjas para dividir igualmente entre três crianças...
Se um trem saía de um certa estação a uma certa velocidade e outro trem saía de outra estação com 3/4 da velocidade do primeiro...
Se um terreno com tanto de frente e tanto de fundo

tivesse que ser repartido entre os herdeiros em proporção à sua idade, e o mais velho tivesse duas vezes a idade do caçula que por sua vez era quatro anos mais moço que o do meio...
Você podia deixar a sua imaginação disparar e desenvolver as historinhas enquanto fazia as contas. Erradas, claro. A divisão entre a cultura humanística e a cultura científica já começava aí. (...)
A matemática de hoje dispensa os exemplos da vida real. Não há mais laranjas, nem trens, nem herdeiros nos livros de Matemática. Tudo acontece num mundo intocado pela presença humana. À prova do irracional e da paixão. À prova de caos. E está certa a Matemática Moderna. O mundo é que está errado. Na vida real, dois mais dois dão sempre confusão. Quando dão quatro, precisa mais um, para desempatar. Ou para apartar. Mas eu acho que mesmo assim as historinhas fazem falta. Não especialmente para ensinar Matemática, mas como indicações de que deve haver uma decisão humana por trás de tudo. Até da programação do computador. Afinal, a mãe que dividia as laranjas em partes iguais entre seus filhos, antes de uma conta certa, estava fazendo justiça.
E não seria difícil adaptar os velhos problemas à Nova Matemática. Por exemplo: se um casal com quatro filhos resolve se desquitar e o pai quer ficar com três filhos e a aparelhagem de som e a mãe quer três filhos, o estéreo e 2/3 do Volkswagen...

Luís Fernando Veríssimo. Para gostar de ler. Volume 7

COMPREENSÃO DO TEXTO

A . Escolha a melhor alternativa.

1. Quando as filhas lhe pediram para ajudá-las nos problemas de Matemática, o autor se lembrou do tempo em que era jovem estudante porque
   a) sempre gostou muito de Matemática.
   b) a Matemática está sempre ligada à sua infância.
   c) ele também pedia o auxílio paterno para resolver os problemas.
   d) sente saudades dos problemas de Matemática de seu tempo, tão diferentes, na forma, dos problemas de hoje.
   e) sente saudade de sua infância.

2. Ao dizer "está claro que não me entrego", o autor revela que
   a) não pretende ajudar as filhas.
   b) não quer mostrar sua incapacidade para entender os problemas atuais.
   c) não ajuda as filhas só para obrigá-las a raciocinar.
   d) não sente nenhum interesse por esses tipos de problemas.
   e) finge que não está entendendo nada.

3. Ao dizer "de vez em quando recebo consultas delas", o autor nos mostra que
   a) as filhas, algumas vezes, explicam-lhe seus problemas pessoais.
   b) as filhas, algumas vezes, enviam consultas ao pai.
   c) as filhas, de quando em quando, pedem-lhe auxílio para resolver seus problemas.
   d) as filhas, raramente, precisam de seu auxílio.
   e) as filhas, poucas vezes, fazem suas tarefas sozinhas.

4. "É preciso resguardar a autoridade paterna", significa que
   a) é preciso proteger a autoridade do pai.
   b) é preciso guardar a autoridade do pai.
   c) é preciso valorizar a autoridade do pai.
   d) é preciso reconhecer a autoridade do pai.
   e) é preciso reafirmar a autoridade do pai.

5. "A mãe que dividia as laranjas em partes iguais entre seus filhos, antes de uma conta certa, estava fazendo justiça", quer dizer
   a) a mãe, antes de resolver os problemas, queria consultar a justiça.
   b) a mãe, antes de conferir se as contas estavam certas, queria primeiro justificar sua divisão.
   c) a mãe, mais do que fazer justiça, queria acertar a divisão matemática.
   d) a mãe, mais do que fazer justiça, preocupava-se em acertar o problema.
   e) a mãe, antes de tudo, queria ser justa.

B. Responda

1) Por que o autor sente saudades dos problemas de matemática de seu tempo de estudante?
2) O autor sempre acertava aqueles problemas sobre trens que saíam de estações diferentes, de terrenos que deveriam ser divididos em proporção à idade dos herdeiros, das quatro laranjas que deveriam ser divididas entre três filhos etc.?
3) autor tem uma boa opinião sobre a Matemática moderna? O que ele pensa dela?
4) No final do texto o autor faz uma crítica irônica sobre os problemas familiares modernos. Explique.

C. Dê o contrário

1) autorizar ....
2) conhecer ....
3) aprender ....
4) empatar ....
5) programar ....
6) adaptar ....
7) ajustar ....

D. Dê o contrário

1) o encanto ....
2) a decisão ....
3) humano ....
4) tocado ....
5) racional ....
6) igual ....
7) acerto ....

Agora, escolha três palavras do grupo acima e faça frases com elas.

....

....

....

E. Seguindo o modelo, faça frases com os verbos abaixo:

(tentar - elas) Elas que tentem, elas que se esforcem para aprender, que façam um esforço para aprender. Não sou eu que vou tentar.

(pagar - ele) ....

....

....

(trazer-você) ....

....

....

explicar - eles) ....

....

....

(ver - ela) ....

....

....

II. Gramática

A. Complete as frases nos tempos adequados do passado.

1) (ter) Ele estava preocupado porque, no dia seguinte, _________ que falar com o chefe.
2) (discutir) Havíamos combinado que ____ _________ os detalhes juntos.
3) (poder) Nunca pensei que ele _________ _____ me trair.
4) (fazer) No mês passado eu disse que ____ ___________ ginástica 3 vezes por semana.
5) (dizer) Eu não __________ nada mesmo que fosse obrigado.
6) (saber) Não podíamos imaginar que ele não _______________ o que tinha acontecido.
7) (ler) Gostaria que você _______________ este livro.

B. Complete as frases, de várias formas, com idéia de ordem ou pedido, como no modelo.

(trazer) Por favor, traga os documentos que estão no armário.

Por favor, você poderia trazer os documentos que estão no armário?

Será que você poderia trazer os documentos que estão no armário?

1) (servir) _______________ o café agora, por favor.

Você __________ o café agora, por favor?

__________ que você _______ o café agora?

2) (fazer) _______________ menos barulho, por favor.
Você ________ menos barulho, por favor?
___________ que você _________ menos barulho, por favor?
3) (dizer) _______________ tudo o que vocês sabem.
Vocês __________ tudo o que sabem?
_____________ que vocês __________ tudo o que sabem?
4) (ver)Por favor, ____________ o endereço na lista telefônica.
Por favor, vocês _____________ o endereço na lista telefônica?
___________ que vocês _______________ o endereço na lista telefônica?

C. Complete as frases com expressões. (ver livro do aluno - pág. 189-190)

1) Os ladrões mexeram em tudo e deixaram a casa _______________.
2) Ele é um homem muito difícil. Para falar com ele, a gente _____________.
3) Depois do divórcio, ela não se concentra em mais nada. Vive com a _______________.
4) Quando lhe falei dos problemas da firma, ele perdeu a paciência e ficou de ___________.
5) Dora, amanhã vou à sua casa para ______ ____________. Tenho muitas novidades para lhe contar.

Os ladrões mexeram em tudo.

III. Expressão escrita

A. Escreva um parágrafo sobre o tema:
O que você faria nesse fim de semana com seus amigos?
....
....
....

B. Com mais dinheiro, como você viveria?
....
....

IV. Aprendendo palavras novas

A. Relacione os sinônimos.

1. ambos	☐	deixar seu país
2. matar	☐	pegar
3. emigrar	☐	mais ou menos
4. devolver	☐	assassinar
5. cerca de	☐	dar de volta
6. apanhar	1	os dois
7. tomar conta de	☐	ajudar
8. acostumar	☐	habituar
9. apoiar	☐	cuidar

B. Complete com os verbos da caixa.

representar	__________	um problema
contar	__________	uma anedota
atacar	__________	por alguém
alargar	__________	nos livros
mexer	representar	um papel secundário
perguntar	__________	a avenida

Faça frases com as combinações acima.
....
....
....
....
....
....

C. Dê as palavras que faltam.

- a eleição	- eleger	- o eleitor
-	- governar	-
- a leitura	-	-
- a escrita	-	-
-	- trabalhar	-
-	- convidar	-

D. Relacione os verbos com os substantivos da caixa.

1) o homem 2) a água

3) o papel 4) o metal

3	rasgar		gritar
	queimar		dobrar
	furar		cortar
	escrever		ferver
	congelar		esquecer
	lavar		imaginar
	recordar		limpar
	despejar		molhar
	esfriar		admirar-se
	riscar		morrer
	esquentar		rir
	amassar		machucar

TEXTO GRAVADO

Presente de aniversário.

(Frederico e Natália conversam)

Natália — Amanhã faço dezoito anos. Gostaria de ganhar uma moto de presente, mas meus pais não querem nem ouvir falar no assunto.

Frederico — Não pensei que seus pais fossem um casal com idéias tão antiquadas.

Natália — Não, eles são formidáveis mas, como todos os pais, acham moto perigoso.

Frederico — É mesmo. E se você lhes prometesse ser prudente, atenta e sempre usar capacete para proteger a cabeça?

Natália — Já empreguei todos os argumentos. Foi incrível que pusessem tanto obstáculo.

Frederico — Talvez se você fizesse uma demonstração diante deles, para que eles perdessem o medo ...

Natália — Você está louco? Nem pensar! Não poderia fazer isso. Vou deixar o tempo passar e depois peço novamente.

Uma semana depois

Natália — Alô, Frederico? Aqui é Natália. Sabe da novidade?

Frederico — Não, não sei, mas posso imaginar. Pelo seu entusiasmo, você ganhou a moto.

Natália — É isso mesmo. Não é formidável?

Frederico — E como você conseguiu que eles mudassem de idéia?

Natália — Não foi fácil. Para que eles me compreendessem e me dessem a moto, tive que prometer não correr, não passar por entre os carros, respeitar os sinais, não levar ninguém no banco de trás etc. etc. etc.

Frederico — Estou curioso para ver a moto. Parabéns!

Fonte: FUMTUR. Manaus. Aluysio Sampaio Barbosa Júnior.

UNIDADE 15

OUVIR E FALAR

I. Ouça o texto

Tudo, menos isto!
(Os textos estão no final da unidade. Confira depois.)

COMPREENSÃO DO TEXTO

A. Ouça o texto novamente e escolha a melhor alternativa.

1) Para Dudu, é difícil caçar jacarés porque
   a) eles não existem no Brasil.
   b) eles são muito perigosos.
   c) eles não existem na cidade.
   d) a Prefeitura proíbe caçar jacarés.

2) O transporte dos jacarés para a cidade é complicado porque
   a) é proibido caçar e transportar jacarés.
   b) eles não cabem no porta-malas do carro.
   c) eles morrerão na viagem.
   d) a gente só pode transportar jacarés mortos.

3) É difícil manter jacarés vivos na cidade porque
   a) os quintais das casas são pequenos.
   b) os vizinhos reclamam.
   c) os jacarés precisam de muito sol.
   d) os jacarés morrem na cidade.

B. Certo ou errado?

1) Dudu sugere que os jacarés sejam transportados para um país mais quente do que o de seu amigo .... ❑
2) Dudu acha que os jacarés brasileiros não se adaptarão ao clima frio .... ❑
3) Dudu não quer ajudar o amigo porque gastará muito dinheiro com isso .... ❑
4) Dudu não vai ajudar o amigo porque precisaria estar em férias para ir caçar jacarés .... ❑

C. Complete as frases com palavras da carta que você ouviu.

1) É proibido _________________ jacarés.
2) Meu chefe _________________ meu pedido: vou _____________ férias no mês que vem.
3) Não consigo fazer o que quero. Todos me _________________ de fazer o que desejo.
4) Ele escondeu tudo no _________________ de seu carro.
5) Só ____________ dois jacarés no meu carro.

II. Gramática

Diga de outra forma, como no modelo.
Eu gostaria de ajudar você, mas não posso.
Se eu pudesse, eu ajudaria você.

1) Eu gostaria de tirar férias agora, mas não é possível.

....

2) Eu gostaria de caçar jacarés, mas tenho medo.

....

3) Nós levaríamos o bicho para casa, mas ele não cabe em nosso porta-malas.

....

....

4) Ele não pode soltar o bicho no quintal porque tem vizinhos.

....

....

5) Ninguém caça jacarés na cidade porque não há jacarés andando pelas ruas.

....

....

III. Frases do cotidiano

A. Ouça a frase e responda, de acordo com sua opinião.

Use: **Vale a pena** ou **Não vale a pena.**

1) Para ter uma vida mais tranqüila, vale a pena morar numa casa confortável, num lugar bonito, mas a 60 km do seu trabalho?

....

....

2) Vale a pena esperar duas horas na fila para assistir a um filme excelente?

....

....

3) Para fazer carreira na firma, vale a pena trabalhar 14 horas por dia e não ter tempo para nada?

....

....

B. Ouça a frase e responda, dando sua opinião. Use: Dá ou Não dá.

1) Dá para viver bem numa cidade grande?

....

....

2) Dá para ser feliz sem amigos?

....

....

3) Dá para viver bem, trabalhando muito durante o dia e dormindo só 4 horas por noite?

....

....

4) Dá para ter sucesso na vida sem estudar?

....

....

IV. Automatização de verbos

Responda afirmativamente. Use respostas curtas.

caber

— Os livros cabem na caixa? ....

— Com todas essas malas e pacotes, você cabe no carro? ....

— Você todos couberam no táxi? ....

medir

— Eles medem as janelas antes de fazer as cortinas? ....

— E você? Você também mede? ....

valer

— Estes objetos valem muito? ....

— Vale a pena comprá-los? ....

perder

— Você perde tempo no trânsito? ....

— Todo mundo perde? ....

seguir
— Você segue as instruções do fabricante? ......
— Você seguiu as instruções? ....
construir
— O governo constrói pontes? ....
conseguir
— Eles conseguiram fazer o trabalho? ....
— E você? Você conseguiu? ....
— Você sempre consegue? ....
— Todo mundo consegue? ....
odiar
— Você odeia trabalhar aos domingos? ....
— Eles também odeiam? ....
— Eu odeio esperar. E vocês? Vocês também odeiam? ....
pronunciar
— Você pronuncia bem as palavras? ....
— E eles? Eles também pronunciam bem? ......
destruir
— E as guerras? As guerras destroem? ....
frear
— Ele freia no sinal vermelho? ....
— Todo mundo freia? ....
— E vocês? Vocês também freiam? ....

LER E ESCREVER

I. Leia o texto

Passeando pelas nuvens.

Um turista não pode dar-se ao luxo de andar com a cabeça no mundo da lua, mas pode certamente andar com os pés no ar. E fazer um belo passeio assim.

Os caminhos terrestres convencionais já não oferecem mais surpresas. Que tal seria andar pelos céus, à moda de Júlio Verne? Que tal se você viajasse num balão?

É fácil subir. E a navegação é mansa, como se você estivesse flutuando no ar, sobretudo quando a velocidade fica entre 4 e 6 quilômetros por hora. Na maior parte das vezes, voa-se baixinho, a 50 ou 100 metros de distância do chão. Assim, pode-se apreciar a vista e quase ou até mesmo tocar as árvores. Acima dos 100 metros, acaba a graça: fica fácil confundir uma vaca com um pombo. Descer é que é o problema. Dizem os entendidos que essa é a parte realmente emociante do vôo em balão. A aventura começa mesmo quando o piloto avisa que vai pousar. Se o balão tivesse freios, poderíamos dizer com precisão onde iria aterrissar. Mas não tem. Por

isso, o pouso é imprevisível, inesquecível. Mas não se preocupe. Ninguem sairia por aí, voando num balão, se a descida não fosse segura.

Os balonistas dizem que lá em cima se esquecem de tudo e nem ouvem o barulho do maçarico de queimar o gás, logo acima de suas cabeças.

A viagem pode durar de uma a uma hora e meia, dependendo das condições climáticas e é feita de pé, num cesto que tem — nos modelos pequenos — menos de 2 metros quadrados. Nos balões maiores, há um pouco mais de espaço e os mais preguiçosos podem até pedir um banquinho.

No verão, o passeio de balão não é para dorminhocos porque, geralmente, a melhor hora para passear é entre 6 e 7 horas da manhã, por causa dos ventos. Nas outras épocas do ano (sorte dos dorminhocos!), normalmente pode-se voar durante todo o dia, sem problema. Aos estreantes, aconselha-se que levem um chapéu para proteger a cabeça do calor da chama do maçarico. Sem ele, terminarão a viagem com a cabeça quente ... É bom também que usem roupas esportivas leves. Lá em cima não faz muito frio, porque a temperatura baixa apenas dois graus a cada 1000 metros. Saltos altos, nem pensar! Você pode imaginar o que aconteceria com seu companheiro de viagem, você de saltos altos, se a aterrisagem fosse em terreno acidentado? Nem pensar!

(Caderno Viagem, O Estado de São Paulo, 22.7.97, adaptação)

COMPREENSÃO DO TEXTO

A. Diga a que se referem estes números no texto:

1) 4 a 6 quilômetros ....

....

2) 100 metros ....

....

3) 2 m^2 ....

B. Escolha a alternativa correta.

1) O texto diz que
   a. o vôo em balão é todo ele tranqüilo e seguro.
   b. a aterrissagem não é segura.
   c. a parte mais emocionante é a aterrissagem.
   d. o balão flutua.

2) O vôo em balão
   a. não é aconselhável para pessoas dorminhocas ou preguiçosas.
   b. é feito durante o ano todo, dependendo das condições do clima.
   c. é uma forma perigosa de passear.
   d. os freios do balão não funcionam na descida.

3) Num vôo de balão, o perigo
   a. são as árvores logo abaixo.
   b. são eventuais saltos altos.
   c. a chama do maçarico queimando o gás.
   d. o banquinho.

C. Relacione.

1. com a cabeça quente
2. com a cabeça no ar
3. o estreante
4. o entendido

❑ estar distraído, não ter concentração
❑ pessoa que tem muito conhecimento sobre certo assunto
❑ ter muitos problemas
❑ pessoa que faz alguma coisa pela primeira vez

II. Gramática

Usando a imaginação! A partir da idéia dada, faça 2 frases, como no modelo. Tente não repetir os verbos.

Modelo:
Idéia: Férias
— Se eu estivesse em férias, poderia dormir até às 10.
— Se eu tivesse mais dinheiro, poderia passar minhas férias numa praia do Nordeste.

Idéia: Domingo

....

....

Idéia: Família

....

....

Idéia:Computador

....

....

III. Expressão escrita

Você fez um passeio num balão. Escreva para um amigo, contando como foi essa sua experiência.

....

....

....

....

....

IV. Aprendendo palavras novas

A. Complete com os verbos da caixa

desempenhar	praticar	esclarecer
enervar-se	provocar	desenvolver

.... dúvidas
.... esportes
.... papel importante
.... um plano original
.... reações violentas
.... com o barulho

Faça frases com as combinações acima.

B. Dê o antônimo, usando os prefixos **des-** ou **i (m,n)**

legal ....ilegal...........	justo ....
organizar	ligar ....
programar....................	preocupar ....
moral	colar ....
ocupar	compreensão ....
obrigar.........................	móvel ....
paciência	

C. Relacione

1. a quinzena	❑ espaço de 10 anos
2. a década	❑ espaço muito curto de tempo
3. o século	❑ espaço de 15 dias
4. a véspera	❑ o dia que antecede a data
5. a época	❑ espaço de 100 anos
6. o momento	❑ o espaço entre dois fatos ou duas datas
7. o período	❑ espaço de tempo com uma determinada característica

D. Relacione os sinônimos

1. notar	❑ o grupo
2. o motivo	❑ a riqueza
3. a associação	❑ a causa
4. o aspecto	❑ o indivíduo
5. o termo	❑ observar
6. o luxo	❑ a memória
7. a lembrança	❑ caminhar
8. o homem	❑ a palavra
9. saltar	❑ pular
10. andar	❑ a aparência

TEXTO GRAVADO

Tudo, menos isto!

Caro amigo

Escrevo-lhe a respeito daquele seu pedido. Não é que eu não queira atendê-lo. Não é bem por isso, de jeito nenhum. O problema é que você me pede que lhe mande meia dúzia de jacarés para o Jardim Zoológico de sua cidade e acrescenta que a Prefeitura cobrirá todos os meus gastos com a alimentação dos bichos e seu transporte. Não, não é do dinheiro que estou falando. Dinheiro temos e, se não tivéssemos, não seria complicado conseguir. O problema é pegar os bichos e trazê-los para a cidade. Ou você imagina que temos jacarés aqui pela cidade, andando tranqüilos pelas ruas, esperando que os cacemos? Se fosse assim, seria fácil atender seu pedido. Mas não é. Jacarés existem em lugares remotos, aos montes no Pantanal, por exemplo. Se eu pudesse tirar férias agora, até que seria um bom programa caçar jacarés no Pantanal. Mas não posso. E depois, mesmo que eu pudesse tirar férias agora e ir até lá e caçar os bichos para você, como faria para transportá-los? (Não se esqueça de que os bichos estão vivos). Para começar, é proibido caçá-los. Se você vai atrás deles, a polícia vem atrás de você, não tenha dúvida. E aí, meu caro, serão só problemas. Problemas atrás de problemas. É claro que eu poderia esconder um ou dois no porta-malas de meu carro (mais não caberiam), mas, e depois? Quem iria abrir a tampa? Quem? Eu não, com certeza. E há sempre o problema da polícia, você sabe. E mesmo que eu perdesse o medo e caçasse os jacarés para você e a polícia não ficasse sabendo e eu trouxesse os jacarés aqui para casa, o que faria com eles? Soltaria no quintal? Não, não daria. Impossível. (Pense nos vizinhos.) E como os mandaria para você? Jacaré é bicho protegido, volta e meia alguém vai preso porque resolveu transformá-lo em bolsa. Se eu conseguisse embarcá-los aqui, num engradado, você os receberia aí direitinho, eu sei. Mas eu seria preso antes de você pôr os olhos na bicharada. Por isso, meu amigo, compreenda que não posso atender seu pedido. Tudo me impede. Mas, mesmo que fosse fácil, acho que eu não o faria: os jacarés são brasileiros, vivem bem no nosso país. Deixe que sua cidade venha visitá-los aqui. Não vejo graça nenhuma em exibir jacaré em terra gelada. Jacaré gosta mesmo é do sol, de ficar dormindo ao sol, de olho fechado, bem tranqüilo, sob um sol bem quentinho. Jacaré brasileiro, aí na sua terra, seria bicho infeliz. Uma judiação! Não vale a pena!
Espero que você entenda meus motivos. Peça-me tudo, menos isto!

Um abraço, sempre com a mesma amizade
Dudu

Fonte: Plano plurianual. p. 180. Bacia do Rio Amazonas. Juan Praginestós.

UNIDADE 16

OUVIR E FALAR

I. Ouça os textos

Texto 1
Quando eu fizer 15 anos ...

Texto 2
Se eu conseguir o emprego ...
(Os textos estão no final da unidade. Confira depois.)

COMPREENSÃO DO TEXTO

A. Ouça o texto 1 novamente e preencha as lacunas.

1) É uma ______________ típica: magra, ____________ , tímida e ___________ , ao mesmo tempo.
2) __________ está triste, __________ está alegre, sem _________ motivo para isso.
3) Fernanda não é ______________ . Ela é ______________ mas, como toda garota dessa idade, ela ______________ feia.
4) Ela gostaria de sair à noite, _____________ bares e ______________.
5) Naturalmente, seus pais não querem _____ ___________.
6) Se eu _________ , vou sair ___________ as noites, digam o que vocês __________.
7) Eles sabem que tudo o que ____________ será ____________.
8) O ______________ é esperar.

Ouça o texto 2 e preencha as lacunas.

1) Fábio é jornalista __________. Ele ______ ____ o que acontece no mundo dos esportes e conhece todos os _______ do Brasil.
2) No momento, ele trabalha ______________ jornal de pequena ______________.
3) Reinaldo trabalha em um ______________ mas seu contrato é ______________.
4) ____________ do ____________ , o jornal também tem um programa na televisão.
5) Vou viajar pelo Brasil e pelo mundo sempre que ______________ um jogo importante ou um campeonato ______________.
6) Quando __________ meu contrato com o banco, também quero trabalhar para um grande jornal e sempre que _____________ possível, darei consultas para grandes empresas.

B. Ouça os textos e escolha a alternativa correta.

Texto 1 — Quando eu fizer 15 anos ...

1) Fernanda é
   a) magra, elegante e tímida.
   b) uma adolescente ora triste, ora alegre e sem motivos para isso.
   c) bonita, mas se acha feia.
2) Fernanda diz que poderá sair à noite
   a) quando tiver 15 anos.
   b) quando tiver 17 anos.
   c) quando tiver 18 anos.
3) Quando for mais velha, Fernanda diz que
   a) vai freqüentar bares com seus pais.
   b) não vai ouvir a opinião dos pais para sair à noite.
   c) o remédio é esperar o tempo passar.

Texto 2 — Se eu conseguir o emprego...

1) Fábio e Reinaldo
   a) são jovens profissionais que já venceram na vida.
   b) ainda fazem planos para progredir em suas carreiras.
   c) têm a mesma profissão.
2) Fábio
   a) quer trabalhar em um grande jornal só para poder viajar.
   b) fez uma entrevista na Gazeta Esportiva para trabalhar na televisão.
   c) pretende escrever para o jornal, ser comentarista na televisão e viajar quando houver jogos e campeonatos.
3) Reinaldo
   a) só quer dar consultas para grandes empresas.
   b) só quer trabalhar para um grande jornal.
   c) vai deixar o banco dentro de pouco tempo.

II. Gramática

Ouça as frases e complete-as, como no modelo.

Só irei se você ...
Só irei se você for também.

1) Só farei se você ....

....

2) Ele só fará o trabalho se nós o ....

....

3) Só viajarei se vocês ....

4) Só sairemos depois que eles ....

....

5) Só contarei o que sinto depois que você ......

....

6) Eles só irão depois que nós ....

....

7) Nossos amigos só trarão o dinheiro depois que nós ....

III. Frases do cotidiano

Ouça as frases e repita, como no modelo.

Haja o que houver, não direi nada.
Haja o que houver, não direi nada.

1) Aconteça o que acontecer, sei que continuaremos amigos.

....

2) Digam o que disserem, não mudaremos de opinião.

....

3) Haja o que houver, eles viajam esta noite.

....

4) Façam como fizerem, nunca farão um bom trabalho.

....

5) Compre quanto comprar, ela nunca está contente.

....

6) Venha quem vier, não abra a porta.

....

IV. Automatização de verbos

Ouça a pergunta e responda, como no modelo.

— Por que eles não dizem nada?
— Porque tudo o que disserem será inútil.

1) Por que eles não fazem nada?

....

2) Por que eles não trazem nada?

....

3) Por que eles não dão nada?

....

4) Por que eles não lêem nada?

....

5) Por que eles não mandam nada?

....

B. Ouça a pergunta e responda como no modelo.

Como devo fazer? (poder) Faça como puder.

1) Como podemos fazer? (poder)

....

2) Como podemos vir? (querer)

....

3) O que devemos dizer? (saber)

....

4) Como devemos escrever? (preferir)

....

5) Onde devo almoçar? (querer)

....

C. Ouça a frase e responda, como no modelo.

Disseram-me que o filme é ótimo.
— É mesmo. (ver) Não deixe de vê-lo.

1. Disseram-me que o Renato está doente.
— Está mesmo. (visitar) ....

....

2. Disseram-me que a pizza do Giovannoto é deliciosa.
— É mesmo. (experimentar) ....

....

3. Disseram-me que a Verinha quer falar comigo.
— Quer mesmo. (telefonar) ....

....

LER E ESCREVER

I. Leia o texto

Inúteis e essenciais. O mistério dos objetos que não servem para nada.

Quando fiz a reforma da minha casa, exigi:
— Quero um fogão a lenha!
Lembrei-me do cheiro do pãozinho quente que minha avó espanhola assava em sua cozinha primitiva. Imaginei um futuro à base de feijão gordo, carne na chapa e colesterol. (Colesterol e felicidade sempre andam juntos, é uma das injustiças deste mundo.) Para construí-lo me esfalfei até encontrar um especialista. Terminado, quase entrei em êxtase. Durante os últimos dois anos, se acendi os troncos de madeira quatro vezes foi muito. As visitas compartilham a opinião de que possuir um fogão a lenha é simplesmente celestial. Ao vê-lo, exclamam:
— Oh! Que maravilha!
Em seguida me ajudam a esquentar a comida no microondas, que é mais prático.
Uma amiga viu um anúncio de esteiras rolantes

para simular caminhadas. Correu comprar a sua. Botou no quarto. Avisei:

— Vai virar cabide.

Acertei. Tornou-se um amontoado de roupas. Acabou na varanda. Uma outra amiga pediu de presente. Ganhou. Nunca foi buscar. Enferrujado, o aparelho continua no mesmo canto. Outro dia tentei usar. Os cachorros me atacaram. A dona confessou:

— Eles odeiam quando alguém sobe na esteira.

Ela mesma nunca botou os pés em cima. Entre os aparelhos abandonados, os de ginástica devem estar em primeiro lugar. Convencidas pelas demonstrações na TV, as pessoas compram elásticos para abdominais, pranchas que simulam barcos a remo e outras cintilações da tecnologia. Tudo vai parar no armário. Pior, possivelmente, só roupa de liquidação. Um amigo comprou uma calça verde. Vestiu uma vez. Parecia um alface. Nunca mais usou. Mesmo assim, não resiste. Atola-se nas promoções. Enche as gavetas de blusas de lã durante o verão para aproveitar as liquidações de inverno. E assim por diante. Com a moda volúvel dos dias de hoje, acaba não usando nada.

Há um ano comprei quatro sapos de cerâmica. Colocados em vasos de plantas, faziam “croc, croc” se faltava água. Separei um, para presentear uma amiga. Avisei que ia dar e não entreguei. Era impossível me separar dos meus sapos! Outro dia ouvi um barulhinho no quintal. A cachorra tentava devorar um deles. Nem liguei.

Outro amigo, Beto, apaixonou-se por um porco. Entro em seu apartamento. Sou arrastado até a geladeira. Pede que eu abra. Ouço “oinc, oinc”. Vejo um porquinho de plástico, refugiado entre as tigelas de comida. O objetivo: alertar para comer menos. Pergunto se dá certo.

— Rio tanto com o porquinho que fico relaxado e como mais — explica Beto.

Um desastre. Houve a época das facas a laser. Eram tantos os anúncios! Quis um jogo. A empregada se lamenta até hoje. Mal cortam tomate. Itens ligados ao mundo culinário parecem possuir um fascínio especial. Não é à toa que butiques de cozinha chiques proliferam na cidade. Minha última febre foi uma panela

de paella. Subitamente, decidi nunca mais oferecer feijoada, churrasco, ou qualquer outro menu, a meus convidados. Só paellas, embora jamais tivesse preparado uma. Quase nunca faço almoços ou jantares em casa. Mas parecia charmoso tornar-se o anfitrião das paellas. Já me via de pé, com um avental e chapéu de mestre-cuca, revolvendo o arroz com frango, mariscos e camarões, rodeado por visitas cheias de admiração. Rodei três lojas até achar a maior. Cheguei em casa. Botei no alto de um armário, no qual permanece até hoje. Nunca procurei a receita. No ano passado estive na Espanha. Comi a paella original. Odiei. Só de olhar a panela fico com enjôo.

Recentemente encontrei uma caixa no guarda-roupa. Abri, curioso. Era uma máquina elétrica para massagear os pés. Tinha-me esquecido dela. Uma delícia, se eu não tivesse um medo horrível de morrer eletrocutado. Quase botei no lixo. Resisti. Quem sabe algum dia eu aproveite? Guardei novamente. São coisas que não uso nunca. Reclamo porque ocupam espaço. Não consigo jogar fora. Eu queria entender esse mistério. Certas inutilidades parecem absolutamente essenciais.

Adaptação do texto de Walcyr Carrasco, publicado na revista VEJA SP, de 08.04.98.

COMPREENSÃO DO TEXTO

A. Escolha a alternativa correta.

1) Para o autor, as pessoas
   a) compram, num impulso, coisas inúteis.
   b) geralmente enchem a casa com coisas inúteis.
   c) compram, num impulso, coisas que, depois, se mostram inúteis.
   d) geralmente compram coisas demais.

2) Uma amiga viu um anúncio de esteiras rolantes ... Correu comprar a sua ... (A esteira) acabou na varanda
   a) a esteira acabou quando estava na varanda.
   b) no fim, a esteira ficou na varanda.
   c) a esteira funcionou bem dentro de casa. Na varanda, não.
   d) a esteira foi usada até o fim, na varanda.

3) Um amigo ... atola-se nas promoções. Enche as gavetas ... (mas) acaba não usando nada.
   a) Ele não usa nada do que comprou.
   b) Ele não usa as coisas que comprou porque elas acabam logo.
   c) Das coisas que ele compra, nada acaba.
   d) Ele guarda na gaveta as coisas que ele não usa.

4) Para o autor, certas inutilidades parecem absolutamente essenciais porque
   a) ele não as usa nunca, mas não consegue jogá-las fora.
   b) ele tem a intenção de usá-las no futuro.
   c) ocupam muito espaço.
   d) ele gosta delas e não as joga fora.

II. Gramática

A. Complete com a preposição adequada.

1) Comprei um fogão ______ gás e um barco ______ remo.
2) Ganhei esta blusa ______ presente.
3) Ela se apaixonou ______ um colega.
4) Ele encheu a casa ______ amigos.
5) Eles me ajudaram ______ esquentar o almoço. Sem eles, eu não conseguiria acabar ______ fazer meu trabalho.
6) Só ______ olhar para ela, fico preocupado.
7) Preciso alertá-lo ______ trabalhar melhor.
8) Eu tinha-me esquecido _____ desligar a luz.
9) Todo mundo tem medo ______ morrer.
10) Não quero separar-me ______ minha família

B. Substitua a palavra grifada por um pronome.

1) A ponte? Foi muito difícil construir **a ponte**.

....

2) O presente? Demos **o presente** a ela ontem.

....

3) A paella? Comeram **a paella** toda.

....

4) A calça verde? Ele comprou **a calça verde** numa liquidação.

....

5) A receita? Nunca li **a receita**.

....

6) O forno a lenha? Ao ver **o forno a lenha** as visitas admiraram-se.

....

7) Essas facas? Talvez eu use **essas facas** um dia.

....

8. Aquela panela? Não sei onde pôr **aquela panela**.

....

C. Complete o texto abaixo com uma das locuções prepositivas: apesar de, além de, de acordo com, acima de, perto de, por causa de.

________________ o regulamento de trânsito, não é permitido dirigir no centro da cidade a uma velocidade ________________________ 50 km. __________________ escolas, a velocidade deve baixar para 30 km e, ________________ disso, o motorista deve prestar atenção ________________________ movimento das crianças. Mas, __________________ todos os avisos, muitos motoristas não respeitam as leis.

D. Complete o texto abaixo com uma preposição simples. Oriente-se, para isso, lendo o quadro.

acreditar em — pensar em confiar em — ter interesse em estar pronto a, para

Estou pensando __________________ convidar Antônio para trabalhar conosco. Sei que todos falam muito bem _________e confiam_______, mas sei também que não posso acreditar ___________ tudo o que dizem. Nossa empresa não tem interesse __________ contratar muitos executivos. As boas empresas estão prontas __________ pagar bem a poucos elementos e a nossa não é exceção _________ regra.
Vamos entrevistá-lo. Não quero fazer nada __________________ pressas.

III. Expressão escrita

Observe.

1) Vai **virar** cabide = Vai **se transformar** em cabide
2) Ela **mesma** nunca botou os pé em cima = Ela **pessoalmente** nunca pôs os pés em cima
3) **Mesmo assim**, não resiste = Apesar disso, não resiste
4) **E assim por diante** = etc.
5) Nem **liguei** = não dei nenhuma importância
6) **Não é à toa** que butiques de cozinhas chiques proliferam na cidade = Não é sem motivo que butiques
7) **Quem sabe** algum dia eu aproveite = talvez algum dia eu aproveite.

Agora faça uma frase com cada uma das expressões acima.

IV. Aprendendo palavras novas

A. Dê os antônimos, usando os prefixos **a-**, **i**(**m**, **n**)- ou **des-**.

confiar — ....
tranqüilo — ....
união — ....
embarcar — ....
útil — ....
típico — ....
ilusão — ....
iludido — ....
consciência — ....
conhecido — ....
embrulhar — ....
competente — ....
político — ....
carregar — ....

B. Descubra os 12 pares de antônimos.

positivo — negativo
natural — ....
ativo — ....
ótimo — ....
artificial — ....
maduro — ....
tristeza — ....
alegria — ....
preguiçoso — ....
mais — ....
negativo — ....
cozido — ....
delicado — ....
verde — ....
péssimo — ....
vivo — ....
pão-duro — ....
empurrar — ....
generoso — ....
morto — ....
estúpido — ....
cru — ....
menos — ....
puxar — ....

C. Complete com os verbos da caixa.

cancelar	justificar	segurar	reduzir
filmar	perder	colar	emprestar
declarar	deitar-se		

1) **deitar-se** para dormir
2) ______ uma história de amor
3) ______ a chance
4) ______ um compromisso
5) ______ a ausência ao trabalho
6) ______ um aviso na parede
7) ______ dinheiro para um amigo
8) ______ o que sabe
9) ______ as despesas pela metade
10) ______ a casa contra roubo

Faça frases com as combinações acima.

D. Separe as palavras abaixo em duas categorias

1 Religião 2 Política

- ☐ o altar
- ☐ o comício
- ☐ a democracia
- ☐ a fé
- ☐ o deputado
- ☐ o golpe
- ☐ a capela
- ☐ o sindicato
- ☐ a revolução
- ☐ a catedral
- ☐ socialista
- ☐ o ministério
- ☐ a república
- ☐ sagrada
- ☐ comunista
- ☐ o judeu
- ☐ o santo
- ☐ a repressão
- ☐ a oposição
- ☐ Deus
- ☐ a missa
- ☐ o voto
- ☐ protestante
- ☐ rezar
- ☐ o deputado
- ☐ católico
- ☐ o templo
- ☐ o bispo
- ☐ o congresso
- ☐ votar

TEXTOS GRAVADOS

Texto 1
Quando eu fizer 15 anos ...

Fernanda tem 13 anos. É uma adolescente típica: magra, deselegante, tímida e ao mesmo tempo agressiva. Ora está triste, ora está alegre, sem nenhum motivo para isso. Ora está bem arrumada, ora está despenteada e desarrumada.
Fernanda não é feia. Ela é bonita. Mas, como toda garota dessa idade, ela se acha feia.
Ela gostaria de sair à noite, freqüentar bares e restaurantes e voltar tarde para casa, como sua irmã Gabriela, de 17 anos. Naturalmente, seus pais não querem isso.
Fernanda vive lhes dizendo:
— Quando eu fizer 15 anos, quero ser independente. Se eu quiser, vou sair todas as noites, digam o que disserem.
Seus pais ouvem e não respondem. Eles sabem que tudo o que disserem será inútil, no momento.
O remédio é esperar o tempo passar.

Texto 2
Se eu conseguir o emprego ...

Fábio e Reinaldo são amigos.
Fábio é jornalista esportivo. Ele adora futebol, sabe tudo o que acontece no mundo dos esportes e conhece todos os times do Brasil, os nomes de jogadores e os resultados dos jogos principais. No momento, ele trabalha num jornal de pequena circulação.
Reinaldo é economista e trabalha em um banco. Mas seu contrato é temporário.
Fábio e Reinaldo fazem planos para o futuro:
Fábio diz:
— Estou tentando mudar de emprego. Ontem mandei meu currículo para o jornal "Gazeta Esportiva". É um jornal importante. Traz notícias de todos os jogos do país. Além do mais, ele também tem um programa na televisão. Se eu conseguir um emprego nesse jornal, vou escrever reportagens importantes e vou ser comentarista esportivo na televisão. Vou viajar pelo Brasil e pelo mundo, sempre que houver um jogo importante ou um campeonato mundial.
Reinaldo também tem projetos e diz:
— Quando terminar meu contrato com o banco, também quero trabalhar para um grande jornal e, sempre que for possível, darei consultas para grandes empresas.
Como é bom ser jovem e poder sonhar ...

Fonte: USP. Ag. USP, Francisco Emolo. 106.54 Capa da Revista do IEE.JUSP

Fonte: Reitoria. USP. Agência USP, Francisco Emolo. 276/97 4.09 JUSP

Fonte: H.U. USP. Agência USP, Francisco Emolo. 049/97 5.3 JUSP

Fonte: Faculdade de Educação. USP. Ag. USP, Francisco Emolo. 049/97 5.3 JUSP

UNIDADE 17

OUVIR E FALAR

I. Ouça o texto

Uma exposição diferente

(O texto está no final da unidade. Confira depois.)

COMPREENSÃO DO TEXTO

A. Ouça o texto novamente e preencha as lacunas.

1) O Museu de Arte Contemporânea está _____ uma coleção de objetos bem ___________ .
2) São peças do _____________ e objetos de casa como vasos, cadeiras, porta-retratos.
3) Tudo é uma grande ___________ .
4) Por falta de tempo, Constância não ________ as notícias sobre as exposições na cidade.
5) Constância não tem tempo _____ respirar.
6) Constância ___________ em ver a exposição no sábado passado.
7) Péricles ___________ ver outra coisa se ___________ outro programa.
8) Na próxima semana, Constância ________ o trabalho e talvez _______________ver a exposição.

B. Ouça o texto e escolha a alternativa correta.

1) O Museu de Arte Contemporânea
   a) expõe qualquer tipo de coleção.
   b) expõe objetos considerados arte pela crítica tradicional.
   c) expõe só objetos estranhos.

2) Péricles considera a exposição "Tudo é Arte"
   a) uma grande inovação do Museu de Arte Contemporânea.
   b) um evento curioso, interessante.
   c) uma coisa horrível.

3) Constância não foi ainda ver a exposição porque
   a) não gosta de arte.
   b) tem tido muito trabalho ultimamente.
   c) não tinha ninguém para ir com ela.

4) Constância
   a) conhece artes e trabalha em uma revista que trata de artes.
   b) não consegue nunca sair de casa porque trabalha muito.
   c) pretende ver a exposição "Tudo é Arte" na próxima quinta-feira.

5) Na próxima quinta-feira, Constância
   a) vai jantar com Péricles.
   b) vai trabalhar até tarde.
   c) já terá terminado seu trabalho.

6. Péricles e Constância
   a) são bons amigos.
   b) saem todos os sábados para jantar.
   c) não gostam de arte.

II. Gramática

A. Ouça as frases e depois repita-as nos tempos compostos adequados do indicativo, como no modelo.

— Eles vêem seus amigos com freqüência. (ultimamente)

— Ultimamente eles têm visto seus amigos com freqüência.

1) Nós repetimos sempre que nem tudo é arte. (ultimamente)

....

....

2) Eu não o ajudaria em seu trabalho se ele não me pedisse. (ontem)

....

....

3) Eles fazem progresso no seu trabalho. (ultimamente)

....

....

4) Se ela terminasse o trabalho a tempo, poderia ir ver a exposição. (ontem)

....

5) Eles saem muitas vezes juntos. (ultimamente)

....

....

B. Modifique as frases sem mudar seu sentido, como no modelo.

— Não vi nenhum interesse nela.

— Não vi interesse algum nela.

1) Ela não tem nenhum tempo livre.

....

....

2) Este tipo de arte não apresenta nenhum interesse para o grande público.

....

....

3) Vocês não têm motivo algum para viajar.

....

....

4) Nunca senti nele amor algum por mim.

....

....

5) Nunca visitei país algum do Oriente.

....

....

C. Ouça as respostas e formule as perguntas, como no modelo.

— Não, não vi quadro algum desse artista.

ou

— Não, não vi nenhum quadro desse artista.

— Você viu algum quadro desse artista?

1) Não, não conheci pintor algum interessante.

....

....

2) Não, não tenho feito nenhum trabalho para ele.

....

....

3) Não, não recebi nenhuma carta deles.

....

....

4) Não, ela não tem tido lucro algum.

....

....

III. Frases do cotidiano

A. Modifique as frases, empregando a expressão **Na hora H**, como no modelo.

Rafael quase perdeu o trem.
Ele apareceu na última hora.

Rafael quase perdeu o trem.
Ele apareceu na hora H.

1) O diretor não assinou o contrato. Ele desistiu na última hora.

....

....

2) Nós quase perdemos o exame. Chegamos no último minuto.

....

....

3) Ele não falou com ninguém antes da festa. Ele chegou no último minuto.

....

....

4) Você nunca consegue chegar com antecedência nos encontros. Você sempre chega em cima da hora.

....

....

5) Meu irmão escapou por pouco. Ele desviou o carro em cima da hora.

....

....

B. Modifique as frases, empregando **andar para cima e para baixo**, como no modelo.

Ele faz muito movimento, mas trabalhar que é bom, não trabalha.

Ele anda para cima e para baixo o dia inteiro, mas trabalhar que é bom, não trabalha.

1) Minha secretária é muito agitada, mas trabalhar que é bom, não trabalha.

....

....

2) Minha secretária é muito agitada, mas está sempre em dia com o trabalho.

....

....

3) Meu filho anda de carro sem parar e não estuda muito.

....

....

4) Para comprar tudo para a festa, ela percorreu toda a cidade.

....

....

5) Para achar um apartamento bom e barato, estive em todos os bairros, sem parar.

....

....

C. Modifique as frases, como no modelo.

A batida foi horrível.
A batida foi feia.

1. A situação econômica está muito séria.

....

2. O tempo está horrível. Acho que vai chover.

....

....

3. Pobre Fernando! A situação do escritório está péssima!

....

....

4) A relação entre o chefe e os funcionários já esteve muito ruim. Agora está melhor.

....

....

5) As notícias pareciam trágicas, mas tudo foi um engano.

....

....

IV. Automatização de verbos

A. Modifique as frases, como no modelo.

Ele perdeu algum dinheiro na Bolsa. **Mas ele teve sorte.** Poderia ter sido pior.

Ele perdeu algum dinheiro na Bolsa. **Mas talvez ele tenha tido sorte.** Poderia ter sido pior.

1) Ele desfez o noivado. Mas ele teve sorte. Poderia ter sido pior.

....

....

2) Os ladrões levaram todos os aparelhos de casa. Mas tivemos sorte. Poderia ter sido pior.

....

....

3) Ele bateu o carro e quebrou a perna e o braço. Mas ele teve sorte. Poderia ter sido pior.

....

....

4) Não conseguimos fechar o negócio. Mas tivemos sorte. Poderia ter sido pior.

....

....

5) Alguns pacotes não chegaram. Mas tivemos sorte. Poderia ter sido pior.

....

....

B. Modifique as frases, como no modelo.

Se eu pagasse o seguro, não teria problemas.
Se eu tivesse pago o seguro, não teria tido problemas.

1) Se ele pudesse, mandaria dinheiro pelo banco.

....

....

2) Se a empresa contratasse novos funcionários, aumentaria seus lucros.

....

....

3) Se nós o conhecêssemos melhor, daríamos um jantar para ele.

....

....

4) Se os eleitores pudessem escolher, não votariam nele.

....

....

5) Se eu soubesse com antecedência, iria à festa.

....

....

Ele perdeu algum dinheiro na Bolsa.
Mas ele teve sorte. Poderia ter sido pior.

LER E ESCREVER

I. Leia os textos

Seguem, abaixo, 5 textos. Em cada um deles falta um parágrafo.

A.

E.P.U. EDITORA PEDAGÓGICA E UNIVERSITÁRIA LTDA.

Prezados Senhores

Espero que tenham recebido a última carta contendo todas as informações sobre nossos produtos, bem como nossos preços.
Embora tenhamos tido a preocupação de detalhar as características de cada peça, talvez restem ainda algumas dúvidas.

Site na Internet: http://www.epu.com.br/ E-Mail: vendas@epu.com.br
Tel.: (0xx11) 3849-6077 - Fax.: (0xx11) 3845-5803
R. Joaquim Floriano, 72 - 6° andar - Salas 65/68 - 04534-000 São Paulo - SP

B.

Prezados Senhores

Embora tivéssemos decidido que não faríamos mais vendas a prazo, gostaríamos de comunicar-lhes que, a partir do próximo mês, vamos recomeçar a fazê-lo.

C.

Prezada Senhora

Em resposta à sua carta do dia 10 do mês passado, estamos lhe enviando a lista dos produtos solicitados por sua companhia.

Mesmo que nos tivesse pedido somente os novos produtos, a lista contém tudo o que fabricamos. Desta forma, a senhora terá uma idéia geral do que podemos lhes fornecer, tendo em vista o plano de expansão de sua companhia.

D.

Prezada Senhora

Desde nossa entrevista, há 15 dias, temos estudado seu pedido de aumento, não só salarial, como também de responsabilidades.

Com efeito, apreciamos muito seu trabalho e dedicação e não duvidamos que a expansão de nossos negócios, aí, se deva a sua capacidade e dedicação.

E

Prezados sócios

Cumpre-nos comunicar-lhes as decisões tomadas, por ocasião da última reunião da diretoria.

O assunto mais importante da reunião foi a distribuição dos dividendos. A assembléia pediu o prazo de um mês para efetuá-la, pois não gostaria de fazê-lo antes que tivesse analisado todas as cifras.

COMPREENSÃO DO TEXTO

A qual texto pertencem os parágrafos abaixo.

1) Por isso, se tiverem observações a fazer, estamos prontos a esclarecê-las. .... ❑
2) No entanto, as condições apresentadas para isso merecem, ainda, atenção mais detalhada.
   Assim que tivermos finalizado um estudo sobre elas, enviar-lhe-emos nova correspondência. .... ❑
3) No entanto, um ponto é fundamental: só receberão dividendos os que já tiverem pago suas cotas, a não ser que se tenham justificado com antecedência. Por isso, não deixem de fazê-lo. .... ❑
4) Assim que tivermos fixado as condições para esse tipo de pagamento, enviar-lhes-emos nova correspondência. .... ❑
5) Ficaríamos gratos de, logo que tiverem visto os que lhe são os mais interessantes, escrevam-nos, a fim de que possamos estudar um plano de remessa. .... ❑

II. Gramática

Refaça as frases abaixo, eliminando a palavra "embora", como no modelo.

Embora ultimamente tenha feito bons negócios, ele não tem andado contente.

— Ultimamente ele tem feito bons negócios, mas não anda contente.

1) Embora ultimamente tenhamos viajado muito, não temos visto nada interessante.

   ....

2) Embora ultimamente tenhamos convidado nossos colegas da firma para jantar, não temos conseguido fazer muitos amigos.

   ....

   ....

3) A situação era dramática. Embora eu já tivesse pago várias contas, ainda não tinha conseguido saldar todas as minhas dívidas.

   ....

   ....

4) Embora nós tivéssemos tido boa vontade, não tínhamos compreendido a situação.

   ....

   ....

5) Embora ultimamente o tempo tenha melhorado, não temos saído muito.

   ....

   ....

III. Expressão escrita

Escreva dois comunicados. Empregue tempos compostos.

1) para todos os funcionários, avisando que a empresa, infelizmente, não poderá mais fornecer o cafezinho.

   ....

   ....

2) para todos os gerentes, avisando que a empresa não poderá mais fazer vendas a prazo.

....

....

IV. Aprendendo palavras novas

A. Relacione a palavra com sua definição.

1. o casal	5. divorciado, a
2. o estado civil	6. separado, a
3. solteiro, a	7. viúvo, a
4. casado, a	

- ❑ pessoa cujo casamento se desfez não legalmente
- ❑ situação jurídica de uma pessoa em relação à família ou à sociedade
- ❑ par composto por homem e mulher ou macho e fêmea
- ❑ pessoa que está ligada à outra pelo casamento
- ❑ pessoa cujo casamento foi desfeito
- ❑ pessoa que ainda não se casou
- ❑ pessoa cujo marido ou mulher morreu e que não se casou novamente

B. Relacione os sinônimos.

1. meter	❑ pegar firmemente
2. acompanhar	❑ somente, só
3. agarrar	❑ ir para frente
4. botar	❑ enfiar
5. apenas	❑ ir junto
6. calar-se	❑ pôr
7. avançar	❑ não falar

C. Observe os exemplos e faça outras frases com as mesmas palavras.

1) (pertencer a) — Este livro não é meu. Ele pertence a meu colega.

....

2) (ameaçar) — O governo ameaça aumentar os impostos.

....

3) (arrepender-se de) — Eu não me arrependo do que fiz.

....

4) (brigar) — Os sócios brigaram por causa de dinheiro e fecharam a firma.

....

5) (parecer-se com) — Ele se parece com o pai.

....

6) (passar de) — Eu não o levo a sério. Ele não passa de um bobo.

....

7) (prejudicar) — A chuva prejudicou nosso piquenique.

....

8) (poder com) — Ninguém pode com o moleque. Ninguém consegue controlá-lo.

....

D. Aponte as palavras ligadas à idéia de chuva ou à idéia de vento.

1 Chuva   2 Vento

❑ trovoada	❑ vento	❑ trovão
❑ relâmpago	❑ raio	❑ temporal
❑ brisa	❑ ventania	❑ granizo
❑ garoa	❑ tufão	❑ tempestade

TEXTO GRAVADO

Uma exposição diferente

O Museu de Arte Contemporânea está expondo uma coleção de objetos bem estranhos para um museu. São objetos da vida cotidiana: peças do vestuário como sapatos, bolsas, gravatas ...; objetos de casa como vasos, cadeiras, porta-retratos ...; objetos de cozinha como panelas, fogões, geladeiras ... Uma grande confusão.

Péricles e Constância, dois bons amigos, conversam:

Péricles — Você tem seguido as notícias sobre as exposições na cidade, Constância?

Constância — Não, não tenho. No momento, tenho trabalhado muito e não tenho tido nenhum tempo para sair, nem respirar. O próximo número da revista **Artes** tem que estar pronto até o final da semana.

Péricles — Você viu, pelo menos, a publicidade sobre a nova exposição "Tudo é Arte" no Museu de Arte Contemporânea?

Constância — Não, não vi. Até tinha pensado em vê-la no sábado passado, mas não consegui sair de casa.

Péricles — Eu não gosto desse tipo de arte, mas fiquei curioso e fui até lá. Horrível! Ninguém sabe o que isso significa. A exposição mais parece uma feira de utilidades domésticas. Não vi interesse algum nela. Eu teria ido ver outra coisa, se tivesse tido outro programa. Gostaria que você fosse também, para saber sua opinião.

Constância — Vamos ver. Na semana que vem terei terminado o trabalho. Talvez eu vá ver a exposição na quinta-feira.

Péricles — Ótimo. A exposição termina no sábado. Assim, no sábado à noite vamos jantar e conversar um pouco. Faz tempo que não a vejo e que não saímos juntos. Tudo bem, assim?

Constância — Para mim, tudo ótimo. Até lá.

UNIDADE 18

OUVIR E FALAR

I. Ouça o texto

Mensagens na secretária eletrônica

(O texto está no final da unidade. Confira depois.)

COMPREENSÃO DO TEXTO

A. Ouça o texto e preencha as lacunas.

1) Dona Susana, estou lhe deixando, na _____ _________, as instruções sobre a ________ _________ do carro.
2) A senhora já _______________ o formulário sobre o _______________?
3) Dona Susana deve levar o carro à oficina, _______________ com o formulário.
4) O sr. Arnaldo disse: Se a senhora já ______ ___________ isso, telefone-me, por favor.
5) Amanhã, um dos nossos técnicos passa lá para _______________ o serviço.
6) O sr. Farias disse: O Arnaldo está _______.
7) Ele me perguntou se eu ___________ já_______________ o formulário.
8) Ele disse que eu _____________ preencher o formulário antes de ir à oficina.
9) Hoje à noite, eu deixo o formulário na _______________do seu prédio.
10) Vou _______________em casa a tarde _______________.

B. Ouça o texto e escolha a alternativa correta.

1. Dona Susana
   a) bateu o carro.
   b) vai trocar de carro.
   c) perdeu o carro.

2. Dona Susana
   a) pode levar o carro a qualquer oficina.
   b) deve levar o carro a uma oficina que trabalhe com companhias de seguro.
   c) deve levar o carro a uma das oficinas que trabalham com a Companhia de Seguros “Porto Geral”.

3. Dona Susana e o sr. Arnaldo
   a) se compreendem muito bem.
   b) não conseguem chegar a um acordo.
   c) não conseguem resolver o preço do seguro.

4. Sempre que dona Susana telefona
   a) o senhor Arnaldo não responde porque está ocupado.
   b) o senhor Arnaldo não está no escritório, porque está trabalhando na rua.
   c) o senhor Arnaldo não está no escritório. Porque foi despedido, ele está na rua.

5. Dona Susana
   a) é secretária em um escritório.
   b) trabalha o dia todo em um escritório.
   c) trabalha fora e tem uma secretária eletrônica para receber os recados.

II. Gramática

A. Ouça o que eles dizem e transmita, como no modelo.

— Eu não vou trabalhar hoje.

— O que ele está dizendo?

— Ele está dizendo que não vai trabalhar hoje.

1) — Eu só vou falar com ele amanhã.
   — O que ele está dizendo?
   ....
2) — Paulo esteve aqui ontem.
   — O que ele está dizendo?
   ....
3) — Ela não queria falar comigo.
   — O que ele está dizendo?
   ....
4) — Quando nós chegamos, a porta estava fechada.
   — O que ele está dizendo?
   ....
5) — Por que vocês não me ajudaram?
   — O que ele está perguntando?
   ....
6) — Fechem a porta quando saírem.
   — O que ele está pedindo?
   ....
7) — Traga mais café!
   — O que ele está pedindo?
   ....
8) — Como ela é?
   — O que ele está querendo saber?
   ....

B. Ouça o que eles dizem e transmita, como no modelo.

— Ela disse: — É muito difícil telefonar do escritório.

— Ela disse que era muito difícil telefonar do escritório.

1) Ele disse: — Terminarei meu trabalho à noite e amanhã poderemos viajar.
   ....
2) Dona Susana disse: — Amanhã levo meu carro à oficina.
   ....
3) O sr. Arnaldo perguntou: — A senhora já preencheu o formulário?
   ....
4) O sr. Arnaldo perguntou: — O formulário já foi preenchido?
   ....
5) O sr. Arnaldo pediu a dona Susana: — Telefone-me até às 6 horas da tarde.
   ....
6) O sr. Arnaldo disse: — Avise-me para que eu faça o relatório.
   ....
7) Dona Susana perguntou: — É preciso que eu leve o carro pessoalmente?
   ....

III. Frases do cotidiano

A. Ouça a frase e complete a idéia inicial com um provérbio, como no modelo.

— O pai e a mãe desta criança são médicos, mas ele está sempre resfriado.

— Em casa de ferreiro, espeto de pau.

1) Meu amigo Pedro não tem carro, mas ele vai trabalhar de moto.
   ....
2) Maria, de 18 anos, está noiva de Marcelo, um homem baixo, muito gordo e feio, mas ela está feliz.
   ....

3) Este contador ganha pouco, mas economizou bastante e já comprou uma casinha.

....

4) Ninguém acreditava que ele conseguisse ganhar o campeonato. Mas ele treinou muito durante anos e agora é campeão.

....

5) Ganhei um carro de meu marido. Ele não é novo, mas enfim, é melhor isso do que nada.

....

B. Ouça a frase e complete a idéia com um símile, como no modelo.

— Sei que ser magro, hoje, é ser elegante. Mas ele é magro demais.

— Ele é magro como um palito.

1) Dançar com ela é muito agradável. Ela é muito leve.

....

2) Não consigo carregar este pacote. Ele está muito pesado.

....

3) Certamente este atleta vai ganhar a corrida. Ele é muito rápido.

....

4) Carlos, não adianta falar alto com o chefe. Ele não ouve.

....

5) Eu não passo por aquela rua à noite. Ela é escura demais.

....

6) Ontem comi uma manga. Ela estava muito doce.

....

7) Hoje de manhã ele não acordou com o despertador. Estava cansadíssimo e dormia profundamente.

....

IV. Automatização de verbos

Ouça a resposta e faça a pergunta, como no modelo.

— Acabamos de falar com o diretor.

Acabaram de falar com quem?

1) Estamos acostumados a viajar no verão.

....

2) Estes alunos estão acostumados a ler jornais.

....

3) Os eleitores cansaram-se das promessas dos políticos.

....

4) Eu sempre me esqueço do aniversário dos meus amigos.

....

5) Meus filhos pensam em se mudar para a praia.

....

6) Meu filho não gosta da professora de Português.

....

7) Finalmente ele desistiu deste projeto caríssimo.

....

8) Eu não acredito em fantasmas.

....

LER E ESCREVER

I. Leia o texto

Temístocles, o Grande

Aconteceu numa cidade do interior. Não sei bem de que Estado. Do interior e pronto. O time da cidade ia jogar com o time da cidade vizinha. Era um jogo que só acontecia uma vez por ano. Sempre dava tanta briga que levava um ano para as duas cidades fazerem as pazes e combinarem outro jogo. Não preciso dizer que tudo se passa no Brasil.
Há três anos que o time daquela cidade não ganhava do time da cidade vizinha. Há três anos que perdia. E naquele ano em que tinha tudo para ganhar, principalmente um centroavante colossal, chamado justamente Colossal (de Brito), aconteceu o seguinte: o centroavante foi atraído por outro time. Justamente pelo time da outra cidade.
O desânimo tomou conta da Prefeitura onde se reunia a diretoria do time. (...) O prefeito, que era também o presidente do clube decretou que alguém devia pegar aquele crioulo, o Colossal, e cortar sua cabeça, para ele aprender. Vozes mais moderadas insistiram que o negócio não era vingança. O negócio era arranjar outro centroavante. Quem era o substituto natural do Colossal?
— Bom, tem o Betinho ...
Os outros só não riram porque quem falava era o pai do Betinho. Mas o Betinho era impensável. Muito verde. Era preciso trazer um centroavante de fora. E foi então que alguém falou:
— Onde é que anda o Temístocles?
Abriu-se uma clareira de silêncio. O simples som daquele nome bastava para despertar respeito. Temístocles, o Terror da Serra. Temístocles Dois Canhões, assim chamado porque chutava com as duas pernas com a mesma violência. Três canhões, se contassem a cabeçada. Temístocles, o Cigano.
— Da última vez que ouvi falar dele andava por Barreiro ...

Foi enviado um representante com plenos poderes para trazer Temístocles a qualquer preço. De onde estivesse.
Na cidade, enquanto esperavam a vinda de Temístocles, apareceram histórias a seu respeito. (...) Era um cigano. Pulava de cidade em cidade. E deixava atrás de si campeonatos, gols que viravam lendas e corações partidos. Temístocles, o Grande. O jogo estava ganho.
O emissário voltou com boas notícias. Falara com Temístocles. Ele viria. Quando?
— Disse que na hora do jogo está aqui.
— Garantido?
— Deu a palavra.
O jogo estava ganho.
No domingo do jogo, a cidade ficou vazia. Foi todo mundo para o campo. Só não foi o seu Dedé do bar, que nunca fechava. O bar ficava na rua principal. De longe seu Dedé ficou ouvindo o barulho do estádio. A aclamação para o time da casa que entrava em campo. As vaias para o time visitante. Os gritos de incentivo quando o juiz apitou, dando início à contenda. O silêncio tenso. Os "ohs" e os "ahs" quando a bola passava perto. Já tinha começado o segundo tempo, pelos cálculos de seu Dedé, quando entrou um forasteiro no bar. Pediu:

— Uma cerveja.
Depois perguntou se aquele barulho vinha do estádio. O barulho era de foguetes misturados com gritos da torcida.
— O Temístocles fez um gol, aposto! - disse seu Dedé.
O forasteiro bebeu sua cerveja. Seu Dedé não continha seu entusiasmo.
— Que centroavante! Nos levaram um bom, mas nós trouxemos um melhor.
— Temístocles?
— É. Conhece?
— Já ouvi falar. Disseram que está acabado. Bebida.
Nesse instante ouviu-se nova gritaria vinda do estádio. Mais foguetes.
— Acabado?! - gritou seu Dedé. - Escute só. Ele acaba de marcar um gol! Esse não acaba nunca.
Dali a pouco o bar começou a encher. O jogo tinha terminado. Seu Dedé nem precisou perguntar.
O time da casa tinha ganho por dois a zero.
— Que jogo, seu Dedé. Que jogo!
— Que centroavante!
— O primeiro gol foi com a esquerda!
— O segundo foi com bola e tudo. Com goleiro e tudo! Que centroavante!
Aí seu Dedé subiu no balcão com um copo na mão e gritou:
— Temístocles!
— Mas que Temístocles, seu Dedé? O Temístocles não veio.
— Como não veio?
— Não apareceu. É um conversador. Ou então errou o caminho.
— Mas então quem foi esse ...
— O Betinho, seu Dedé. O Betinho. Que centroavante!
No mesmo instante o Betinho entrou no bar, abraçado com o pai e com toda a diretoria do clube atrás. Foi saudado com vivas. Betinho, o Grande. Seu Dedé procurou o forasteiro com o olhar. Não o encontrou mais. Só encontrou o dinheiro embaixo da garrafa de cerveja vazia.

Luiz Fernando Veríssimo
(O gigolô das palavras. Porto Alegre. L&PM. 1982. p. 63-66).

COMPREENSÃO DO TEXTO

A. Leia o texto novamente e assinale a alternativa correta.

1. O jogo de futebol só acontecia uma vez por ano porque
   a) as cidades eram muito pequenas e só tinham um time cada uma.
   b) os torcedores das duas cidades brigavam muito.
   c) no Brasil só há um jogo por ano entre as cidades.

2. A vitória do time da cidade vizinha era certa porque
   a) ele possuía o melhor centroavante, o Colossal.
   b) ele trabalhou durante três anos para isso.
   c) o outro time não tinha centroavante.

3. O nome do Betinho foi proposto porque
   a) era um centroavante experiente.
   b) era um jogador da cidade.
   c) era filho de um dos diretores do clube.

4. Temístocles, o Grande, Temístocles, dois Canhões, Temístocles, o Cigano
   a) era um antigo centroavante da cidade.
   b) era um centroavante que andava por muitas cidades, mas que voltava sempre para sua cidade.
   c) era um centroavante que jogava por qualquer preço.

5. Seu Dedé, dono de um bar na rua principal
   a) não ia ao campo porque não gostava de futebol.
   b) seguia o jogo pelo barulho que vinha do campo.
   c) que não fechava nunca porque em seu bar entravam muitos forasteiros.

6. O forasteiro, no bar do seu Dedé
   a) era, provavelmente, o Temístocles.
   b) disse que o Temístocles não viria jogar.
   c) disse que conhecia muito bem o Temístocles.

7. Temístocles, o Cigano era assim chamado porque
   a) era descendente de ciganos.
   b) fazia gols com a ajuda de passes de mágica, como os ciganos.
   c) não parava em nenhuma cidade, em nenhum time.

B. Leia o texto e responda, da forma mais completa possível.

1) Em que dia da semana se realizou o jogo? Como ficou a cidade? Por quê?

....

2) Na sua opinião, por que Temístocles não apareceu para jogar?

....

3) Na sua opinião, porque Temístocles veio à cidade na hora do jogo, sem dizer quem era?

....

4) Como seu Dedé podia advinhar o que se passava no campo?

....

5) O que você achou da atitude do Temístocles?

....

II. Gramática

A. Passe para a voz ativa.

1) O centroavante foi atraído por outro time.

....

2) Será enviado um representante com plenos poderes para trazer Temístocles.

....

3) Temístocles foi saudado com vivas.

....

B. Passe para **a voz passiva com se** ou para **a voz passiva com verbo ser** conjugado.

1) Foi enviado um representante com plenos poderes.

....

2) Abriu-se uma clareira de silêncio.

....

3) Gritos foram ouvidos vindos do estádio.

....

C. Leia as notícias dos jornais abaixo e complete os textos com os verbos indicados, na voz passiva.

Jornal ÚLTIMA HORA

Cidade Nova, sexta-feira 13 de agosto.

SUPERMERCADO DESABOU

Ontem, quatro pessoas morreram e trinta................ ....na cabeça quando o telhado de um supermercado desabou. As ambulâncias .... , mas o número de vítimas era muito grande. No mês passado, o supermercado já .... pelas autoridades, mas não tomou nenhuma providência. O proprietário ....

(atingir) — (chamar) — (prevenir) — (dever .... condenar)

(escrever) — (vender)

JORNAL NOTÍCIAS POPULARES

Cidade Nova, sexta-feira 13 de agosto.

ATENÇÃO

Um homem e uma mulher jovens ....em atitude suspeita ontem à noite, nas ruas do bairro das Flores, onde há casas de luxo e onde vários palacetes já .... É possível que este casal .... como os assaltantes, pois ele já .... anteriormente por roubo. Mas, se a polícia não puder provar que eles são os culpados, eles ....em liberdade.

(ver) — (assaltar) — (poder ...identificar) — (prender) — (ter de ....pôr)

JORNAL DOS LIVROS

Cidade Nova, sexta-feira 13 de agosto.

É possível que o último livro do famoso escritor J.M.R. não .... por ele. O editor não quis fazer comentários. Parece que as livrarias não queriam que o livro .... Mas, apesar de todos os comentários, quando o livro .... à venda, certamente será um sucesso de público.

D. Leia as frases abaixo e passe para a **Voz Ativa** as que estão na **Voz Passiva**, como no modelo.

1) Praia de Copacabana - é conhecida no mundo todo. Tem campos de futebol, de vôlei e ciclovia. Aos domingos, a Av. Atlântica, ao lado da praia, é interditada aos carros, pelo Departamento de trânsito.

As pessoas no mundo todo conhecem a Praia de Copacabana. Aos domingos, o Departamento de Trânsito interdita a Av. Atlântica aos carros.

2) Prainha - é cercada por morros cobertos de Mata Atlântica; boa para surfe.

3) Pão de Açúcar - do alto do morro, a vista é fascinante: vê-se toda a Baia de Guanabara, o Cristo Redentor e as montanhas da Serra dos Órgãos.

4) Praia da Barra - (ou Barra da Tijuca) - é a maior do Rio. Tem ondas fortes e perigosas para banho, mas boas para surfe e bodyboard.

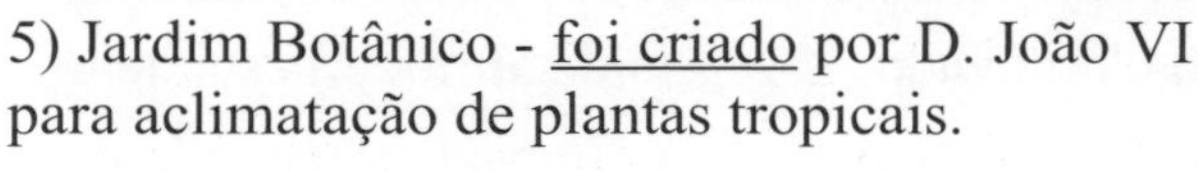

5) Jardim Botânico - foi criado por D. João VI para aclimatação de plantas tropicais.

6) Recreio dos Bandeirantes - a praia é separada da Barra por uma grande pedra, tem águas calmas e é bastante movimentada.

7) Praia de São Conrado - próxima da Rocinha, a maior favela do mundo. É boa para surfe.

8) Vista Chinesa - mirante a 360m de altitude, com deslumbrante vista da cidade. É visitada por muitos turistas.

9) Corcovado - (709 m de altitude.) está dentro de Parque Nacional da Tijuca. O monumento ao Cristo Redentor é sustentado por ele. Tem uma das mais belas paisagens do mundo.

....

....

....

....

....

III. Expressão escrita

Conte um passeio que você já tenha feito por uma cidade turística.

IV. Aprendendo palavras novas

A. Complete as frases com expressões da caixa de significado próximo ao das palavras entre parênteses.

por isso	pelo menos	em relação a
exceto	graças a	quer dizer
só que	a não ser	portanto
entretanto		

1) Estava chovendo há dias, (por esse motivo) __________ o churrasco foi adiado.
2) Todo o pessoal do escritório foi convidado, (menos) __________ o chefe.
3) Eles viviam confortavelmente (por causa de) __________ (a) pensão que recebiam do governo.
4) Diga alguma coisa (a respeito de) __________ (os) planos da companhia.
5) Se ele não queria ajudar seus colegas, podia, (no mínimo) __________, terminar seu próprio trabalho.
6) Tudo foi bem planejado, (mas) __________, na hora H, nada deu certo.
7) Estou muito ocupado, não posso, (pois) __________, pensar nesses detalhes.
8) Ninguém pensou em outra coisa, (senão) __________ em ajudar.
9) Ele queria comprar aquela casa, (mas) __________ o dinheiro não era suficiente.
10) O convite pede traje social completo, (isto é), __________ terno e gravata.

B. Complete com as palavras da caixa.

férias	gado	campeonato
pressa	um gol	os preços
parabéns	licença	o dia
vencimento	fotografia	calor
propostas	zona azul	sono

1) baixar os preços ....
2) vencer ....
3) pagar no ....
4) estacionar na ....
5) criar ....
6) marcar ....
7) pedir ....
8) dar ....
9) tirar ....
10) estar com ....
11) fazer ....
12) dar ....

Faça frases com as idéias acima.

C. Dê dois sentidos para cada uma das palavras abaixo

o tênis ....
....
a vela ....
....
xadrez ....
....
a partida ....
....
segurar ....
....
explorar ....
....

TEXTO GRAVADO

Mensagens na secretária eletrônica

— Alô, dona Susana. Aqui é o Arnaldo, da Companhia de Seguros "Porto Geral". Estou lhe deixando na secretária eletrônica as instruções sobre a batida do seu carro.
A senhora já preencheu o formulário sobre o acidente? Faça o seguinte: antes de levar o carro à oficina, a senhora deve preencher o formulário e depois levá-lo juntamente com o carro a uma das oficinas do Seguro.
Se a senhora já tiver feito isso, telefone-me hoje, por favor, até as 6 horas da tarde, para eu saber em que oficina está o carro. Amanhã, então, um dos nossos técnicos passa lá para autorizar o serviço.

Obrigado, dona Susana.

No dia seguinte, às 9h00 da manhã, dona Susana telefona para a Companhia de Seguros:
— Alô, é da Companhia de Seguros "Porto Geral"? Gostaria de falar com o sr. Arnaldo.
— O Arnaldo não está. Ele não vem hoje de manhã. Ele está na rua. A senhora pode falar comigo. Eu sou o Farias.
— O sr. Arnaldo me telefonou ontem à tarde e deixou um recado na secretária eletrônica. Ele me perguntou se eu já tinha preenchido o formulário. Ele disse que eu deveria preencher o formulário e depois deixar o carro na oficina. Ele disse também para avisá-lo depois que eu tivesse feito isso!
Acontece que eu não tenho este formulário. Eu pedi para o sr. Arnaldo e ele ficou de me trazer em casa. Então, eu estou esperando. Eu tenho pressa, porque não posso ficar sem carro.
Na tarde do mesmo dia:
— Alô, dona Susana. Aqui é o Arnaldo. Estou lhe deixando um novo recado na secretária eletrônica: hoje à noite eu deixo o formulário na portaria do seu prédio. A senhora o preenche, etc. etc. e amanhã, até às 11 horas, a senhora me telefona.

No dia seguinte, às 2h00 da tarde:
— Alô, o sr. Arnaldo, por favor?
— Não, ele não está. Aqui é o Farias.
— Sr. Farias, o sr. Arnaldo disse que deixaria o formulário na portaria do meu prédio, ontem à noite. Ele não deixou. Hoje de manhã eu saí para trabalhar. É muito difícil telefonar do escritório. Vou estar em casa a tarde toda.

Na Companhia, às 18h30 da tarde:
— Ô Arnaldo, a dona Susana telefonou e disse que está muito difícil telefonar...

ORDEM

Complemento Fonético

de **Vicente Masip**, Doutor em Lingüística, professor da Universidade Federal de Pernambuco, diretor do Centro Cultural Brasil-Espanha do Recife e autor de várias obras de Lingüística, em português e em espanhol.

1. As Vogais

Os fonemas vocálicos portugueses são sete

/a/ /e/ /ɛ/ /i/ /o/ /ɔ/ /u/

Realizam-se por meio de sons emitidos sem obstáculos.

1.1. Vogais orais

O Português possui sete vogais orais, em sílabas tônicas, cinco em sílabas átonas e apenas três em sílabas átonas finais de palavra.

Elas podem ser abertas ou fechadas.

1.1.1. Sons orais fechados ou médios em sílaba tônica ou átona interna

Som	Grafia	Exemplos
[a]	(a)	Tomás, obrigado, trabalhar, vaso, lado.
[e]	(e), (ê)	escola, prazer, mesmo, vê, exportação.
[i]	(i)	dia, livro, cidade, tia, firma.
[o]	(o), (ô)	senhor, você, avô, obrigado, bolo.
[u]	(u)	mudar, mudança, óculos, Tijuca, alugar.

Sons vocálicos em sílaba átona final de palavra

Som	Grafia	Exemplos
[a]	(a)	Lima, amiga , senhora, mudança, firma
[i]	(e)	cofre, frase, naquele, cheque, chefe
[u]	(o)	obrigado, mesmo, fechado, porto, planos

Exercício

A. Ouça as frases e repita-as. Atenção às vogais fechadas.

1) Você é a secretária deste escritório?
2) Você sabe falar russo?
3) O novo diretor é português.
4) Ele trabalha na firma de importação.
5) Este porto é moderno.

1.1.2. Sons orais abertos:

Som	Grafia	Exemplos
[ɛ]	(e) , (é)	café, é, espera, começa, médico.
[ɔ]	(o) , (ó)	ótimo, sorte, carioca, moro, porta.

Os sons orais abertos sempre se emitem com força e se prolongam.

Exercício

A. Ouça e repita

1) porta
2) paletó
3) cofre
4) ela
5) ela mora
6) consultório
7) escritório
8) fera
9) ela gosta
10) a pé

B. Ouça as palavras e assinale no quadro se são idênticas (I) ou diferentes (D).

I	D		
		ele	ela
		penhor	penhora
		ela gosta	ela gosta
		ele fecha	ela fecha
		porta	porto
		porto	porte
		andar (*)	andar (**)

(*) verbo (**) piso(5º andar)

1.2. Vogais nasalizadas

O português possui cinco sons vocálicos nasalizados por consoantes nasais contíguas. Quando essas consoantes estão situadas após as vogais, na mesma sílaba, formam-se dígrafos vocálicos:

Som	Grafia	Exemplos
[ã]	(ã), (am), (an)	manhã, maçã, cama, campo, estudante
[ẽ]	(em), (en)	emprestar, sentar, engenheiro, documento, cem
[ĩ]	(im), (in)	sim, Berlim, enfim, importante, vinho
[õ]	(om), (on)	bom-dia, comprar, onde, montanha, sonho
[ũ]	(um), (un)	um, uma, mundo, profundo, junto

Exercício

A. Ouça as frases e repita-as:
1) De onde o senhor é?
2) De onde a senhora é?
3) Eu não moro em Pequim, eu moro em Berlim.
4) O dinheiro está no banco, em Cancun.
5) Eu estou perguntando se o consultório é longe.
6) Amanhã de manhã eu vou para a Espanha com minha irmã.

B. Nas palavras ouvidas, há algum som vocálico nasalizado? Ouça e assinale no quadro.

	Oral	Nasal		Oral	Nasal
1) o final	❑	❑	6) a planta	❑	❑
2) o fim	❑	❑	7) o planeta	❑	❑
3) o sim	❑	❑	8) estável	❑	❑
4) o vestido	❑	❑	9) instável	❑	❑
5) o investidor	❑	❑	10) Pinheiros	❑	❑

1.3. Alguns grupos vocálicos = uma vogal + uma semivogal

1.3.1. Alguns grupos vocálicos orais

A semivogal é pronunciada de forma mais rápida.

Som	Grafia	Exemplos
[aj]	(ai)	pai, mais, vai, praia, ai!
[aw]	(au)	automóvel, autoridade, restaurante, aula, aumento.
[ej]	(ei)	falei, pensei, estrangeiros, Oliveira, Prefeitura.
[ew]	(eu)	eu, meu, aprendeu, vendeu, reunião.
[oj]	(oi)	dois, coisa, noite, foi, oito.
[ow]	(ou)	falou, cantou, sou, outro, ouviu.
[wa]	(ua)	água, qual, guarda, guaraná, desaguar.

Exercício

Ouça as frases e repita

1) [aj]		Ele vai para a praia com seu pai.
2) [ew]	[ow]	Ele vendeu a casa e comprou um apartamento.
3) [oj]	[aj]	Ontem, ele foi ao baile, no Rio, às oito da noite.
4) [aw]		No jardim Paulista, o preço dos automóveis é baixo.
5) [ej]		Na mudança para Pinheiros, pensei e preparei um lanche para todos.

1.3.2. Alguns grupos vocálicos nasalizados

Som	Grafia	Exemplos
[ãw]	(ão), (am)	mão, feijão, estação, trabalham, falam.
[ãj]	(ãe), (ãj)	mãe, pães, alemães, cãibra.
[ẽj]	(em), (ém)	em, bem, também, ninguém, Belém.
[õj]	(õe)	lições, canções, estações, põe, põem.
[ũj]	(ui)	muito, ruim, tuim

Exercício

A.Ouça as frases e repita

1) Aqui, ninguém fala bem japonês.
2) Eles têm um irmão estudando violão.
3) Estas mães conhecem canções alemãs.
4) Eles põem limão no tempero.
5) Quem veio aqui? Alguém? Ninguém veio.

B. O que você ouve: **[ãw]**, **[ãj]**, **[ẽj]**, **[õj]**, **[ũj]?** Assinale no quadro.

	[ãw]	[ãj]	[ẽj]	[õj]	[ũj]
1) patrões					
2) nem					
3) avião					
4) também					
5) escreveram					
6) cantam					
7) mães					
8) muito					

2. As Consoantes

As consoantes portuguesas pronunciam-se com as vogais, impedindo ou dificultando a passagem do ar.

Som	Grafia	Exemplos
/p/	(p)	perigoso, suspeito, passa, porta, planos.
/b/	(b)	câmbio, obrigado, também, abra, bebida
/t/	(t)	complete, aberta, sete, telefone, gosto
/d/	(d)	tudo, dia, utilidade, verdade, documento
/k/	(c), (qu), (k),(x)	casa, escola, que, km, táxi, (táksi)
/g/	(g), (gu)	gosto, garçon, gorjeta, colegas, português
/f/	(f)	café, felicidade, fácil, falar, difícil, ficar
/v/	(v), (w)	vida, vamos, vou, ver, viver, Wagner
/s/	(s), (c), (ç), (z), (x)	sala, cerveja, março, feliz, máximo
	(ss), (sç), (sc), (xs),(xc)	passado, desça, consciência, exsudar, exceção
/z/	(z), (s), (x)	azar, casa, civilização, exame, exemplo
/ʃ/	(ch), (x)	chave, chocolate, cachorro, caixa, queixo
/ʒ/	(g), (j)	gente, viagem, cerveja, jogo, juventude
/m/	(m)	mão, tomar, vamos, sobremesa, comer
/n/	(n)	nada, não, nós, relacionar, bonito, nervoso
/ɲ/	(nh)	senhor, Espanha, Alemanha, ganha, montanha
/l/	(l)	litro, lado, católico, socialista, particular
/ʎ/	(lh)	julho, folha, alho, espelho, trabalha
/r/	(r)	trabalho, estrangeiro, frio, sobremesa, caro
/R/	(r), (rr)	Rio, Recife, ruído, carro, horror

Exercício

Ouça e leia:

— Os meses de junho e julho são os mais frios do ano.

— O filho da minha vizinha tem um carro muito caro.

— Estes exemplos são muito bons para fixar as regras.

— No Brasil, janeiro é um mês muito quente.

— Ele não tem consciência do que está acontecendo.

— A caixa de brinquedos está no guarda-roupa.

— Ele acha que sempre está certo e que tudo o que diz é correto.

— Esta árvore tem galhos longos e folhas grandes.

— Este hotel é muito luxuoso.

Observação: ***A pronúncia de algumas palavras:***

[kwa]		[ki], [ke]	
— qualquer	— [k'walkɛ́ʀ]	— quilo	— [kílu]
— qualidade	— [kwalidádi]	— aquilo	— [akílu]
— quando	— [kwãdu]	— quilômetro	— [kilõmetʀu]
		— quente	— [kẽti]
		— aquele	— [akéli]
— português	— [poʀtugés]	— garagem	— [garáʒẽj]
— guerra	— [gɛ́Ra]	— girafa	— [ʒiráfa]

2.1. De acordo com as regiões temos:

— **t + i** ou **t + e** = [t ʃ]	tio, evidente, contente, frente, esportista
— **d + i** ou **d + e** = [d ʒ]	dia, verde, verdade, grande, diferente
— **r** final ou **R** (arrastado)	falar, comer, mar, ar, parte
— **l** = [ɫ]	Brasil, juvenil, anual, alto, solto, alfabeto

2.2. Normalmente, em português, as consoantes p, b, t, d, c, g, f, v, m, após uma vogal na mesma sílaba ou no início de uma palavra (consoantes mudas), são seguidas de uma vogal [i] ou [e] breves para garantir a sua plena articulação:

pneu	— p[e]neu	amnésia	— am[i]nésia
advogado	— ad[i]vogado	segmento	— seg[ui]mento
atmosfera	— at[i]mosfera	York	— York[i]
absurdo	— ab[i]surdo	afta	— af[i]ta
cactus	— cac[i]tus (kakitus)	Tel Aviv	—Tel Aviv[i]
hipnose	— hip[i]nose		

2.3. Quando a sílaba termina com as consoantes /s/ ou /z/, acrescentamos a semivogal [j] na pronúncia:

mas ---------------> ma[j]s (ele) faz ---------- > fa[j]z arroz ------------- > arro[j]z
gás ----------------> ga[j]s] (ele) fez ---------- > fe[j]z

Exercício

Ouça e leia:

— Ele não come mais feijão com arroz todos os dias.
— Ontem, ele fez muitos erros, mas geralmente, ele não faz.
— Esta cidade é muito diferente das outras porque tem uma atmosfera romântica.
— Ela fala mal de mim, mas eu sei que ela fala mal de todo o mundo.
— O que vale é a qualidade e não a quantidade.
— O número quinhentos foi o número premiado.
— O pneu do meu carro furou.
— Vou contratar um advogado para defender o meu caso.

3. Agrupamento de sons ou juntura

Ao escrever, dividimos as frases em palavras.
Falando, porém, de um modo corrido, pronunciamos vários vocábulos juntos.
Algumas vezes os sons se encontram, dando lugar a um fenômeno chamado agrupamento de sons ou juntura.

3.1. Dois sons vocálicos:

— Como vai o senhor?
— Apresento-lhe o novo engenheiro.
— Eu sou de Ouro Preto, mas moro em São Paulo.
— "Seu" Oliveira, o novo engenheiro.
— Onde a senhora estuda?
— Ele tem uma vida agradável.

3.2. O som [s] transforma-se em [z], e o som [l] em [ɫ] diante de vogal:

— Os planos dos engenheiros.
— O Brasil é um país enorme.
— As novas encomendas.
— O ministro das Indústrias.
— Vamos à praia no domingo.

3.3. Entre sons de consoantes iguais, ouve-se apenas um, com pronúncia mais prolongada:

— Vocês são mineiros?
— Eles são de São Paulo.
— Temos dois sócios.
— Estas cidades são antigas.
— Alguns cinemas não ficam na praça.
— Canal lateral.
— Parar rápido.
— Dez zeros

Exercício

Ouça o texto e depois leia em voz alta. (Atenção aos grupos vocálicos orais, às vogais nasalizadas e às junturas)

Onde morar?

Viver no centro de São Paulo está ficando cada vez mais difícil, quase impossível. A vida é muito agitada e os apartamentos estão cada vez mais caros.

Se você quer viver com conforto, numa boa casa ou num apartamento grande e com muita luz, você precisa morar num bairro.

Depois de vários anos de desenvolvimento industrial, São Paulo é hoje uma grande cidade. Os antigos bairros residenciais perto do centro são agora bairros comerciais. Por isso, a família que prefere morar numa casa confortável, num lugar tranqüilo, precisa procurar novos bairros, cada vez mais distantes. Isso sempre acontece nas grandes cidades.

4. Entonação ou melodia dos enunciados

Os enunciados (frases) têm uma certa oscilação quando falamos.
As sílabas tônicas (fortes) são as que mais se sobressaem:

Exemplos

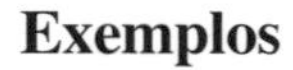

Ontem vendi minha casa.

Quero um apartamento grande.

Eu prefiro morar no centro da cidade.

Vamos comprar um terreno.

Quando nos comunicamos, os enunciados têm começo e fim.
Às vezes, existem pausas ou interrupções na mesma oração.

Sirva peixe↘ , frango↘, caipirinha↘, cerveja ↘, vinho↗ e uma pizza↘.

4.1. Orações declarativas simples - entonação com final descendente

Estou procurando um apartamento perto do centro↘ .

A gente não gosta de trabalhar com ele↘.

Os escritórios ficam na rua principal↘.

O clima de São Paulo é muito instável↘.

4.2. Orações declarativas complexas - a entonação varia

A seguir ↗ , vamos discutir o nosso ponto de vista↘ .

Há um ponto de ônibus↗, ali na esquina ↘.

Naquela esquina ↗, fica o cinema ↘ .

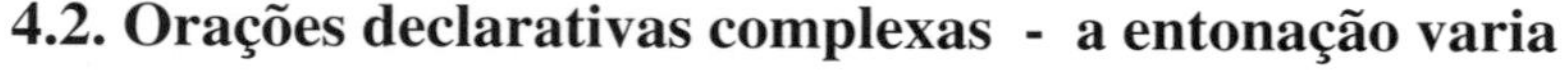

Em frente ao ponto de ônibus↗, há um banco ↘.

4.3. Orações interrogativas, sem palavras interrogativas - final ascendente quando forem oxítonas - final ascendente-descendente quando forem paroxítonas ou proparoxítonas.

Ele virá amanhã ↗?

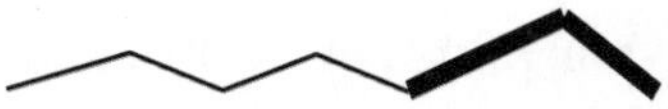

Ele irá ao cinema à tarde ↗ ↘?

Vamos ao centro à pé ↗ ?

Você também gosta ↗ ↘?

Você comprou os ingressos ↗ ↘?

Vamos de ônibus ↗ ↘?

4.4. Orações interrogativas com palavras interrogativas - final descendente.

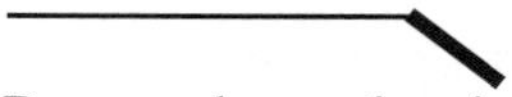

Para onde você vai ↘?

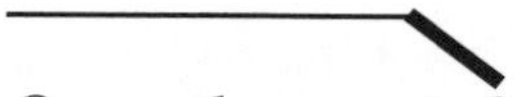

O que ele quer ↘?

Como vamos para o centro ↘?

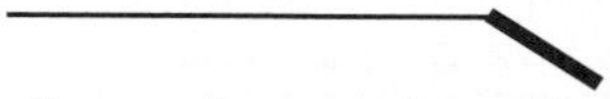

Quem chegou de avião ↘?

Quando chega o táxi ↘?

4.5. Orações exclamativas - afirmações pronunciadas com intensidade especial - final descendente quando for paroxítona - final ascendente-descendente quando for oxítona. A sílaba tônica tem uma duração maior (:).

Che:ga ↘!
Minha no:ssa ↘!
Ele está armado ↗ e é perigo:so ↘!

Virgem Mari:a ↘!
Vamos depre:ssa ↘!
Jesus: ↗ ↘!

Assim não dá: ↗ ↘!
Cuida:do ↘!
Não está: ↗ ↘!

Exercício

Ouça as frases e assinale com flechas, para indicar o final ascendente ou descendente.

1) O que você vai fazer amanhã de manhã? .... ( )
2) Onde você esteve ontem à tarde? .... ( )
3) Você gosta de viajar? .... ( )
4) A água está gelada? .... ( )
5) Eles compraram a fábrica de papel? .... ( )

5. Tonicidade e quantidade das palavras

5.1. Na maior parte das palavras portuguesas, a sílaba tônica (forte) é a penúltima (paroxítona). Em geral, essas palavras não têm acento gráfico.

Ex: mesa, janela, tapete, apartamento, estrangeiro, amigo, inteligente, contente, problema, garagem, cafezinho, domingo.

Porém, levam acento:
escritório, armário, farmácia, relógio, consultório, negócio, etc.

5.2. Se a sílaba tônica é a primeira ou a última, geralmente ela vem indicada pelo acento gráfico.

Ex: óculos, lâmpada, árvore, água, número, sábado, bêbado, André, café, sofá, estação, Paraná, manhã.

Naturalmente, a sílaba tônica tem uma duração maior que as outras. E se produz com mais força.

Ex.: a gara:gem - a pergun:ta - Rober :to - a má:quina- a revis:ta- no sá:bado.

As sílabas átonas, que estão situadas antes ou depois das tônicas, no corpo da palavra, produzem-se com menor força e duração:

Ex.: lâmpada, recentemente, ápice, número.

As sílabas átonas finais de palavra se produzem ainda com menor força e duração:

Ex.: garagem, Roberto, Eunice, Pedro, bola.

Exercício

Ouça as palavras e repita:

1) máquina
2) novembro
3) favorável
4) vizinhos
5) diretor
6) direto
7) teatro
8) retrato
9) problema
10) convidar
11) convidados
12) cardápio
13) mulheres
14) Guarujá
15) lápis

Síntese

O alfabeto português e sua equivalência sonora.

1	2	3	4	5	6	7	8	9	10
A, a	**B, b**	**C, c**	**D, d**	**E, e**	**F, f**	**G, g**	**H, h**	**I, i**	**J, j**
a	bê	cê	dê	é/ê	efe/fé	gê/guê	agá	i	jota/ji

11	12	13	14	15	16	17	18	19	20
L, l	**M, m**	**N, n**	**O, o**	**P, p**	**Q, q**	**R, r**	**S, s**	**T, t**	**U, u**
ele/lê	eme/mê	ene/nê	ó/ô	pê	quê	erre/rê	esse/se	tê	u

21	22	23
V, v	**X, x**	**Z, z**
vê	xis	zê

RESPOSTAS DO LIVRO-TEXTO

Resposta dos exercícios do livro-texto Falar... Ler... Escrever... Português

Unidade 1

1.1. O senhor é engenheiro? Sou, sim.

1. Sou, sim.
2. Sou, sim.
3. Não, não sou.
4. Sou, sim.
5. Não, não sou.
6. Não, não sou.
7. Sou, sim.
8. Não, não sou.
9. Não, não sou.
10. Sim, sou.

1.2. em- de/ do-da-dos-das/ no-na-nos-nas

A. Onde o senhor mora?

1. Moro em Brasília.
2. Moro em São Paulo.
3. Moro na Itália.
4. Moro na Alemanha.
5. Moro em Boston.
6. Moro no Peru.
7. Moro na rua da Luz.
8. Moro na avenida Brasil.
9. Moro na avenida Tiradentes.
10. Moro no Rio de Janeiro.
11. Moro em Portugal.

B. De onde o senhor é?

1. Sou de Paris.
2. Sou de Londres.
3. Sou de Nova York.
4. Sou de Berlim.
5. Sou de Tóquio.
6. Sou da Espanha.
7. Sou do México.
8. Sou da França.
9. Sou do Canadá.
10. Sou de Roma.
11. Sou de Portugal.
12. Sou do Rio de Janeiro.

1.3. os, dos, nos, as, das, nas

1.Onde está a secretária?
Está na sala do presidente.
2. Onde estão os livros?
Estão nos armários dos estudantes.
3. Onde está o professor?
Está na sala do diretor.
4. Onde estão as chaves das portas?
Estão nas gavetas das secretárias.
5. Onde está o dinheiro da firma?
Está no cofre do banco.
6. Onde estão os carros das professoras?
Estão no estacionamento da escola.
7. Onde está o cliente?
Está no consultório do médico.
8. Onde estão os documentos dos engenheiros?
Estão nas gavetas das mesas.
9. Onde está o paletó do médico?
Está no armário do consultório.
10.Onde estão as chaves do carro?
Estão no armário da sala.
11.Onde estão os planos da nova fábrica?
Estão na gaveta do engenheiro.
12.Onde estão os óculos do professor?
Estão no bolso do paletó.

1.4. Verbos ser/ morar/ estar

A. Vocês são mineiros?

1. são
2. é
3. é / É
4. é
5. é
6. são / Somos
7. são
8. sou / é
9. é
10. são

B. Você mora em São Paulo?

1. começa / começo
2. mora / Moro
3. moro
4. moram
5. fala / fala
6. moram / Moramos
7. fala / falo
8. entramos
9. entra
10. começa / começa
11. entra / fala
12. moramos / falamos
13. pergunta
14. moram / falam

C. Onde você está?

1. estou
2. está / Está
3. estão / estão
4. está / está
5. está
6. estão
7. está / está
8. está
9. estamos / estão
10. está / estão
11. estou
12. estão
13. estamos
14. está / Está

D. Onde está o diretor?

1. Onde está ....?
2. Onde está .....?
3. Onde você está ....?
4. Onde vocês estão ....?
5. Onde está .....?

E. O dinheiro está no banco?

1. (personalizada)
2. Vocês estão...?
3. 4. 5. (personalizada)

Texto narrativo

A. A cada imagem corresponde uma frase. Qual é?

figura 1: Ela entra no escritório às 8 horas.
figura 2: Os documentos estão na bolsa.
figura 3: Eles moram na praia.
figura 4: Nós estamos na sala de televisão.
figura 5: O filme começa às 8 horas.
figura 6: Adivinhe!

B. Complete o diálogo. Use você.

Bom dia!
Como vai?
Bem, obrigado.
De onde você é?
Onde você mora?
Eu moro na rua ....
Você é ....?
Sou engenheiro.
Sim, sou.

Unidade 2

2.1. um / uma

1. uma / um
2. um / uma
3. um / um
4. um
5. um / uma

2.2. Verbo ir - Presente simples do indicativo

A. Para onde vamos?

1. Vamos para Brasília.
2. Vamos para o aeroporto.
3. Vai para a Estação Rodoviária.
4. Vou para o ponto do ônibus.
5. Vai para a França.
6. Vou para Paris.
7. Vão para a fábrica.
8. Vou para Belo Horizonte.
9. Vamos para o Canadá.
10. Vamos para a av. das Bandeiras.
11. Vão para o consultório.
12. Vão para São Paulo.
13. Vai para o hotel.
14. Vamos para o correio.
15. Vou para a rua 7 de setembro.

B. Complete com ir.

vai / vou / vão / vamos / vai / vamos

2.3. ir de / ir a

A. Eu vou de ônibus para a cidade.

1. vou de táxi
2. vamos de carro
3. vou de avião
4. vão de avião
5. vão de navio
6. vão de metrô
7. vamos a pé
8. vai de ônibus
9. vai de trem
10. vão de bicicleta

B. Como vamos para o centro?

1. Como vamos para ....?
2. Como ele vai para ... ?
3. Como você vai para ... ?
4. Como você vai para ... ?
5. Como ele vai para ... ?
6. Como vamos para ... ?
7. Como eles vão para ... ?
8. Como eles vão para ... ?
9. Como ela vai para ... ?
10. Como elas vão para ... ?

2.4. Este aqui/ esse aí, aquele ali, lá

1. Aqueles	6. Estas
2. Este	7. Essas
3. Aquele	8. Aqueles
4. Esses	9. Aquela
5. Aquela	10. Esta

2.5. neste(s), nesta(s), naquele(s), naquela(s)

A. Há um ponto de ônibus nesta esquina aqui.

1. Há um médico neste consultório aqui.
2. Há um aeroporto nesta cidade aqui.
3. Há um posto de gasolina nesta esquina aqui.
4. Há muitos livros nestes armários aqui.

B. Há consultórios naqueles prédios ali.

1. Há quinze dólares lá naquela gaveta.
2. Há uma farmácia naquela calçada ali.
3. Há muitos turistas lá naquelas montanhas.
4. Há dentistas naqueles consultórios ali.

2.6. gostar de

A. Estes prédios são antigos. Gosto deles.

1. delas	6. Gosto dele.
2. Gosto dela.	7. Gosto delas.
3. Gosto dele.	8. Gosto dela.
4. Gosto delas.	9. Gosto dele.
5. Gosto dela.	10. Gosto deles.

B. Vamos a pé. Gosto de andar.

1. de	9. gosta de
2. de	10. gosta de
3. de	11. gosto de
4. gostam de	12. gostamos de
5. gosta de	13. gostam de
6. gosto de	14. gosta de
7. gostam de	15. gostam de
8. gosta de	

1. gosto / dos / do	9. do
2. gostam / da	10. do
3. dos / do	11. das
4. do / do	12. gostam dos
5. da	13. gostamos do/ da
6. de	14. gosta / das
7. da	15. gostam /do
8. da	

D. O aeroporto desta cidade é antigo.

1. deste	6. destas
2. desta	7. desta
3. deste	8. desta
4. desta	9. deste
5. desta	10. deste

2.7. Verbo ter - Presente simples do indicativo

A. Eu tenho dinheiro no banco.

1. têm	8. tem
2. tem	9. temos
3. tenho	10. têm
4. tem	11. tem
5. tem	12. tem
6. tem	13. tenho / tenho
7. têm	14. temos

B. Você tem dinheiro? Não, não tenho dinheiro. Tenho cartão de crédito.

1. Não. não tem uma casa. Tem um apartamento.
2. Não, não têm sorte. Têm azar.
3. Não, não temos dinheiro no banco. Temos dinheiro na firma.
4. Não, não temos a chave do carro. Temos a chave da casa.
5. Não, não tem casa na montanha. Tem casa na praia.
6. Não, não têm documentos. Têm livros.
7. Não, não tem prédios antigos. Tem prédios modernos.
8. Não, não tem trens. Tem ônibus.

C. A cada imagem corresponde uma frase. Qual é?

figura 1: 3	figura 2: 6
figura 3: 5	figura 4: 1
figura 5: 4	figura 6: 2

2.8. meu(s) - minha(s)/ nosso(s) - nossa(s)

(nós) Nossa casa não é grande.

1. Nossos	6. Meus
2. Minha	7. Meu / minha
3. Nosso	8. Nossas
4. Meu	9. Minhas
5. Nossos	10. Nossa/ Nossos

2.9. Verbo atender - Presente simples do indicativo

A. (atender) Eu atendo meus clientes de manhã.

1. atende	8. aprendem
2. atendemos	9. bebemos
3. escreve	10. aprende
4. atende	11. vendo
5. come	12. aprendo
6. comem	13. respondem
7. vende	14. recebe

B. (comprar/vender) Nós compramos e vendemos casas e apartamentos.

1. mora / trabalha
2. moramos / trabalhamos
3. moram / trabalham
4. moro / trabalho
5. come / bebe
6. comemos / bebemos
7. come / bebe
8. compramos / vendemos
9. atendem / mostram
10. ando / como
11. anda / come
12. trabalham / andam
13. andamos / mostramos
14. compra / vende
15. bebe / come / anda

2.10 Verbo morar/atender - Presente contínuo do indicativo

A. Ele está atendendo um cliente agora.

1. está trabalhando
2. estamos comendo / estamos bebendo
3. está mostrando
4. estou atendendo
5. está atendendo
6. está aprendendo
7. estão trabalhando
8. estão escrevendo
9. estamos atendendo
10. estou aprendendo

B. O que eles estão fazendo agora?

O operário está trabalhando.
O guarda está andando.
Paulo e João estão conversando.
O pipoqueiro está vendendo.
Dona Maria está escrevendo.
Laura está comprando.
Fábio está bebendo.
O cachorro está correndo.

Texto narrativo

A. Complete com o vocabulário do texto.

1. interior
2. praça / centro
3. bancos
4. moças / encontrar
5. noite / conversar
6. parte nova / modernas
7. da / calma

C. Coloque em ordem.

— Vamos de ônibus para o centro?
— Não, vamos a pé. Gosto de andar.
— Eu também. Há muitos prédios antigos no centro?
— Há, sim. Mas também há prédios novos. Você tem dinheiro?
— Não, não tenho. Onde é o banco?
— É ali na esquina, naquela calçada.

D. A cada imagem correspondem duas frases. Quais são?

1. Que azar! Desculpe!

Ai! Meu pé!
2. Nesta praça há uma farmácia.
A cidade aqui é muito calma.
3. O ponto de ônibus é ali na esquina.
Este ônibus vai para o centro
4. A porta deste restaurante está aberta.
Aqueles prédios são muito altos.
5. Brasília é uma cidade moderna.
O Presidente mora aqui.

Unidade 3

Responda

1. Porque eles estão com fome.
2. Têm.
3. Porque o restaurante é perto.
4. Lá, no canto.
5. Eles vão pedir uma salada de legumes e, depois, carne com batata. Eles vão tomar uma cerveja. Como sobremesa, vão pedir sorvete e, finalmente, vão tomar um cafezinho.
6. Porque ele está com sede.
7. Porque hoje está quente.

3.1. Verbo poder - Presente simples do indicativo

A. Complete com poder.

1. podemos
2. podem
3. posso
4. pode
5. pode
6. pode
7. podem
8. posso
9. podemos
10. podem

B. Responda.

1. Não, não posso.
2. Posso.
3. Não, não podemos.
4. Pode.
5. Não, não podemos.
6. Podem/ não podem.
7. Não, não podem.

3.2. Verbo morar - Futuro imediato do indicativo

A. O que você vai tomar? Vou tomar uma cerveja.

1. Vou comer ...
2. Vamos tomar ...
3. Vai pedir ...
4. Vamos fazer ...
5. Vai oferecer ...
6. Vamos tomar ...

B. Você vai tomar café? Não, vou tomar chá.

1. Vamos falar com a secretária?
2. Você vai jantar às ... horas?
3. Você vai tomar cerveja?
4. Vocês vão comprar um apartamento?
5. Ele vai sair?
6. Eles vão ...

C. Relacione.

Ela não vai pagar a conta porque está sem dinheiro.
Elas vão ter problemas na firma porque não gostam do chefe.
Eu vou andar devagar porque não estou com pressa.
Ele não vai escrever para mim porque não tem meu endereço.
Elas não vão pedir sobremesa porque não gostam de doce.
Nós vamos jantar mais tarde porque não estamos com fome.

3.3. Palavras interrogativas

A. Complete.

1. Quem
2. Onde
3. Por que
4. O que
5. Como
6. Quanto
7. Quantos
8. Quando
9. Qual

B. Entrevistando um artista. Faça as perguntas.

1. Qual é o seu nome?
2. O que você canta?
3. Por que você está aqui?
4. Onde vai ser o show?
5. Quando vai ser o show?
6. Quantas pessoas vão ver seu show?
7. Quanto você vai ganhar?
8. Como vai ser seu show?
9. Quem vai cantar com você?
10. O que você vai cantar?

3.4. Ser/estar - Diferenças

1. está
2. é
3. é
4. estamos
5. estão
6. somos
7. é
8. estou
9. estão / são
10. está
11. é
12. é / está
13. é / é
14. é / está
15. são / estão

3.5. Usos especiais de SER

A. Complete.

Ronaldo está na praia porque é verão.
Ronaldo é especialista em informática.
Ronaldo está feliz hoje.
Ronaldo é meu irmão.
Ronaldo é protestante.
Ronaldo é de Curitiba.
Ronaldo está com os amigos no bar.
Ronaldo está com fome porque já são 2 horas.
Ronaldo, este livro não é meu! É seu?
Ronaldo é meu chefe.
Ronaldo está aqui.
Ronaldo é muito prático.

B. Complete a pergunta e a resposta com ser ou estar.

1. é / sou
2. é / sou
3. estão / estão
4. estão / estão
5. está / estou
6. é / É / está
7. são / Somos / estamos
8. é / é
9. são / somos
10. está / está

C. Onde está Mariana? Ela está em casa.

1. O que eles são?
2. Onde eles estão?
3. O que vocês são?
4. Quando você está em casa?
5. Por que vocês querem beber?
6. Quem é ela?
7. Por que você está nervoso?
8. Onde ele está?
9. Como vai?

3.6. Expressões com: estar com

1. O que ele vai fazer? Ele vai beber água.
2. O que ele vai fazer? Ele vai almoçar.
3. O que eles vão fazer? Eles vão ...
4. O que eles vão fazer? Eles vão ...
5. O que ela vai fazer? Ela vai dormir.
6. O que vocês vão fazer? Nós vamos...
7. O que ele vai fazer? Vai tomar uma aspirina.

3.7. Antes de/ depois de

A. Responda. Use: depois de, do(s), da(s).

1. Depois do café da manhã.
2. Depois do jantar.
3. Depois da aula de Português.
4. Depois de acabar meu trabalho.
5. Depois dos feriados.
6. Depois de conhecer São Paulo.

B. Responda. Use: antes de, do(s), da(s).

1. Antes do meio-dia.
2. Antes do café da manhã.
3. Antes das três horas.
4. Antes de ir ao barbeiro.
5. Antes de sair do escritório.
6. Antes de chegar ao escritório.

3.8. Plural

A. Dê o plural.

as casas
os táxis / os trens
os ônibus ingleses
os meses mais curtos
as facas
os garfos
as colheres
os rapazes felizes
as lições fáceis
as mulheres gentis
os dias úteis
os atlas franceses
os papéis azuis
os pães
os cães
as organizações
as mãos

os irmãos e as irmãs
as estações
os aviões
os pães alemães
as expressões
os jardins e as garagens

B. Passe para o plural.

1. Estes barris são grandes.
2. Nossos amigos são ingleses.
3. As sopas estão frias.
4. Os dias estão quentes.
5. Nossas mãos estão frias.
6. Estes apartamentos são bons, mas as garagens são pequenas.
7. Aqueles hotéis são confortáveis.
8. Nossos professores são espanhóis.
9. Os canais de televisão têm propagandas comerciais.
10. Nossos diretores são japoneses.

Texto narrativo

Um almoço bem brasileiro

A. Responda.

1. Hoje o Sr. e a Sra. Clayton vão almoçar na casa da família Andrade.
2. Porque é um cardápio bem brasileiro.
3. (Resposta pessoal)
4. Aperitivo: caipirinha; Entrada: sopa de milho verde; Prato principal: frango assado com farofa; Sobremesa: doces e frutas
5. Ele vai receber seus amigos.

B. Com os elementos na página ao lado, prepare dois cardápios típicos do Brasil.

Sugestão:
Aperitivo: caipirinha
Entrada: salada de tomate / canja
Prato principal: arroz/ feijão/ couve/ batata frita/ ovo frito/ bife/ feijoada/ arroz/ farofa/ couve/ laranja/ molho de feijoada
Bebida: guaraná / cerveja
Sobremesa: queijo com goiabada/ laranja
E, finalmente: cafezinho

D. Risque o que é diferente. Explique por quê.

1. tomar: não se refere à alimentação
2. baile: não é meio de transporte
3. o médico: não é alimento
4. quente: é adjetivo
5. a gorjeta: não é alimento
6. talvez: não é lugar
7. à noite: não é meio de transporte
8. grande: não é expressão de tempo
9. interior: não se refere a pessoa
10. com amigos: não é uma expressão com o verbo <u>estar</u>.

Unidade 4

4.1. Verbo morar/ vender - Pretérito perfeito do indicativo

A. Ontem eu comprei um jornal.

1. comprou
2. compramos
3. comprei
4. mostrou
5. gostou
6. compraram
7. acharam / gostaram
8. acabei / ajudou
9. tomou
10. andei / andaram

B. Ontem eu vendi minha casa.

1. respondeu
2. escreveram
3. aprenderam
4. vendi
5. vendemos
6. vendeu
7. vendeu
8. comi / bebi
9. escreveu / respondi
10. entendeu / respondeu

C. Ontem eu escrevi uma carta.

1. recebi / recebeu
2. escrevemos / escreveram
3. respondi / respondeu
4. bebeu / bebeu
5. comeram / comeram
6. bebi / bebeu
7. encontrou / conversou
8. perguntei / respondeu
9. almoçamos / almoçaram
10. conversei / bebi

4.2. A gente = nós

1. Nós aqui em casa gostamos ....Você gosta de nós.
2. Nós não gostamos ....
3. ..., nós vamos comprar .... Nós preferimos ...
4. Nós precisamos aprender ...

4.3. Verbo ler - Presente simples e pretérito perfeito do indicativo

A. Eu nunca leio o jornal. E você. Você lê?

1. leio / lê
2. lêem / leio
3. lê / lê
4. lemos / lêem
5. lê / lêem

B. Eu li a reportagem. Todo mundo leu.

1. li / leu
2. leu
3. leu
4. leram
5. leram / lemos

4.4. Verbo querer - Presente simples do indicativo

queremos / quero / quer / querem / quer / quer

4.5. Verbo preferir - Presente simples do indicativo

A. O que você prefere?

prefiro ...
prefere ...
prefere ...
preferem ...
preferem ...
preferimos ...
preferem ...
prefiro ...

B. Ele quer ficar em casa, mas eu prefiro sair.

1. quer / prefere
2. querem / prefiro
3. prefere / quero
4. querem / preferimos
5. prefiro / quer

O dia da mudança

choveu / chegou / entraram / pegaram / levaram / trabalharam / ofereci / aceitaram / preparou / bebeu / comeu / conversou / começou

4.6. Preposições de lugar

A. Observe o desenho e faça a frase.

1. em cima do
2. entre
3. embaixo da
4. atrás do ou perto do
5. dentro do
6. fora da

B. Responda.

1. sofá, poltrona, mesinha de centro, televisão, estante, mesinhas laterais.
2. na frente da janela.
3. na frente do sofá
4. na frente do sofá
5. ao lado da televisão
6. mesa/cadeiras/bufê
7. em volta da mesa
8. embaixo da mesa
9. em cima da mesa
10. dentro do vaso
11. entre as janelas

4.7. num = em um

Substitua.

1. numa
2. num
3. numas
4. nuns
5. numa

4.8. Possessivos

A. Complete com meu(s), minha(s), nosso(s), nossa(s).

1. meu
2. nosso
3. nossos
4. nossos
5. nossa
6. minha / meu
7. minha
8. meus
9. meu
10. Minhas

B. Complete com seu(s), sua(s).

1. seu 3. seu 5. seus 7. suas 9. seus
2. sua 4. seu 6. sua 8. seu

C. Complete com dele(s), dela(s).

1. dela 6. dele / dela
2. dela 7. deles / dela
3. dele 8. deles / delas
4. dele 9. dela / dele
5. delas 10. dela / dele

D. E. (Respostas personalizadas)

F. O armário tem mais de 100 anos. As portas do armário são muito grandes.

1. dela 4. deles
2. dele 5. deles
3. delas

G. João, onde está seu irmão? Meu irmão está em casa.

1. sua / Minha
2. dele / dele
3. nossos
4. deles
5. dele / dela
6. sua/ minha/ meu
7. sua / seus
8. dele
9. dela
10. dela
11. dele / nosso
12. dela / dele
13. deles
14. dela
15. dele

4.9. Precisar/ Precisar de

1. de dinheiro.
2. comprar.
3. comprar pão.
4. preciso de gasolina.
5. precisa cortar o cabelo.
6. precisa viajar.
7. preciso falar com ele.
8. precisamos de notícias.
9. porque preciso de dinheiro.
10. precisam chegar rápido.

Texto narrativo

A. Responda.

1. Porque a vida é muito agitada e os apartamentos estão cada vez mais caros.
2. Num bairro longe do centro.
3. Eles são agora bairros comerciais.
4. (Resposta pessoal)

B. Reescreva os anúncios por extenso.

Pinheiros
Alugo
Particular, Apartamento, 2 quartos, 1 com suíte, garagem, oitavo andar, oito, oito, dois, nove, três, cinco, três, três.
Ceilândia
Alugo casa, 3 quartos, sala, cozinha, banheiro, laje, grade, com telefone, próximo do Centro. Celular telefone
Barra da Tijuca
Alugo casa, 4 quartos, sala, cozinha, banheiro, telefone
Aluga-se Pinheiros
2 dormitórios, com garagem e telefone. Ótimo living, sala de jantar, 2 grandes dormitórios, com armários embutidos, dois banheiros, lavabo, copa-cozinha, área de serviço e garagem. Chaves com o zelador
Águas Lindas
Bela casa com 2 pavimentos. Quadra I - 25, salão, lavabo, 3 suítes (hidromassagem - closet), três quartos, armários, quarto para babá, copa, cozinha, belo jardim de inverno, sauna, piscina, churrasqueira excelente.
Luziânia
De particular para particular
Apartamento, três quartos com suíte, reformado, garagem, primeiro andar, sem fiador, Telefone

C. Agora responda.

1. Área social: hall social, sala de estar, sala de jantar, terraço e lavabo. Área de serviço: cozinha, área de serviço, quarto e WC de empregada, hall de serviço. Área íntima: suítes, quartos, banheiros e corredor de circulação.
2. 3. 4. Respostas pessoais.

Unidade 5

5.1. Verbo abrir - Presente simples e pretérito perfeito do indicativo

A. Eu abro a porta.

1. abre 2. abre
3. abrem 4. parte
5. discutimos 6. assisto
7. decidem 8. partem
9. assiste 10. divide

B. Eu abri a banca há meia hora.

1. abri 2. partiu
3. assistiu 4. decidiram
5. abrimos 6. partiram
7. assisti 8. abriu

C. Complete

1. discutimos 2. discutindo
3. dividir 4. desistir
5. prefere 6. prefere
7. telefonou 8. esqueço
9. mudar 10. recebe

D. Complete com o Presente contínuo.

1. está partindo 2. estou assistindo
3. estou aprendendo 4. está desistindo
5. estamos insistindo 6. estão discutindo
7. está mostrando 8. está fazendo
9. estão trocando 10. estão abrindo

5.2. por/ pelo(s)/ pela(s)

A. O ônibus passa por aqui?

1. por 2. pelo
3. pela 4. pela / por
5. pelas/ pelas/ Pelas 6. pelo
7. pelos 8. por

B. Observe a ilustração.

pelo Banco do Brasil
pelo Viaduto
pela Escola Estrela Dalva
pelas Lojas Glória
pelo posto de gasolina
pela banca de flores
pelo Shopping Center

5.3. Números cardinais

A. Escreva por extenso.

2 - dois
8 - oito
12 - doze
15 - quinze
16 - dezesseis
17 - dezessete
18 - dezoito
27 - vinte e sete
56 - cinqüenta e seis
67 - sessenta e sete
76 - setenta e seis
85 - oitenta e cinco
100 - cem
113 - cento e treze
555 - quinhentos e cinqüenta e cinco
614 - seiscentos e quatorze
792 - setecentos e noventa e dois
811 - oitocentos e onze
919 - novecentos e dezenove
1030 - mil e trinta
1979 - mil novecentos e setenta e nove
2210 - dois mil duzentos e dez
15346 - quinze mil trezentos e quarenta e seis
1.000.000 - um milhão
2.000.010 - dois milhões e dez

5.4. Meses do ano/ dias da semana/ estações do ano

A. Responda.

(Respostas pessoais)

B. Observe a data e responda.

Hoje é segunda-feira, dia quinze de janeiro.
Hoje é sábado, dia primeiro de abril.
Hoje é quarta-feira, dia dois de julho.
Hoje é terça-feira, dia dezenove de junho.
Hoje é quinta-feira, dia vinte e três de novembro.
Hoje é sábado, dia primeiro de março.
Hoje é quinta-feira, dia 30 de outubro.
Hoje é sexta-feira, dia quatorze de maio.
Hoje é domingo, dia vinte e cinco de fevereiro.
Hoje é terça-feira, dia vinte e sete de agosto.

C. Esta é sua agenda de trabalho. Responda.

1. Nada.
2. Fui visitar um cliente e estive no dentista, porque meu dente estava doendo.
3. Ontem de manhã.
4. Nada.
5. Hoje à tarde eu vou ter uma reunião geral para avaliação dos objetivos do ano e à noite vou ter aula de Português.

5.5. Verbos ser/estar/ter/ir - Pretérito perfeito do indicativo

A. Complete com ser no Pretérito perfeito.

1. foi 2. fui 3. fomos
4. foram 5. foi

B. Complete com estar no Pretérito perfeito.

1. estive 2. estiveram
3. estiveram 4. esteve
5. estiveram / estivemos

C. Complete com ter no Pretérito perfeito.

1. tivemos 2. teve 3. tive
4. tiveram 5. tiveram

D. Complete com ir no Pretérito perfeito.

1. fomos 2. foram 3. foi
4. fui 5. foi

E. Complete com o Pretérito perfeito de ser - ter - ir - estar

foi / tivemos / fui / estivemos

5.6. Que horas são?

1. São três horas em ponto.
2. São quatro e quarenta e cinco / quinze para as cinco.
3. São quatro e cinqüenta/dez para as cinco.
4. São duas e dez.
5. São seis horas em ponto.
6. São cinco e quinze.
7. São cinco e vinte.
8. São quatro e trinta e cinco / vinte e cinco para as cinco
9. É meio-dia e quinze.
10. São cinco e cinco.

5.7. à 1 hora

2. Vou ao cinema às dezenove e quarenta e cinco / às quinze para as oito
3. Vai ao cinema às duas e quinze da tarde
4. Vão encontrar os amigos às dezenove e trinta / sete e meia da noite
5. Abre o consultório às duas e cinqüenta da tarde / dez para as três da tarde
6. Vai partir às dezessete e trinta e cinco / cinco e trinta e cinco da tarde
7. Vai chegar às onze e trinta da noite / onze e meia da noite / vinte e três e trinta
8. Foi à uma e quarenta e cinco / às quinze para as duas
9. Encontrei José às quatro e quinze da tarde
10. Almoçamos à uma hora.

5.8. Às seis da manhã

A. A que horas você chegou? Às três da manhã.

1. Às cinco da manhã.
2. Às duas da tarde.
3. Às duas da manhã.
4. Às dez da manhã.
5. Às dez e meia da noite.
6. Às cinco e meia da tarde.

B. A que horas ele chegou? Ele chegou às 7 horas.

1. A que horas ele partiu?
2. A que horas ele prefere partir?
3. A que horas a reunião começou?
4. A que horas vocês chegaram?
5. A que horas você prefere partir?
6. A que horas a reunião acabou?
7. A que horas a festa vai começar?
8. A que horas vamos chegar a Viena?
9. A que horas seus amigos chegaram?
10. A que horas eu vou chegar a Londres?

5.9. Das 8 às 10

A que horas é a aula? - É das 8 às 10 da manhã.

1. Trabalha das 8 às 12 da manhã.
2. estudam da uma às 5 da tarde.
3. ficam das 9 da manhã às 6 da tarde.
4. assisti à televisão das 8 às onze da noite.
5. almoça do meio-dia à uma.
6. janta das 7 e meia às 8 e meia.
7. é das 7 às 10.
8. estou livre do meio dia às duas.
9. esperei das 4 às 5 e meia da tarde.

5.10. Roupas femininas/ Roupas masculinas, roupa social, acessórios, na praia

A. Respostas pessoais

B. Palavras cruzadas

vestido / camiseta / tênis / bermuda / cinto / maiô / sandália

5.11. Há - daqui a

Complete.

2. daqui a dez minutos.
3. há uma hora.
4. há três dias.
5. há quinze anos.
6. há muitos anos.
7. há uma semana.
8. daqui a vinte minutos.
9. daqui a seis meses.
10. há quarenta minutos.
11. há um ano.
12. daqui a meia hora.

5.13. Cores

A. Passe para o feminino:

1. Minha irmã é uma professora antiga.
2. Minha cidade é muito grande.
3. A casa da minha vizinha é simples e confortável.
4. Esta revista tem fotografias muito interessantes.
5. Minha dentista é competente.
6. As folhas verdes estão na mesa.
7. Minha mãe é uma mulher calma.
8. Esta novela foi boa.
9. Esta cantora é uma mulher boa e amável.
10. Ela comprou uma blusa cor-de-rosa e uma bolsa cinza.
11. Elas preferem uma casa pequena, num bairro comum.
12. Esta senhora é elegante e conservadora.
13. Minha amiga é muito otimista.
14. A música é triste.
15. A mulher de meu filho é uma mulher difícil.
16. A revista azul está no escritório da doutora.
17. A senhora já falou com a diretora comercial?
18. A entrevista desta escritora francesa é longa, mas interessante.
19. Esta estrada é longa, estreita e escura.
20. A língua alemã não é fácil.

B. Complete.

1. caros
2. pequena / confortável
3. famosas
4. antigo / modernos
5. alemãs / modernas
6. má
7. espanhola / franceses / americanos
8. simples / simples
9. brancas / azul / amarelas / cinza
10. verdes / boas
11. azuis / marrom
12. residencial / tranqüila
13. industrial / japonesa
14. comum / feliz
15. bom / boa / grande
16. longa / interessante / boas
17. antiga / moderna / industrial / bonita
18. frias / quentes
19. difícil / interessante
20. velhas / nova

C. uma viagem longa

1. um / longo
2. um / nervoso
3. uma / jovem
4. um / confortável
5. um / caro

D. este artista espanhol

1. este / feio
2. esta / única
3. esta / brilhante
4. este / antigo
5. este / azedo
6. esta / contrária

Texto narrativo

1. 2. 3. 4. (respostas pessoais)
5. É o encontro das águas do rio Amazonas com as águas do mar.
6. Porque tem muitos rios.
7. O rio São Francisco liga vários estados brasileiros, unindo-os.
8. (resposta pessoal)
9. Guiana Francesa/ Suriname/ Guiana/ Venezuela/ Colômbia/ Peru/ Bolívia/ Paraguai/ Uruguai/ Argentina.
10. (resposta pessoal)

Unidade 6

Meu tipo ideal

A. Descreva o Magro. Estas palavras vão ajudar você.

Sugestão: Ele é alto, magro, estreito, fino, comprido e branco.

B. Descreva estas pessoas.

Sugestão: 1) Ele é cientista, é simpático, inteligente, intelectual, bem-humorado, otimista e risonho
2) Ela é loira e tem um jeito bem-humorado, é ativa e esperta.
3) Ele é operário, é mau humorado, reservado e antiquado.

6.1. Verbos ver/ querer/ poder - Presente simples e pretérito perfeito do indicativo

A. Eu sempre vejo meu amigo no escritório.

1. vê 5. vê
2. vêem 6. vejo
3. vemos 7. vê
4. vêem 8. vejo / vê

B. Eu nunca vi neve.

1. vimos/ vimos 4. viram / vi
2. viu / vi 5. viu
3. vi 6. viu / vi

C. Eu vejo Amélia todos os sábados. Ontem eu vi Amélia.

1. vimos 6. viram
2. viram / viram 7. vai ver
3. vão ver 8. está vendo/ Estou vendo
4. ver 9. vejo
5. ver / ver 10. viu / vi

D. Ele sempre quis conhecer o Japão.

1. quiseram 6. quis
2. quis 7. quisemos
3. quisemos 8. quis
4. quis 9. quis
5. quiseram 10. quis

E. Todos puderam ver o jogo pela televisão.

1. puderam 6. pôde
2. pôde 7. pôde
3. pudemos 8. pude
4. pôde 9. pôde
5. pôde 10. pude

F. Ontem, eu quis ir ao cinema, mas não pude. Meu dinheiro acabou.

1. quisemos / pudemos
2. quiseram / puderam
3. quiseram / puderam
4. quisemos
5. quiseram / puderam

6.2. Pronomes pessoais (I) me/ nos

(nós) Ele não nos viu na rua.
1. nos 2. me 3. me 4. me 5. me
6. me 7. nos 8. me 9. nos 10. nos

6.3. Pronomes pessoais (2) o-a/ os-as

A. Eu vi os rapazes. Eu os vi.

1. as 2. o 3. a 4. as 5. o
6. os 7. os 8. a 9. os

B. (você) Teresa, eu sempre a vejo na biblioteca.

1. o 2. os 3. as
4. o 5. a 6. os

C. Completar.

nos / os

6.4. Pronomes pessoais (3) lo-la/ los-las

1. vê-lo 9. encontrá-los
2. conhecê-la 10. abri-la
3. visitá-los 11. vendê-la
4. comprá-la 12. comê-las
5. atendê-lo 13. comprá-lo
6. prepará-lo 14. esperá-los
7. atravessá-lo 15. conhecê-la
8. aprendê-la

6.5. Pronomes pessoais (4) você(s) - no/na/ nos-nas

1. ajudam-nas 6. compraram-nos
2. viram-nos 7. tomaram-no
3. comeram-nos 8. compraram-nas
4. chamaram-na 9. aprovaram-no
5. abrem-no 10. acompanharam-nas

6.6. Pronomes pessoais (5). Você está doente?

A. Hoje vou ao dentista porque estou com dor de dente.

1. está com febre
2. com dor de garganta
3. estou resfriado
4. com dor de cabeça
5. Estou com dor de estômago
6. porque João ao meu lado está com tosse.
7. estou com enjôo (dor de estômago)
8. está com dor de garganta
9. com dor nas costas
10. está com gripe

B. Simulando.

(respostas pessoais)

6.8. Imperativo irregular: verbos ser/ estar/ ir

A. Seu problema e a solução.

Vá ao dentista!
Faça ginástica!
Fale menos!
Tome uma aspirina!
Ande menos!
Fique em casa!
Compre um xarope!
Tome um chá!
Não saia à noite.

B. Na aula de ginástica.

Abra / feche
Abaixe
Levante
Faça
Abra / feche
dobre
Levante
estique
dobre / estique
faça
dobre
corra
Controle
seja
vá / Esteja

C. (você) Há muitos ladrões na rua. Tenha cuidado!

1. Coma / trabalhe
2. vejam
3. Compremos
4. insista
5. Sejam
6. Vão

6.9. Crase

1. ao / à / à
2. ao / à
3. aos / às
4. ao / aos / às / à / à / à / à / ao
5. à / à / a / à / a / à / a / a

6.10. Não... (nem) ... nem

1. Você nunca compra nem chocolate nem frutas para eles. / Você nunca compra chocolate nem frutas para eles.
2. Eles não gostam nem de carne nem de peixe / Eles não gostam de carne nem de peixe.
3. Ontem não saímos nem com Pedro nem com Teresa. / Ontem não saímos com Pedro nem com Teresa.
4. O ladrão não é nem alto nem moreno. / O ladrão não é alto nem moreno.
5. Eles não querem nem leite nem chocolate / Eles não querem leite nem chocolate.
6. Esta casa não é nem velha nem feia. / Esta casa não é velha nem feia.
7. Esta casa não é nem grande nem antiga. / Esta casa não é grande nem antiga.

8. Eles nunca viajam nem de avião nem de carro. / Eles nunca viajam de avião nem de carro.
9. Meus filhos nunca comem nem doces nem frutas. / Meus filhos nunca comem doces nem frutas.
10. Ontem não assisti nem ao jogo nem ao filme. / Ontem não assisti ao jogo nem ao filme.

6.11. A gravata - Linguagem popular

Ontem eu fui ao consultório do Dr. Fagundes. No seu consultório há sempre muitas pessoas. Ele me disse que eu estou bem. Só minhas costas não estão em ordem. Depois de falar ... eu fui à farmácia... voltei para casa e tomei-o depressa. Que remédio horrível!

Texto narrativo

A. Responda.

1. Para tornar a sede do governo federal mais acessível a todos os brasileiros.
2. Brasília: cidade nova e isolada. Rio de Janeiro: bela cidade, com mar, praia, Pão de Açúcar e Corcovado.
3. Porque o plano-piloto obedeceu a dois eixos que se cruzam: o Eixo Rodoviário e o Eixo Monumental.
4. Palácio da Alvorada: local onde reside e trabalha o Presidente da República; Catedral: parece duas mãos postas em oração; Palácio dos Arcos: sede do Ministério das Relações Exteriores
5. Urbanista Lúcio Costa: .... Arquiteto Oscar Niemeyer: ... Paisagista Burle Marx ...

B. Examine as fotos e identifique o local em que foram tiradas.

4 / 5 / 8 / 7 / 3 / 2 / 1 / 6

Unidade 7

7.1. Verbos fazer/ pôr/ dizer/ dar - Presente simples e pretérito perfeito do indicativo

A. Eu faço café para meus amigos.

1. fazem / faço
2. faço / faz
3. fazemos / fazem
4. fazem / fazem
5. faz / faz
6. faz / faz
7. fazem / faz / faz

B. Eu fiz tudo em meia hora.

1. fiz / fez
2. fiz / fez
3. fez
4. fizemos / fez
5. fez/ fez
6. fizeram / fiz
7. fizeram / fez
8. fez / fez

C. Ela dá presente para os amigos.

1. dá / dá
2. damos / dão
3. dão / dá
4. dou / dá
5. dá / dá
6. dá / dou

D. Ele me deu um beijo.

1. demos
2. deram
3. deu / dei
4. deu
5. deu / dei
6. deu / deu
7. deram / deram

E. Ele põe a carta no Correio.

1. põe / ponho
2. põe / põem
3. pomos / põe
4. põe / põe
5. põe / põe
6. põem / põe

F. Eu pus a mesa para o jantar.

1. pôs / pôs
2. pôs / pôs
3. pus / puseram
4. pusemos
5. puseram / pôs
6. pôs / pôs
7. pôs / puseram

G. Ele sempre diz a verdade.

1. dizemos / diz
2. dizem / dizem
3. diz / dizem
4. diz
5. digo / diz
6. diz / diz

H. Ele disse a verdade.

1. disseram / dissemos
2. disse / disse
3. disse / disseram
4. disse / disse
5. disse / disse
6. disse
7. disse / disse

7.2. Pronomes pessoais me/ nos/ lhe/ lhes

A. Dei um folheto para ele. Dei-lhe um folheto.

1. lhe
2. lhe
3. lhe
4. lhes
5. lhe
6. lhe
7. lhes
8. lhe

B. Complete.

1. nos 2. nos 3. me 4. me 5. me

7.3. o dela/ a dele/ os dele/ as deles

1. Minha / a sua
2. Minhas / a sua
3. Meu / o seu
4. Meus / os seus
5. Meu / o seu

7.4. todo o/ toda a/ todos os/ todas as

1. todos os
2. Todas as
3. tudo
4. todo
5. tudo
6. tudo
7. Toda
8. tudo
9. toda a / todo
10. toda a
11. todo
12. todas as
13. Toda a
14. Toda
15. Todo/ todo o

7.5. Verbo trazer - Presente simples e pretérito perfeito do indicativo

A. Ele traz boas notícias.

1. traz
2. trazem
3. traz / traz
4. traz
5. traz
6. trazem
7. trago
8. trago
9. trazem
10. trazemos / trazem

B. O telegrama trouxe boas notícias.

1. trouxemos
2. trouxe
3. trouxe
4. trouxe
5. trouxe
6. trouxeram
7. trouxeram
8. trouxe
9. trouxeram
10. trouxe

7.6. Levar - trazer

1. levou / trazê-lo
2. levá-la / trazê-la
3. levar / traga

7.7. Expressões

Meus Deus, ela fala pelos cotovelos!
Estou com dor-de-cotovelo. Que raiva!
Mas esse quadro não tem pé nem cabeça!
Ela é meu braço direito.

Verbos - revisão

A. Complete.

1. faço / ponho / digo
2. vê / vejo
3. pudemos / deu
4. estiveram / quiseram / pude / Foi pena!
5. foram / fizeram / trouxeram / deram
6. trago / traz

B. — Você vai dar gorjeta? — Não, eu já dei.

1. fiz/ faço
2. vimos/ vemos
3. pusemos/ pomos
4. disseram

Texto narrativo

A. Complete o quadro com as informações encontradas no texto. Escreva frases completas.

Séculos XVI a XIX

Durante três séculos a aldeia pouco cresceu.

Séculos XIX e XX

Com o trabalho de seus habitantes, brasileiros e imigrantes europeus. São Paulo progrediu. O café foi o grande fator desse progresso.

Hoje em dia.

Hoje em dia São Paulo é o maior centro industrial e financeiro do país e uma das cidades maiores do mundo.

B. Responda.

1. Para alcançar tribos afastadas e catequisar os índios.
2. Por causa do trabalho de seus habitantes, brasileiros e imigrantes europeus, nos cafezais.
3. O imigrante europeu teve participação ativa na produção de café e na instalação da indústria paulista.
4. Com o resultado da riqueza trazida pelo café.
5. Ela possui mil faces, feias e bonitas. Nela vivem e trabalham pessoas de todas as regiões do país e do globo.

Unidade 8

8.2. Imperfeito - Situações

A. Antigamente eu fumava muito.

1. comprava
2. fumava
3. estudávamos
4. escreviam
5. comia
6. recebíamos / respondíamos
7. discutia
8. ia
9. ia
10. era
11. éramos
12. era / tinha
13. punham
14. fazia / punha / lavava
15. éramos / íamos / tinha

B. Ontem o trânsito estava um horror

1. estavam
2. estava
3. estava / era / tinha
4. estava / estavam / havia
5. estávamos / podíamos
6. havia

C. Ela estava dormindo quando ele chegou.

1. estávamos almoçando / tocou
2. estavam vendo / apagou
3. estava pondo / começou
4. entrou / estava conversando
5. estava saindo / roubou
6. estava pensando / apareceu
7. estava lendo / chamou
8. estava chegando / saíram
9. apagou / estava
10. estava / quebrei

D. Enquanto ele estava vendo televisão, ela estava cantando.

1. estava trabalhando / estava dormindo
2. estava lendo / estava vendo
3. estava indo / estava indo
4. estava falando / estava pensando
5. estava trabalhando / economizando / estava perdendo / gastando
6. estava fazendo / estava pondo / estávamos conversando

E. Eu ia protestar, mas não tive chance.

1. ia reclamar
2. ia atravessar
3. ia dizer
4. ia ser
5. ia trazer
6. íamos comprar
7. íamos ir
8. ia pagar

F. Ontem, toda vez que o telefone tocava, eu pensava que era você.

1. telefonava / estava
2. ouvia / pensava
3. olhava / sorria
4. falava / interrompia
5. diminuía / morria

G. Agora escreva novamente o texto.

Ontem eles estavam na sala vendo televisão, quando a luz se apagou. A casa toda ficou às escuras. A empregada, que estava pondo a mesa para o jantar, parou o serviço e foi para a cozinha. O programa que estavam vendo era muito interessante: uma história de Sherlock Holmes. O filme parou quando o detetive estava reunindo provas para mostrá-las à polícia. Naturalmente, eles iriam (iam) perder o final do filme.

H. Conte esta história. Comece assim: "Ontem ...

"Ontem Marina foi ao supermercado com o filho. O menino não parava quieto: subia nas prateleiras, derrubava latas, mexia em tudo, corria pela loja toda. A mãe tentava controlá-lo, mas não conseguia. Ela então perdeu a paciência e colocou o garoto num carrinho e fechou-o com um outro carrinho. O menino ficou preso e triste e a mãe tranqüila.

8.3. Comparativo

A. Complete.

1. mais caro
2. mais longa do que
3. mais velha do que
4. mais tranqüila / menos agitada do que
5. maiores do que
6. tão bom quanto
7. pior do que
8. tão ruim
9. melhores do que
10. mais econômicos que
11. mais quente que
12. tão bom quanto
13. mais longo do que
14. tão longo / menos quente

B. Ele tem tantos amigos quanto eu.

1. tanto
2. tanta
3. tantos
4. tantas
5. tantos
6. tanto quanto
7. tanto quanto

8.4. Expressão andar = estar

Ela anda contente.

Substitua estar por andar.

1. anda calma
2. andávamos preocupados
3. andam contentes
4. anda boa
5. andam interessantes
6. anda bem

8.5. Verbos vir/ saber - Presente simples, pretéritos perfeito e imperfeito do indicativo

Ele sempre vem aqui.

1. venho
2. veio / vem
3. vinha
4. vim / vieram
5. vínhamos / vinham
6. vinha / venho
7. vínhamos / vinham / viemos / veio
8. vem

8.6. Eu sabia que você estava aqui.

1. soube
2. sabíamos / sabemos
3. sabem
4. sabíamos
5. soube
6. sabe
7. sabem
8. sabia / sabe
9. souberam
10. sei

8.7. Diferença entre saber e conhecer

1. sabe
2. sei / conheço / sabem
3. conhecer
4. sabe
5. conheço / sabe
6. conheço / sei
7. sei / conheço
8. conhecemos / sabemos

8.8. Pronomes pessoais mim/ comigo/ conosco

A. (você) Ele gosta de você.

1. nós
2. neles
3. mim
4. mim
5. comigo / mim
6. você
7. conosco / com elas
8. dele / mim

9. conosco
10. mim / comigo
11. mim / mim / nele
12. comigo
13. conosco / nós
14. comigo / mim
15. vocês / vocês / comigo

B. Pronomes - revisão

1. mim / lhe
2. -lo / nos / nós
3. -na
4. lhe / -lo / lhe
5. -la / lhe
6. mim / mim
7. -lo / ele
8. -lo
9. lhe
10. você / mim
11. conosco
12. comigo

Texto narrativo

A. Responda a estas perguntas.

1. Porque seu território é muito grande e porque possui muitas regiões diferentes.
2. Porque estes costumes são da época da escravidão negra neste estado.
3. É a festa de Iemanjá.
4. Resposta pessoal
5. Resposta pessoal
6. Jangadeiro = pescador corajoso, que sai no seu barco a vela, muito frágil, sem saber se vai voltar. Cangaceiro = mistura de bandido e de homem valente e violento que vivia antigamente no sertão do Ceará. Mulher rendeira = faz lindas rendas.
7. Carne seca com farinha.
8. Os gaúchos são os habitantes do Rio Grande do Sul. São gente forte, alegre e orgulhosa, que aprendeu a defender suas terras nas violentas lutas de fronteira.
9. É uma longa capa feita de lã de carneiro. Os gaúchos o usam por causa do inverno rigoroso.
10. O churrasco, carne assada no espeto, e o chimarrão, espécie de chá muito amargo.

B. Escreva o nome de cada um dos Estados brasileiros destacados e de sua capital.

Ceará - Fortaleza
Bahia - Salvador
Rio Grande do Sul - Porto Alegre

Unidade 9

9.1. Verbo sentir - Presente simples, pretéritos perfeito e imperfeito do indicativo

A. Numa festa informal para seus amigos.

Eu visto ...	Eu sirvo ...
Eu os divirto ...	Eu prefiro

B. Num dia duro de inverno.

Eu sirvo ...
Eu sinto ...
Eu visto ...
Eu prefiro ...
Eu me divirto ...

C. Complete no Presente.

1. diverte	11. servem
2. preferem	12. minto / mente
3. serve	13. visto
4. diverte	14. mentem
5. divirto	15. diverte
6. mentem	16. preferimos
7. preferem	17. prefiro
8. sirvo	18. vestem
9. serve	19. sirvo
10. serve	20. divertem

9.2. Verbos pronominais - Vestir-se Presente indicativo

A. Conjugue em todas as pessoas

Levantar-se
Pretérito imperfeito do indicativo
Eu me levantava
Você/Ele/Ela se levantava
Nós nos levantávamos
Vocês/Eles/Elas se levantavam

Sentar-se
Presente do indicativo
Eu me sento
Você/Ele/Ela se senta
Nós nos sentamos
Vocês/Eles/Elas se sentam

Queixar-se
Pretérito perfeito do indicativo
Eu me queixei
Você/Ele/Ela se queixou
Nós nos queixamos
Vocês/Eles/Elas se queixaram

B. Relacione.

Ele se feriu com aquela faca.
Eu me visto no banheiro.
Ninguém se senta no sofá.
Nós nos sentimos bem aqui. Por quê?
Você se levantava às 6 horas.
Eles se divertiram muito na festa.
Ela se olha no espelho.

C. Sublinhe os verbos pronominais do texto e classifique-os (reflexivos ou recíprocos)

se decidiu = reflexivo
Levantou-se = reflexivo
vestiu-se = reflexivo
Cumprimentaram-se = recíproco
despediram-se = recíproco
dirigiu-se = reflexivo

D. Complete as frases com os seguintes verbos, no tempo adequado.

1. nos despedir
2. se cumprimentaram
3. me engano
4. se diverte
5. se viraram
6. dirigi-me
7. vestiram-se
8. nos servimos
9. se sente
10. se divertir
11. se sentindo
12. se decidiu

9.4. Superlativo (1)

Transforme as frases usando o superlativo.

2. Ela mora na casa mais confortável da rua .
3. Esta fábrica vende os aviões mais velozes do mundo.
4. Ontem vimos o filme mais interessante da semana.
5. A sala dele é a mais clara do edifício.
6. Fizemos a viagem mais curta do ano.
7. Ela mora no melhor apartamento do prédio.
8. Fabricamos as maiores máquinas do país.
9. Eles fizeram o pior negócio do mundo.
10. Ela abriu a menor loja do shopping.

9.5. Superlativo (2)

A. Transforme as frases conforme o modelo.

1. muito velho / velhíssimo.
2. é muito alto / é altíssimo.
3. é muito instável / é instabilíssimo
4. é muito barata / é baratíssima
5. é muito difícil / é dificílimo
6. é muito fácil / é facílimo
7. é muito ocupado / é ocupadíssimo
8. muito responsável / responsabilíssimo
9. muito gordo / gordíssimo
10. muito conservado / muito bom / conservadíssimo / ótimo
11. muito ruim / péssimo
12. muito escura / escuríssima
13. muito perto / pertíssimo
14. muito ruins / muito bom / péssimos / ótimo

B. Escolha duas ilustrações e, para cada uma, faça um texto de propaganda, empregando o superlativo.

1. 2. 3. 4. (resposta pessoal)

9.6. Verbos ouvir/pedir - Presente simples, pretéritos perfeito e imperfeito do indicativo

Complete com os verbos nos tempos adequados.

1. ouço / ouve
2. ouvindo
3. fazendo
4. pediu

5. vão pedir
6. fez
7. pede / peço
8. fazia / faço
9. faz / faço / peço
10. fazem
11. peço
12. pedimos
13. ouvíamos / ouvimos
14. ouviu / pediu
15. ouvia / ouço

9.7. Acabar de

Complete com acabar de.

1. acabei de quebrar
2. Acabamos de contratá-
3. acabei de telefonar
4. acabou de sair
5. acabei de receber
6. acabei de vê-
7. acabou de fazer
8. acabei de comprar
9. acabou de sair
10. acabei de limpá-

9.8. Mal seguido de verbo. Sugestões

2. mal pode trabalhar
3. mal pode pensar
4. mal podia escrever
5. mal falei com ela
6. mal posso acreditar
7. mal viu o farol fechado
8. mal posso viver com ele
9. mal o conheço
10. mal o vi

9.9. Precisar = ter de/ ter que

A. Responda a estas perguntas.

2. Eles precisam comprar ...
3. Eu preciso almoçar às ...
4. Ele precisa sair ...
5. Eu preciso falar com ...

B. Retome o exercício A, substituindo precisar por ter de ou ter que.

2. Eles tem que comprar
3. Eu tenho que almoçar às
4. Ele tem de sair ...
5. Eu tenho de falar com ...

C. Complete estas frases.

1. - 10. (respostas pessoais)

Sinais de trânsito

Você está dirigindo seu carro em direção ao banco. ..... Observe a figura e responda a estas perguntas.

1. Na Av. 21 de Abril.
2. Na rua D. Pedro I.
3. Porque é contramão.
4. Rua de mão dupla.
5. Rua de mão única.
6. Porque há homens trabalhando.
7. Pegar a Av. 21 de Abril e virar a primeira à direita, que é a R. Tiradentes e depois à direita, na Av. 7 de Setembro, depois à direita, na R. D. Pedro I, até a Av. XV de Novembro, seguir virar à direita e novamente na primeira à direita, que é a Rua Tiradentes.
8. Porque a R. Marechal Deodoro está em obras.

Sinais de estrada

— Restaurante/Posto de Gasolina/ Borracheiro/Telefone
— Pare sempre fora da pista
— Região sujeita a ventos
— Pista escorregadia
— Ponte estreita
— Depressão na pista
— Não ultrapasse na curva
— Curva perigosa

Texto narrativo (1)

Responda.

1. Era uma indiazinha bem bonita.
2. Porque ela pensava que a Lua era um moço de prata.
3. Porque mesmo chegando ao topo das mais altas montanhas e erguendo os braços, não conseguia alcançar a Lua.
4. Numa bela noite, Naia aproximou-se do grande rio e dentro dele viu a Lua, chamando-a num convite de amor. A jovem lançou-se às aguas do rio-mar, num mergulho ansioso e foi-se afundando, até desaparecer para sempre.
5. Como a Lua se sentiu responsável pelo trágico acidente, achou que a indiazinha merecia ser recompensada e viver para sempre. Num gesto de gratidão, transformou-lhe o corpo numa flor diferente, bela e majestosa: a vitória-régia.
6. Resposta pessoal.

Texto narrativo (2)

Responda.

1. Eles foram em busca da noite.
2. Porque eles ouviram ruídos estranhos vindos de dentro do coco e cheios de curiosidade abriram-no.
3. A filha de Cobra Grande castigou os guerreiros por desobediência, transformando-os todos em macacos.
4. Resposta pessoal

Unidade 10

10.1. algum/alguma/alguns/ algumas/alguém - Pronomes indefinidos (1)

1. algum; algumas
2. Algum/ alguns
3. Algumas/ alguém
4. alguns/ algumas
5. algumas
6. alguma
7. alguém
8. alguém
9. Alguém
10. Alguém/ alguns
11. alguém
12. Alguns/ algumas
13. Alguém
14. alguém
15. algumas/ alguns

10.2. nenhum/nenhuma/ ninguém - Pronomes indefinidos (2)

1. nenhum
2. Nenhum / ninguém
3. ninguém
4. nenhum
5. nenhum / nenhuma
6. ninguém
7. nenhum
8. Nada
9. nada
10. ninguém

10.3. Verbos morar/ vender/ abrir/ ser/ ter - Futuro do presente do indicativo

10.4. Verbos fazer/ trazer/ dizer - Futuro do presente do indicativo

Agora passe os verbos do texto para o Futuro do presente.

Amanhã nosso guia nos mostrará ... Sairemos ... estará ... partirá ... estaremos ... seguirá ... desceremos ... tomaremos ... diremos ... faremos ... parecerá ... estaremos ... Será ... trará ... Estaremos

B. Substitua o Futuro imediato pelo Futuro do presente.

1. trabalharei / descansarei
2. comprarão / venderão
3. partiremos / chegaremos
4. fará / trará
5. dirá / dirá
6. trarão

C. Formule as perguntas. Use o Futuro do presente.

2. A que horas vocês abrirão a loja?
3. Quem vocês ajudarão?
4. O que vocês farão?
5. Vocês irão?
6. Vocês beberão?
7. Quantos presentes vocês trarão ?
8. Vocês dirão a verdade?
9. Onde vocês comprarão o presente?
10. O que vocês pedirão?

10.5. Verbo dormir - Presente simples, pretéritos perfeito e imperfeito, futuro do presente do indicativo

10.6. Verbo subir - Presente simples, pretéritos perfeito e imperfeito, futuro do presente do indicativo

Complete.

1. Durma
2. dormem
3. dormia
4. sobem
5. durmo / dorme
6. subo / sobe
7. subia
8. cobre / cubro
9. foge / fujo
10. consomem / consumo
11. sobem
12. fuja
13. Cubra-se
14. suma / somem
15. fugiram / fogem

10.7. Diminutivo

A. Passe para o diminutivo.

objeto pequeno
1. copinho
2. anelzinho
3. chapeuzinho
4. mãozinha
5. narizinho
6. pracinha

carinho
1. ruazinha
2. casinha
3. programinha
4. cheirinho
5. bonzinho / boazinha
6. chefinho

ênfase
1. baixinho
2. pertinho
3. inteirinho
4. comecinho / finzinho
5. direitinho
6. pouquinho

desprezo
1. filminho
2. mulherzinha
3. revistinha
4. homenzinho
5. chefinho

sem função definida
1. minutinho
2. horinha
3. ciauzinho

B. Classifique os diminutivos.

1. objetos pequenos
2. ênfase
3. carinho
4. desprezo
5. carinho
6. ênfase
7. objeto pequeno
8. carinho
9. desprezo
10. ênfase
11. carinho
12. ênfase

C. Substitua as palavras grifadas por seu diminutivo. Explique sua função.

1. limpinha (ênfase)
2. certinhas (ênfase)
3. bonitinha / bobinha (carinho)
4. baratinhas (ênfase)
5. novinha (ênfase)
6. docinho (ênfase)
7. verdinhas (ênfase)
8. rápidinho / pertinho (ênfase)
9. hotelzinho (desprezo)
10. livrinhos (desprezo)

10.8. Fazer e haver -Verbos impessoais indicando tempo

Substitua o verbo grifado.

1. faz
2. Faz dois meses que...
3. faz
4. Faz dois dias que...
5. Faz quanto tempo que nós ...
6. faz

10.9. Verbo dever - Sentidos de suposição e obrigação

A. Complete com dever. Suposição ou obrigação?

1. devemos (obrigação)
2. deve (suposição)
3. deve (obrigação)
4. deve (obrigação)
5. deve (suposição)

B. Complete as frases. Use dever.

1. deve / cansada
2. devem estar contentes
3. devem estar doentes
4. devem ser antigos
5. devem ser ricos
6. devem estar ricos
7. devem ser estrangeiras
8. devem estar felizes

C. 1. O que uma boa secretária deve fazer?

Deve atender o telefone
organizar o arquivo
redigir cartas
agendar visitas
usar a calculadora
sorrir
usar o computador

C. 2. O que uma cidade deve oferecer para ser uma boa cidade?

1. Deve ter uma boa rede de metrô.
2. Deve oferecer boas escolas para a população.
3. Deve ter um bom serviço de transporte público.
4. Deve ter avenidas largas, agradáveis e limpas
5. Deve ter parques e praças arborizadas.
6. Deve ser segura.

C. 3. O que a gente deve fazer para ser feliz?

A gente deve ter um bom emprego, sair com amigos e deve praticar esportes.

10.10. Números ordinais

B. Escreva por extenso.

1. primeiras
2. terceira / vigésimo sexto
3. centésima
4. quinto / segunda
5. décimo sexto
6. milésima

C. Diga de outra forma.

Meu carro foi roubado.
Calma! Veremos este negócio.
Eu estacionei meu carro agora mesmo, bem perto daquela árvore.
Há menos de dez minutos.
Não tem outro jeito/ outra solução/ outra saída.
Meu carro era bem novo.
Você deve ter-se enganado.
É mesmo? Acho que você está enganado.
Nós precisamos ir à polícia.

Texto narrativo

1. Não, não foi. Durante 300 anos, como colônia de Portugal, o Brasil desenvolveu-se lentamente.
2. Porque com a corte vieram muitos profissionais e a cidade adquiriu novos hábitos.
3. Não havia boas moradias para todos. Houve muitos conflitos entre os brasileiros e os portugueses.
4. Para defender os interesses de Portugal no Brasil.
5. Porque ele vivia no Brasil desde os 9 anos de idade e amava a nova terra como sua segunda pátria.
6. Por volta de 1821, o Brasil já lutava por sua independência.
7. Porque D.Pedro viera a esta província, a fim de acalmar os patriotas que exigiam a independência.
8. Resposta pessoal.
9. O quadro ilustra o momento em que D. Pedro proclamou a independência, às margens do riacho Ipiranga. No centro do quadro, vemos o príncipe regente com a espada na mão, gritando "Independência ou morte". Ao seu redor, os soldados que o acompanham na viagem, imitam seu gesto e repetem o brado de independência.

Unidade 11

11.1. Pronomes indefinidos (3) cada/ vários/ várias/ outro/ outros/ outras/ qualquer

1. Cada
2. Qualquer
3. outra
4. outra
5. outra
6. cada
7. cada
8. outro
9. outro
10. Qualquer
11. várias
12. Qualquer
13. Qualquer
14. vários
15. várias

11.2. Verbo sair - Presente simples, pretéritos perfeito e imperfeito, futuro simples do indicativo

1. saí
2. atrai
3. cair
4. subtraiu
5. saía
6. sairemos
7. saem
8. traí / traiu
9. distraía
10. caiu
11. atraem
12. saio
13. caiu
14. distraio / distraem
15. se distrai / cai

Contexto

A. Complete com números.

450 / 732 / 98% / 100% / 2 / 3 / 6 / 4

B. Complete.

bóias-frias / as contas da farmácia / horta

C. Discuta.

1. 2. (respostas pessoais)

D. Relacione.

2. cana-de-açúcar
3. preso na cadeia
4. bóia-fria
5. zona rural
6. lavoura de café

11.3. Verbos morar/ comprar/ vender/ partir - Mais-que-perfeito do indicativo (forma composta)

11.4. Particípios regulares e irregulares

A. Complete com o mais-que-perfeito.

1. tinha pensado
2. tinha resolvido
3. tinha partido
4. tinha comprado
5. tinham ido
6. tínhamos vendido

B. Complete com o mais-que-perfeito. Depois termine a frase.

1. tinha visto / estava fascinado
2. tinham falado...
3. tinha permitido...
4. tinha vendido...
5. tinham decidido...
6. tinha dito...
7. tínhamos feito...
8. tinha aberto...
9. tinha gasto...
10. tinha ganho...
11. tinha escrito / tinha respondido...
12. tinha vindo...
13. tinha posto ...
14. tinha pago...
15. tinham trabalhado / comido / dormido...

C. Por que ele estava contente?

Respostas pessoais.

11.5. Família de palavras

2. a chegada
3. sair
4. o emprego
5. o trabalho
6. parar
7. a proibição
8. permitir
9. a proposta
10. a pintura
11. a discussão
12. preferir
13. o recebimento/ o recibo
14. a assinatura
15. o vôo
16. aumentar
17. resolver
18. a escolha
19. a reposição
20. a defesa
21. abrir
22. a cobertura
23. perder
24. prejudicar
25. a sugestão

Intervalo

Responda.

1. Porque é boa.
2. De escravos. São Pedro é o homem branco, o patrão.
3. Não, ela está sempre de bom humor.

Texto narrativo

A. Responda.

1. Ela atrai pela beleza e fascínio de sua cor verde.
2. Ela surge em estado bruto, quer dizer, natural, nos garimpos, nas minas da Bahia ou de Minas Gerais. Daí ela vai para a oficina do lapidário para ser lapidada. Depois, um ourives faz a armação, o engaste para a pedra. Finalmente, ela vai para a joalheria para ser vendida.
3. O garimpeiro garimpa, isto é, procura ouro e pedras preciosas nas minas. O lapidário lapida, isto é, corta a pedra para lhe dar brilho. O ourives trabalha com ouro e outros metais preciosos, fabricando jóias. O joalheiro é o comerciante que vende e compra jóias.
4. Porque antes de ser lapidada, é muito difícil saber se a pedra tem ou não valor.
5. Resposta pessoal. Sugestão: Sim, ela me atrai pela sua cor e pelo seu brilho.
6. Fernão Dias foi um bandeirante paulista, muito estimado pelo povo da Vila de São Paulo e pelo rei de Portugal. Esse bandeirante sonhava encontrar minas de esmeralda e por isto foi chamado de "Caçador de Esmeraldas".
7. Não, não foi. Ao morrer, perto do Rio das Velhas, tinha encontrado apenas turmalinas, pedras verdes de pouco valor.

B. Baseando-se na trajetória da esmeralda, descreva a transformação que acontece com o ouro até chegar às vitrinas de uma joalheria.

Resposta pessoal.

Unidade 12

12.1. Modo subjuntivo - Presente - formação regular - Verbos morar/ vender/ abrir/ dizer/ poder/ pedir

1. tenho - tenha
2. moro - more
3. faço - faça
4. vejo - veja
5. peço - peça
6. digo - diga
7. parto - parta
8. ouço - ouça
9. saio - saia
10. durmo - durma
11. subo - suba
12. vendo - venda
13. venho - venha
14. compro - compre
15. leio - leia
16. trago - traga
17. ponho - ponha
18. prefiro - prefira
19. sirvo - sirva
20. desisto - desista

B. Complete com o Presente do subjuntivo.

1. ouçamos
2. traga
3. parta
4. peça
5. morem
6. digamos
7. subamos
8. saia
9. façam
10. ponha
11. tenhamos
12. desistam
13. vendam
14. venhamos
15. venham
16. chova

12.2. Subjuntivo - Emprego (1) com verbos e expressões de desejo, dúvida e sentimento

A. Complete com o Presente do subjuntivo.

1. ande	11. goste
2. vendam	12. possam
3. partam	13. saia
4. façam	14. tenhamos
5. traga	15. acorde
6. tenham	16. entremos
7. possam	17. repitam
8. tragam	18. venham
9. mudem	19. desista
10. diga	20. se lembre

B. Complete com o Presente do subjuntivo.

1. diga	6. encontre
2. entendam	7. esperem
3. saiam	8. ouça
4. venham	9. descubramos
5. faça	10. coma / durma

12.3. Subjuntivo presente - mudanças ortográficas

A. Faça frases.

2. fique em casa
3. comecemos o trabalho
4. pegue o ônibus
5. verifique o óleo
6. cheguemos às duas
7. fiquem contentes
8. dirija devagar
9. aluguem a casa
10. esqueçamos o que aconteceu

B. Faça frases.

2. ele não fale ...
3. ele faça barulho ...
4. ele tenha azar ...
5. ele desista ...
6. chova ...
7. ele durma ...
8. ele ponha ...
9. ele sirva ...
10. ele ganhe ...
11. ele trabalhe ...
12. ele conheça ...
13. ele possa ....
14. ele tenha ...
15. ele goste ...
16. ele tenha ...

C. É o primeiro dia de trabalho de sua nova secretária. Diga o que você quer que ela faça.

1. a 5. Respostas pessoais

D. Você está conversando com um bom amigo seu. Você está lhe contando seus problemas no trabalho.

Respostas pessoais

E. Um grande amigo seu vai mudar-se para outro país a trabalho. Você está triste com essa partida, mas, contente com o progresso profissional de seu amigo. Converse com ele e explique-lhe como você está se sentindo.

Respostas pessoais

Contexto

A. Escolha a alternativa correta.

1. c 2. d

B. Responda.

1. A sogra era viúva; o genro morava no Rio, era funcionário público estadual, casado com uma mineira.
2. A fazendinha, cujas terras estavam abandonadas, era da sogra e ficava no Triângulo Mineiro.
3. O carro, com a sogra dentro, foi roubado. O ladrão...

12.4. Modo indicativo - Mais-que-perfeito (forma simples) - morar/ vender/ abrir

12.5. Formação - Mais-que-perfeito

A. Dê o Mais-que-perfeito, forma simples.

2. cuidara
3. correram / corrêramos
4. perceberam / perceberam
5. insistiram / insistiram
6. desistiram / desistíramos
7. souberam / soubera
8. deram / dera
9. viram / víramos
10. vieram / viera

B. Passe o Mais-que-perfeito forma simples, para a forma composta.

1. tinha jantado
2. tinha aberto
3. tínhamos partido
4. tinha morrido
5. tinha ido
6. tinha se despedido
7. tinha dado
8. tinha telefonado
9. tinha encontrado
10. tinham comido

12.6. Pronomes relativos - I. Pronomes relativos invariáveis: que, quem, onde

2. comprei é cara.
3. que trabalha no posto.
4. lhe escrevi.
5. perdeu era de seu pai.
6. venderam era velho
7. que são importantes.
8. As crianças que vieram aqui fizeram muito barulho.
9. A fazenda que ele herdou é muito grande.
10. Não conheço o rapaz que ela ama.
11. Temos muitos parentes que nem conhecemos.
12. Vimos o filme que você tinha recomendado.
13. Temos um novo vizinho que veio dos E.U.A.
14. Os rapazes que trabalham nesta firma são estrangeiros.
15. Recebemos muitas cartas que vêm do exterior.
16. Eu plantei esta árvore que cresceu depressa.

12.7. Pronome relativo invariável: quem

A. Complete com a preposição + quem.

1. com quem
2. com quem
3. em quem
4. para quem
5. de quem

B. Una as frases empregando o pronome relativo quem.

2. gosto, não gosta de mim.
3. quem ela mora são ricos.
4. A moça para quem ela pediu uma informação estava ocupada.
5. Os amigos para quem sempre escrevemos são atenciosos.
6. João e Maria, a quem desejamos muitas felicidades, casam-se hoje.
7. Nossos tios, a quem enviamos uma carta, chegarão no mês que vem.
8. Nossos companheiros de viagem a quem demos nosso endereço vêm nos visitar nesta Páscoa.
9. Os adversários contra quem sempre jogamos são fortes.
10. A sobrinha para quem deixaram toda a fortuna é mal agradecida.
11. A moça com quem ele se casou é advogada.
12. A sogra para quem ele faz tudo nunca está contente.
13. Pedro com quem meu filho sempre brinca é nosso vizinho.
14. O jornaleiro com quem eu sempre converso é muito engraçado.
15. A telefonista com quem eu falei hoje de manhã estava nervosa.

12.8. Pronome relativo invariável: onde

1. Tenho um problema: o estacionamento onde deixei meu carro está fechado.
2. A firma onde trabalho é muito grande.
3. A rua onde ela mora é estreita e escura.
4. Que chato! O cinema onde perdi minha bolsa fica do outro lado da cidade.

5. Que bom! A cidade onde moramos é calma.
6. O escritório onde trabalho é grande e claro.
7. A fábrica onde o incêndio começou era moderna.
8. O hotel onde nós sempre passamos as férias de julho fica nas montanhas.
9. O livro onde o documento foi achado estava no velho armário da sala.
10. O colégio onde estudei é muito antigo.
11. Ele ainda se lembra do lugar onde conheceu sua esposa.
12. Eu já arrumei a sala onde vai haver uma reunião.
13. Ela pôs no armário as caixas onde eu guardei todas as fotografias.
14. Ele quer abrir um restaurante no bairro onde há muitas lojas finas.
15. A Prefeitura demoliu o prédio onde ele morava.

12.9. II - Pronomes relativos variáveis: o qual, a qual, os quais, as quais, cujo, cuja, cujos, cujas

A. Substitua que, quem, onde, por o qual, a qual, os quais, as quais.

1. pela qual
2. no qual
3. da qual
4. com as quais
5. com o qual
6. no qual
7. nos quais
8. com os quais
9. para o qual
10. dos quais

B. Complete com as formas variáveis do pronome: o qual, as quais ...

1. no qual
2. com o qual
3. dos quais
4. para os quais
5. para as quais
6. pela qual

12.10. Pronomes relativos variáveis: cujo, cuja, cujos, cujas

A. Complete.

1. - 6. Respostas pessoais

B. Una as frases empregando os pronomes relativos cujo, cuja ...

1. O carro cuja placa era de Porto Alegre estava estacionado ali há vários dias.
2. O prédio cujos moradores reclamavam do barulho ficava na rua principal.
3. O aluno cujos livros ficaram na classe saiu mais cedo.
4. Esta sala cujas janelas são grandes é a melhor do edifício.
5. Meu amigo cuja esposa é carioca mudou-se para o Rio de Janeiro.
6. A orquestra cujo maestro ficou doente não se apresentou ontem.

Intervalo

B. Use sua imaginação.

1. - 3. Respostas pessoais.

C. Explique.

1. O próximo trem só partirá no dia seguinte de manhã.
2. Sou responsável pela minha família.

Texto narrativo

Responda

1. Ouro, prata, platina, águas-marinhas, ametista, esmeralda, topázios, turmalinas.
2. Os bandeirantes, com suas expedições, que buscavam ouro e pedras preciosas aumentaram o território brasileiro, fundaram cidades e colonizaram o interior do país.
3. Resposta pessoal.
4. Vila Rica, atual Ouro Preto, é hoje considerada Cidade Monumento Internacional pela UNESCO. Essa cidade, a mais importante das cidades históricas de Minas, é uma jóia do barroco brasileiro. Em 1720, em outra região de Minas Gerais, foram encontrados diamantes e o povoado que aí surgiu chamou-se Diamantina. Tiradentes foi o mártir da Independência e morreu executado em 21 de abril de 1792.
5. As riquezas minerais do Brasil são propriedade ou patrimônio público e para explorá-las o governo outorga licenças às empresas particulares.
6. e 7. Respostas pessoais.

Unidade 13

13.1. Modo subjuntivo - Presente - Formas irregulares: ser/ estar/ haver/ dar/ saber/ ir/querer

13.2. Subjuntivo - Emprego (2)

A. Complete as frases.

1. dê uma explicação
2. ouçam com atenção
3. vá embora
4. saibam a resposta
5. sejamos pacientes
6. esteja aqui bem cedo
7. paguem à vista
8. saiba a verdade
9. haja outra chance como esta
10. tenha bons amigos
11. leia as instruções
12. diga tudo o que sabe

B. Complete as frases.

1. ouça
2. veja
3. saiba
4. venha
5. haja
6. prefira
7. queira
8. vista
9. compreendam
10. ajude
11. fique
12. queiram
13. seja
14. goste
15. façamos

D. Eu estou enganado? Impossível! É impossível que eu esteja enganado.

1. É impossível que eu esteja errada.
2. É melhor que ele saiba a verdade.
3. É provável que você não saiba meu nome.
4. É necessário que eu vá embora agora.
5. Basta que ela queira mesmo trabalhar.
6. Convém que ele peça recibo.
7. É bem possível que haja erros em nosso trabalho.
8. Convém que ela esteja aqui às 10.
9. Basta que que você dê uma olhada em meu trabalho.
10. É melhor que ele leia o regulamento de novo.

E. Você está conversando com um corretor de imóveis. Você está explicando a ele o tipo de casa que você quer comprar. Sugestões.

É bom que seja num bairro residencial.
Basta que tenha um jardim.
Mesmo que não seja perto do escritório, precisa ser perto da escola de meus filhos.
Para que as crianças possam andar de bicicleta, a rua deve ser tranqüila.
A não ser que fique perto do escritório, o acesso deve ser fácil.

F. (ajudar) Eu vou achar alguém que me ajude.

1. seja
2. haja
3. saiba
4. explique
5. estejam
6. queira

G. Complete livremente. Sugestão:

a. queira casar / seja simpática e alegre
b. seja um romance.
c. seja grande, tenha um jardim e não seja cara demais.
d. possa falar inglês e não precise trabalhar no sábado

13.3. Por que é que? Por que?/ O que é que?/ O que?

A. Diga de outra forma.

1. O que você está vendo?
2. Do que você está falando?
3. Por que você está aqui?
4. Onde você trabalha?
5. Quem você viu?
6. O que você fez?
7. Quando aconteceu?

B. Diga de outra forma.

1. Onde é que você mora?
2. Quanto é que você quer ganhar?
3. Para quem é que você trabalha?
4. Por que é que você está brava?
5. Quem é que chegou? Quem foi que...?
6. Quem é que disse isso? Quem foi que...?
7. O que é que você disse? O que foi que...?
8. Quando é que ele vai começar?
9. Até quando é que vou esperar?
10. Quando é que você vem?
11. Quanto é que você deu? Quanto foi que...?
12. Quando é que ela nasceu?Quando foi que...?
13. Onde é que você vai?
14. Onde é que você foi?Onde foi que...?
15. O que é que você pediu? O que foi que...?

Contexto

A. Responda.

1. No Rio.
2. Sim.
3. **Lá** é em São Paulo. **Aqui** é no Rio.

B. Certo ou errado?

1. c 2. c 3. e 4. c 5. e
6. e 7. e 8. e 9. c 10. c

C. Leia o texto novamente e continue a explicação.

Sugestão: O mundo acima das nuvens era lindo. Havia luar, colchões de nuvens. A cidade, porém, estava feia, escura e suja.

D. Explique.

1. noite sem luar
2. com chuva, molhada, com ruas sujas
3. clarão da lua
4. iluminadas pela lua
5. que não parece verdadeira
6. farol vermelho
7. sem estrelas ou lua, céu de chuva
8. viagem de táxi

E. Dê sinônimos.

1. brancas
2. vermelho
3. virar-se
4. realmente
5. dirigindo
6. devagar
7. desci

13.4. Advérbios em: mente - formação

A. Aqui estão alguns adjetivos. Dê os advérbios em -mente.

1. largamente
2. rapidamente
3. corretamente
4. calmamente
5. facilmente
6. brevemente
7. dificilmente

B. Substitua pelos advérbios em -mente.

1. interessadamente
2. atentamente/ atenciosamente
3. fortemente
4. brutalmente
5. economicamente
6. preguiçosamente
7. honestamente
8. pacientemente
9. facilmente
10. delicadamente
11. violentamente
12. cuidadosamente
13. apressadamente

C. Relacione os antônimos.

de propósito
sofisticadamente
espontaneamente
secretamente
totalmente

D. Relacione os sinônimos.

casualmente
prontamente
de propósito
subitamente
manualmente

E. Faça frases. Sugestões:

Anualmente eu tiro férias.
Eu faço relatórios mensalmente.
Ela recebe seu salário quinzenalmente.
Temos uma faxineira semanalmente.
Eu trabalho diariamente.
Vou ao dentista semestralmente.

13.5. Outros advérbios

A. Complete com os advérbios: bem, mal, alto, baixo, muito, pouco, bastante.

1. muito
2. pouco
3. mal
4. bastante
5. mal
6. alto
7. bem
8. baixo
9. pouco / muito

B. Bom ou bem? Mau ou mal?

1. bom / bom / bem
2. boa
3. boa / bem
4. mal / mau

Intervalo

Sugestões:

e para não ficar morrendo de fome, eu tomei um café bem reforçado. Só que, como eu estava muito nervoso, o café me fez mal. Não fiz um bom negócio. Mas isso logo passará, pois, com certeza o ar das montanhas me fará bem. Como o ônibus só partirá à noite aproveitei o tempo livre para fazer algumas compras e depois também fui fazer a barba.
Como eu já tinha feito as malas ontem peguei mais um agasalho para não morrer de frio. Mas veja só que sorte! Fez sol e todos tiveram que ligar o ventilador para não morrer de calor.
A viagem foi ótima. Não precisei nem fazer a cama. Como eu fiz aniversário, meus amigos resolveram me fazer um jantar. Fizeram questão de convidar até o motorista do ônibus que fez um belo discurso.

Texto narrativo

Responda.

1. Porque ele nasce em Salesópolis, na Serra do Mar, cruza todo o estado de São Paulo e deságua no rio Paraná, no limite com o Mato Grosso Sul.
2. Porque não corre para o mar, como a maioria dos rios brasileiros.
3. Do Rio Paraná.
4. Na divisa dos estados de Paraná, Mato Grosso e São Paulo
5. Porque os bandeirantes o usavam para avançar pelo interior do território brasileiro em busca de minas de ouro e de pedras preciosas. Durante muitos anos, o Tietê era a única "estrada" para o interior.
6. Em canoas.
7. Eram escavadas em um único tronco de peroba, que mediam 17 metros de comprimento, por quase 2 metros de largura e podiam transportar até 60 toneladas de carga.
8. Porque seu leito passa a receber uma carga muito maior de detritos domésticos e industriais tais como resíduos de milhares de fábricas e esgotos não tratados.
9. O Tietê atravessa todo o Estado de São Paulo, servindo como via de transporte, de lazer e fonte de geração de energia hidrelétrica.
10. Barra Bonita: cidade turística onde há uma barragem com eclusa, um desnível do leito do rio para permitir a subida ou descida de embarcações.

Unidade 14

14.1. Modo subjuntivo - Imperfeito - formação - Verbos morar/ vender/ abrir/ poder/ dizer/ pedir

1. gostaram / gostasse
2. comeram / comesse
3. dormiram / dormisse
4. fizeram / fizéssemos
5. puseram / puséssemos
6. tiveram / tivéssemos
7. foram / fossem
8. pediram / pedissem
9. disseram / dissessem
10. foram / fosse
11. trouxeram / trouxéssemos
12. viram / víssemos
13. vieram / viesse
14. souberam / soubessem
15. quiseram / quisesse

14.2. Modo subjuntivo - Emprego

A. Complete com o imperfeito do subjuntivo.

1. fumássemos
2. saíssem
3. voltasse
4. puséssemos
5. abrisse
6. ficassem
7. desse
8. escutassem
9. viesse
10. estudassem
11. andasse
12. chegassem
13. tivesse
14. conseguisse
15. fosse

B. Passe o verbo principal para o perfeito do indicativo. Depois faça as modificações necessárias.

1. Ela quis que eu ficasse.
2. Duvidei que você viesse.
3. Fiz questão de que vocês me escutassem.
4. Ele pediu uma bebida que não fosse gelada.
5. Exigimos que ela nos ouvisse.
6. Foi importante... pagasse...
7. Ele desejou que... fosse...
8. Senti... fosse...
9. Foi... viesse...
10. Esperei... compreendesse...
11. Ela sorriu... tivesse...
12. Fizemos... fosse...
13. Duvidamos... soubesse...
14. Ele quis... ajudasse...
15. Ela saiu... víssemos...

C. Passe o verbo principal para o imperfeito do indicativo. Faça, depois, as modificações necessárias.

1. Era... ficasse.
2. Era... esperasse.
3. Queríamos... lesse
4. Não tínhamos... fosse
5. Eu esperava... viesse
6. Era... lesse
7. gostava... gostasse
8. Ele levava... ganhasse
9. Eu explicava... entendesse
10. Não ia... pedissem
11. Eu sempre ia... chegassem
12. A mãe cantava... dormisse
13. Ele precisava... compreendesse
14. Bastava... dissesse
15. Eu não conhecia... quisesse

D. Ontem ela não quis falar comigo. Por quê?

Respostas pessoais.

E. Complete com o verbo no tempo adequado.

1. dissesse
2. ame
3. pudessem
4. possam
5. tenham
6. disséssemos
7. tivesse
8. pudesse
9. espere
10. falasse
11. permita
12. saiba
13. esqueça
14. esquecesse
15. queira

F. Complete as sentenças. Sugestões.

1. de que você fique
2. que você saiba
3. eu dissesse a verdade
4. fossem para o Rio
5. vá embora
6. pudéssemos conversar
7. você esteja em perigo
8. vocês nos ajudassem
9. tudo acabasse bem
10. você peça informações
11. seja um pouco tarde
12. você não possa ficar
13. você saia
14. vocês não digam nada
15. trabalhe bem
16. eles cheguem logo
17. ele não falasse inglês.
18. o problema seja grave.
19. tudo esteja em ordem.
20. tivesse paciência para fazer este trabalho.

A. Responda

1. Era uma vida muito pobre, sem nenhuma segurança. Em São Paulo, não conseguiu nem casa, nem emprego fixo.
2. Sugestão para resposta.
Cícero via a alegria das pessoas no bar e se sentia excluído. Entrando no bar e comendo e bebendo bastante, ele compensaria os momentos de exclusão.
3. Ele comeu frango com molho de pimentão e farofa, tomou chope e, como sobremesa, sorvete.
4. ... arrumou a mesa para um jantar farto, (...) serviu-se à vontade... uma lata inteira.
5. Embora fosse segunda-feira, as proprietárias resolveram ir ao bar no final da tarde. Cícero teve outros casos de azar: uma vez, na Bahia, quase morreu numa enxurrada. Noutra vez, bêbado, dormiu na carroceria de um caminhão basculante cheio de terra e quase morreu soterrado quando foi despejado com a terra, numa obra.
6. 7. Resposta pessoal.

B. Indique no texto, a passagem que diz que

1. residia de favor na casa de amigos
2. arrombou o bar
3. serviu-se à vontade
4. "esqueci da vida. Não lembrei nem que Deus existia"
5. ia revender as mercadorias por uns trocados
6. gritaram por socorro

C. O que é? Como é? Para que serve? Explique cada um dos itens abaixo.

Respostas pessoais.

D. Complete com verbos do texto.

1. mudar
2. resida
3. arrumar/ pôr
4. ligue
5. pegou
6. pularam
7. tirou
8. contar
9. despeje
10. quer dizer

14.3. Expressões com o verbo dar

A. Considerando a lista da página anterior, numere as frases abaixo de acordo com seu sentido.

1 - 7 - 5 - 1 - 2 - 4 - 3 - 6 - 8

B. Eles estavam contentes porque o plano tinha sido um sucesso.

1. ... deu errado
2.... não dá para ficar triste
3. ... só dá para comprar
4. Esta sala dá para a praia
5. ... deu certo
6. ... e se dá bem com ela
7. ... dê bom-dia
8. ... não dá para negócios, ... não deu certo
9. Você acha que dá para comprar o carro? Este dinheiro dá?
10. ... não dá para ficar quieto.

14.4. Modo indicativo - Futuro do pretérito - Verbos morar/ vender/ ser/ abrir/ fazer/ dizer/ trazer

(permitir) Eu permitiria sua entrada, mas agora não dá para abrir a porta.

1. explicaria
2. daria
3. gostaria
4. abriria
5. ficaria

14.5. Ordens e pedidos

A. Observe o quadro acima e faça o mesmo.

1. Você poderia me mostrar seus documentos, por favor?
Será que você poderia me mostrar seus documentos, por favor?
2. Você poderia acabar logo este trabalho, por favor?
Será que você poderia acabar logo este trabalho, por favor?
3. Vocês poderiam me esperar lá fora, por favor?
Será que vocês poderiam me esperar lá fora, por favor?
4. Por favor, você poderia me passar o açúcar?
Por favor, será que você poderia me passar o açúcar?
5. Você poderia me trazer o café e a conta, por favor?
Será que você poderia me trazer o café e a conta, por favor?
6. Você poderia não fazer barulho, por favor?
Será que você poderia não fazer barulho, por favor?
7. Você poderia me dizer que horas são, por favor?
Será que você poderia me dizer que horas são, por favor?
8. O chefe não está. Você poderia passar mais tarde, por favor?
O chefe não está. Será que você poderia passar mais tarde, por favor?
9. Estou com calor. Você poderia abrir a janela, por favor?
Estou com calor. Será que você poderia abrir a janela, por favor?
10. Estamos atrasados. Você poderia andar mais depressa, por favor?
Estamos atrasados. Será que você poderia andar mais depressa, por favor?

B. A partir das ilustrações, dê a ordem e, depois, transforme-a em pedido.

1. Ajude-me! / Você poderia me ajudar, por favor?
2. Mostre-me seus documentos! Será que você poderia mostrar-me seus documentos, por favor?
3. Coma tudo! / Será que você poderia comer tudo, por favor?
4. Deixe-me telefonar! / Será que você poderia me deixar telefonar, por favor?
5. Não mexa! / Você poderia não mexer, por favor?
6. Por favor, dê um passo para a frente! / Por favor, será que o senhor poderia dar um passo para a frente?

14.6. Família de palavras

2. a mentira / mentiroso
3. dificultar / dificuldade
4. a riqueza/ rico
5. empobrecer / pobre
6. entristecer / tristeza
7. enfraquecer / fraco
8. ignorar / ignorante
9. obrigar / obrigação
10. aconselhar / aconselhável
11. o interesse / interessante
12. alegrar / alegria
13. o cansaço / cansado
14. a ausência / ausente
15. a morte / morto
16. viver / a vida
17. habituar-se / habitual
18. corrigir / correto

Texto narrativo

Responda

1. 5 milhões / 100.000 / 270.000 / Porque o governo organizou reservas para proteger o índio e sua cultura
2. 1200 / 170
3. 11% do território brasileiro
4. Há ainda a febre do ouro, além da exploração da madeira, da formação de fazendas extensas para a criação de gado e o desenvolvimento de cidades próximas às reservas.
5. Resposta pessoal.

Unidade 15

15.1. Orações condicionais

A. Complete com os verbos nos tempos adequados.

1. falasse / ouviria
2. estivesse / ajudaria
3. gostaria / conhecesse
4. recebesse / ficaria
5. gastassem / teriam
6. dormisse / trabalharia
7. viajaria / permitissem
8. gostaria / aceitasse
9. ficaríamos / recebêssemos
10. seria / tivesse

B. Faça frases. Comece com se.

2. Se eu tivesse mais dinheiro, compraria um carro novo.
3. Se eu pudesse, jantaria fora todo dia.
4. Se estivesse frio, eu ficaria em casa.
5. Se você estivesse feliz, sorriria mais.
6. Se eu fosse ao médico, sararia da gripe.
7. Se fosse verão, eu iria à praia.
8. Se você quissesse, poderia me ajudar.
9. Se você lesse este romance, gostaria dele.
10. Se eu trabalhasse mais, ficaria rico.

C. Faça frases. Não comece com se.

1. Ele ficaria em casa se estivesse frio.
2. Ele moraria em apartamento se pudesse escolher.
3. Ele sorriria se estivesse contente.
4. Ele gostaria deste livro se pudesse lê-lo.
5. Ele ficaria rico se trabalhasse direito.
6. Ele resolveria os problemas se ouvisse os amigos.
7. Ele ficaria doente se comesse mal e dormisse pouco.

D. Responda. Sugestões

1. Se eu fosse milionário, eu compraria uma mansão.
2. Se eu fosse um grande jogador de futebol, eu construiria um estádio.
3. Se eu ganhasse um grande prêmio na loteria, eu ajudaria os pobres.
4. Se eu pudesse criar e organizar uma cidade, ela seria muito bem planejada.
5. Se eu ficasse sabendo que o mundo iria acabar amanhã, eu faria tudo o que eu tenho vontade de fazer nestas últimas horas.

E. Converse com seu colega. Formule perguntas. Seu colega as responderá.

1. O que você diria se, de repente, seu vizinho reclamasse do barulho?
2. Como você faria para acender o fogo se, de repente, você não tivesse fósforos?
3. Onde você dormiria se os hotéis estivessem fechados?
4. O que você faria se, de repente, o piloto morresse?
5. O que você faria se, de repente, acabasse a gasolina?

15.2. Verbos irregulares - Verbos em -ear - Verbo passear - Presente simples do indicativo e presente do subjuntivo

1. me penteio
2. me penteasse
3. passeie
4. freei / freasse
5. passeávamos
6. receio / bloqueie
7. passeou / receio
8. semeia
9. nos penteemos
10. semearão

15.3. Verbos em -iar - Verbo odiar - Presente simples do indicativo e presente

odeie / copiavam - odeia / odeie / pronunciem / odeia - odiamos

15.4. Verbos em -uir - Verbos

construir e distribuir - Presente simples do indicativo

1. constroem
2. destroem
3. substituem
4. construam
5. poluem / destroem
6. destruiu / construído / reconstruí
7. constrói / distribui

15.5. Verbos seguir/ valer/ caber/ medir/ perder - Modo indicativo - Presente simples

1. meço / mede
2. meça / mediu
3. vale
4. valha
5. valesse
6. caibo
7. caiba
8. caibam
9. perdi
10. perderia
11. perdesse
12. perco
13. perca
14. sigo / segue
15. Siga
16. consigo / consegue / consiga
17. conseguisse
18. conseguido
19. consigamos
20. conseguíssemos

A. Enumere as ações da baratinha

3. A baratinha começou a lambiscar o vinho.
4. Caiu dentro do copo.
5. Ela debateu-se.
6. Ela bebeu mais vinho
7. Ela ficou tonta, debatendo-se mais.
8. Bebeu mais, tonteou mais.
9. Deparou com o carão do gato.
10. Pediu ao gato para salvá-la.
11. Prometeu ao gato que deixaria comê-la.
12. A baratinha escorreu do copo com o líquido.
13. Correu para o buraco mais próximo.
14. Caiu na gargalhada.
15. Riu às gargalhadas do gato.

B. Enumere as ações do gato

2. O gato virou o copo com uma pata.
3. O gato perguntou se ela não iria cumprir sua promessa.

C. Responda.

1. Não, não caiu logo. Primeiro ficou na parte de dentro do copo, lambiscando o vinho.
2. Porque a distância que vai da boca ao cérebro, nas baratas, é pequena. Assim, o álcool logo lhe subiu à cabeça.
3. Não, ela reagiu, debatendo-se bastante.
4. Porque a baratinha era mais esperta do que o gato.
5. Não, não estava muito bêbada porque ainda conseguia raciocinar.

D. Relacione as palavras à direita com a idéia associada a elas à esquerda.

bêbado - álcool
debater-se - luta
deparar - surpresa
engolir - comida
gargalhada - alegria
pata - pé
escorrer - líquido
cérebro - pensamento

E. Relacione os sinônimos.

largar - abandonar
tonto - confuso
lambiscar - comer, beber um pouquinho
implorar - pedir com desespero
deixar - permitir
imbecil - bobo

F. Relacione as expressões.

cumprir uma promessa
sair correndo
cair dentro do buraco
começar a trabalhar
cair na gargalhada
acreditar em alguém

Imperativo (revisão)

A. Diga ao Felipe para ... (Sugestões)

2. Felipe, por favor, não perca a hora senão você chega atrasado.
3. ... ouça o que eu estou dizendo para que você consiga entender a lição.
4. ... sinta-se à vontade, pois essa casa é sua também.
5. ... descubra o que aconteceu, senão você será punido.
6. ... fique em casa, porque está chovendo.
7. ... meça a mesa, senão comprará uma de tamanho errado.
8. ... não odeie matemática, pois você pretende ser engenheiro.
9. ... não minta, senão ninguém acreditará em você.
10. ... repita a informação, pois eu não entendi direito.
11. ... não fuja, senão você será preso.
12. ... não tussa durante o concerto, porque incomoda o público.
13. ... peça mais ingressos para a palestra, pois o assunto é interessante.
14. ... venha mais cedo, senão não dará tempo.

B. Agora, reescreva o bilhete, colocando os verbos no imperativo.

Vou passar o dia fora. Estou lhes lembrando o que vocês têm para hoje. Primeiro, façam suas lições e só depois brinquem com suas amigas. Às onze e meia almocem e à uma hora vão para o colégio. Fiquem atentas e não cheguem atrasadas. Para isto, vistam-se e saiam com antecedência e ponham uma blusa limpa. Sejam comportadas durante as aulas e tenham todos os deveres prontos. Chegando do colégio, caso queiram, vejam televisão.
Até o jantar. Beijos.

C. Você vai viajar. Escreva dois bilhetes. Sugestões:

Vou para uma reunião com o cliente. Por favor, escreva uma carta para a firma ... e solicite prorrogação do prazo de pagamento. Depois, transmita um fax ao nosso distribuidor e informe a alteração de preços. Agende uma reunião com Sr. ...
Estarei fora hoje o dia todo. Por favor, leve o cachorro para passear e não esqueça de trancar o portão. Em seguida, regue o jardim. Depois lave e estenda a roupa. Faça o almoço mais cedo, pois o Felipe tem aula de natação às 3 horas. Não esqueça de colocar uma toalha na mochila dele.

D. Baseando-se no texto "O gato e a barata", ponha as orações abaixo no imperativo.

1. suba / desça / lambisque
2. salve
3. saia
4. seja
5. acredite

15.6. Família de palavras

2. duvidoso / duvidosamente
3. a verdade / verdadeiramente
4. saudável / saudavelmente
5. a timidez / timidamente
6. a felicidade / felizmente
7. a largura / largamente
8. alto / altamente
9. a bobagem / bobamente
10. a inteligência / inteligente
11. ansioso / ansiosamente
12. a economia / economicamente
13. cuidadoso / cuidadosamente
14. perigoso / perigosamente
15. silencioso / silenciosamente

1. sujo / sujar
2. a mentira / mentir
3. a permissão / permitido
4. a proibição
5. a confusão / confuso
6. a vida / vivo
7. a preocupação / preocupar
8. limpo / limpar
9. a promessa / prometido
10. cansado / cansar

Intervalo — A Banda

A. Vocabulário

1. Relacione.

estar desocupado
dizer até logo, adeus
estar sempre quieto
aparecer
desilusão

2. Complete.

a. criançada / grande quantidade de papéis
b. desilusão / desemprego / desocupado

B. Compreensão.

1. Explique.

O que era bom terminou.
E os garotos ficaram animados.
O faroleiro que contava mentiras, parou.
E cada um no seu lugar,
Estava sem fazer nada/ Meu namorado me chamou,

2. Ouça a música novamente e responda.

1. Como estava a cidade antes de a banda passar? Considere a população.
contava dinheiro
contava as estrelas
que vivia calada sorriu
que vivia fechada se abriu
que vivia escondida surgiu
2. Durante a passagem da banda, o que aconteceu?
despediram-se da dor
parou de contar o dinheiro
parou para ver, ouvir e dar passagem
sorriu
se abriu
se assanhou
se esqueceu do cansaço, saiu no terraço e dançou.
surgiu no céu
debruçou na janela
3. Depois que a banda passou e foi embora, o que aconteceu na cidade?
Tudo retomou seu lugar: a dor e a tristeza voltaram.

A felicidade

A. Compreensão. Indique a passagem da música que diz que

1. A felicidade é como a pluma que o vento vai levando pelo ar, voa tão leve, mas tem a vida breve.
2. Precisa que haja vento sem parar
3. A felicidade do pobre parece a grande ilusão do carnaval.
4. A felicidade é como a gota de orvalho numa pétala de flor. Brilha tranqüila depois de leve oscila e cai como uma lágrima de amor.
5. A minha felicidade está sonhando nos olhos da minha namorada. É como esta noite passando, passando em busca da madrugada

B. Segundo a música,

Temos poucos minutos de felicidade, o restante é só tristeza.

Texto narrativo - O Carnaval

1. O entrudo deu origem ao carnaval. Os dois são festas populares de rua.
2. Por causa dos excessos, o entrudo foi proibido em algumas cidades.
3. Cordão do Zé Pereira e os corsos.
4. Trio Elétrico, o frevo e os desfiles das escolas de samba.
5. Porque o samba nasceu nas favelas do Rio, no morro.
6. Resposta pessoal.

Unidade 16

16.1. Modo Subjuntivo - Futuro - Verbos regulares - morar/ vender/ abrir

A. (beber) Eles beberam. Quando você beber.

1. beberam / beber
2. conseguiram / conseguir
3. saíram / sairmos
4. puseram / puserem
5. disseram / disserem
6. foram / formos
7. vieram / vier
8. viram / vir
9. acabaram / acabarmos
10. fizeram / fizerem

B. (poder) Ele vai telefonar quando puder.

1. entrar
2. pudermos
3. estiver
4. for
5. souber
6. chegar
7. vendermos
8. estiverem
9. couber
10. quiser
11. der
12. tivermos
13. quiser
14. fizer / chover
15. fizermos
16. fecharmos
17. estiver
18. vir
19. viermos
20. pedirem
21. puder

C. Complete com o Futuro do subjuntivo.

1. der
2. quiserem
3. chegar
4. estiver
5. estiver
6. disserem
7. pagarem
8. puder
9. mandarem
10. trouxerem

D. Complete as sentenças com expressões deste tipo: "Aconteça o que acontecer ..."

1. Seja / for
2. Doa / doer
3. Haja / houver
4. Dê / der
5. Vá / for
6. faça / fizer
7. esteja / estiver
8. Chova / chover
9. seja / for
10. digam/ disserem
11. custe / custar

E. Complete o texto.

Custe / custar / esteja / estiver / vá / for / aconteça / acontecer

16.2. Colocação do pronome átono

16.3. Observações

A. Coloque o pronome átono e explique.

1. Não lhe telefonei
2. Diga-me
3. Dei-as
4. Nunca se esqueça do que lhe dissemos.
5. Alguém se sentou
6. Quando me chamaram
7. Dar-lhe-ia
8. Tudo lhe daria para que me dissesse
9. Far-lhes-ei
10. Não lhe farei
11. Embora nos conte muita coisa, ele não nos conta
12. Peço-lhe que me ouça.

B. Substitua as palavras indicadas por um pronome e coloque-o corretamente na frase.

1. ajudá-lo
2. destruí-las
3. Vê-lo-emos
4. Levá-la-ei
5. Deixá-los-emos
6. Escrevê-la-emos
7. Não as mandaremos
8. que a recusei
9. Se as levarmos
10. Conte-nos
11. Tudo lhes será
12. Nada lhe posso dizer
13. Queremo-las
14. Vimo-los
15. Escutamo-la
16. beberam-na toda
17. deram-nos
18. trocá-la
19. lê-lo
20. completá-lo

Contexto

1. Não há movimento nas ruas porque as pessoas geralmente comemoram o Natal dentro de casa.
2. Para pegar gelo para seu uísque.
3. O autor pensou que era um amigo seu quem estava buzinando. O lixeiro viera até ali para ver a mulata, mas ela não estava.

B. Escolha a melhor alternativa.

1. d 2. b 3. c

C. Descubra no texto as passagens que afirmam que

1. Há nele uma sombra dolorosa/ ... no fundo da paisagem escura e desarrumada desse ano ....
2. Penso, sem ... mágoa, no ano que passou.
3. ... o motorista retardatário ...
4. ... uma jovem mulata de vermelho sempre a cantarolar ....
5. ... parte com ruído, estremecendo a rua.
6. ... uma clara mancha de sol
7. ... tão carregado que nem se pode fechar.
8. Mas a frustração do lixeiro e a minha

também quebraram o encanto solitário da noite de Natal.
9. ... bebendo gravemente em honra de muitas pessoas.
10. ... a janela permanece fechada
11. Sinto uma grande ternura pelas pessoas .../ Volto à minha paz.

D. Explique.

1. Pelo telefone, mando um abraço aos amigos.
2. É um espaço cheio de folhagens e flores de várias cores.
3. É o habitante do campo.
4. A combinação de cores muito vivas como o verde, o vermelho e o amarelo, bem ao gosto simples dos caipiras, é alegre.
5. São vozes de amigos, são vozes calorosas.
6. Entro dentro de casa. Vou à cozinha.
7. Vou participar de uma alegre ceia de Natal, sem ter sido convidado.

16.4. Prefixo des

1. desembrulhou / embrulhe
2. desamarrou / amarre
3. desfez / faça
4. desapareceu / apareça
5. descobriu / cubra
6. despenteou / penteie
7. desmontou / monte

16.5. Preposições

A. Complete.

1. com / sem / após / sob / para
2. a / de / de / com / desde / sob
3. até / por, conforme / sem / com / para / em / contra / com

B. Complete com uma preposição simples.

1. para
2. desde
3. após
4. durante
5. perante
6. exceto
7. para
8. conforme
9. para
10. sob
11. sem
12. de
13. com
14. com, contra
15. sob, com

Complete com uma das locuções prepositivas dadas.

1. através dos
2. Antes de
3. De acordo com
4. embaixo da / em cima dos / ao lado do
5. antes de
6. em lugar de
7. Apesar da
8. além de
9. por causa de
10. junto a

16.6. Contração das preposições com outras palavras

16.7. Crase

1. à
2. a
3. à
4. a
5. a
6. a pessoas
7. a vocês / a Mônica
8. a/ à
9. à porta
10. às / à

16.8. Crase nas locuções adverbiais

Craseie, se necessário.

1. à noite / a noite
2. à espera / às 8
3. à beira / à sauna
4. Às vezes / as vezes
5. à esquerda / À direita
6. a/ a

16.9. Frutas e árvores

cajueiro / mangueira / pereira / pessegueiro / bananeira / goiabeira / ameixeira / coqueiro / abacateiro / figueira / jabuticabeira

Intervalo

1. Procissão - Certo ou errado?

a) e b) e c) c d) c e) c

B. A Escada. Certo ou errado?

a) c b) c c) c d) e e) c f) c

Texto narrativo

Responda

1. Por causa da devastação da Mata Atlântica.
2. Porque além de vastas terras, as condições de solo e clima, a presença de matas, das quais se extraíam madeiras para as construções e a fornalha, e de cursos d'água eram propícios ao cultivo da cana.
3. A casa-grande que era a residência do senhor de engenho e de sua família; a capela que era o local onde as pessoas se reuniam para as cerimônias religiosas e a senzala que era a habitação dos escravos e a casa do engenho.
4. O senhor de engenho era o proprietário da fazenda; casa-grande era a residência do senhor de engenho e de sua família: a senzala era a habitação dos escravos - uma única peça onde se amontoavam todos eles, sem distinção de idade e de sexo; a casa do engenho, formada pela moenda, pelas fornalhas e pela casa de purgar, era o local de produção do açúcar. A maior parte do trabalho no engenho era feita pelos escravos. Os trabalhadores assalariados eram poucos.
5. Os negros escravos no engenho levavam uma vida dura e difícil - trabalhavam desde o nascer do sol até à noite e dormiam promiscuamente na senzala. A produção do açúcar dependia completamente de seu trabalho.

Unidade 17

17.1. Tempos compostos do indicativo: Perfeito composto/ mais-que-perfeito composto/ futuro do presente composto/ futuro do pretérito composto

17.2. Emprego - Perfeito composto

A. Responda à pergunta. Complete sua resposta livremente.

1. tenho trabalhado muito...
2. tenho ficado em casa...
3. tenho dormido até tarde...
4. tenho descansado...
5. tenho ido ao cinema...
6. não tenho feito nada...
7. tenho gasto muito dinheiro...
8. não tenho vindo aqui...
9. não tenho telefonado...
10. tenho comido fora...

B. Responda à pergunta. Complete sua resposta livremente.

Desde que chegamos, só
1. temos estado doentes
2. temos tido problemas
3. temos falado em vocês
4. temos escrito cartas
5. temos comido e dormido
6. temos ouvido bobagens
7. temos ficado em casa
8. tem chovido
9. tem feito frio
10. não tem feito sol

C. Perfeito simples ou perfeito composto?

1. viemos
2. tem vindo
3. tenho perdido
4. fez
5. tem feito
6. tem tido
7. perdeu
8. telefonei
9. tem feito
10. tenho visto

D. Ela está muito nervosa. Ela tem tido problemas no escritório ultimamente. Sugestões:

tem feito regime
tem gasto muito
tem consultado agências de viagem
tem feito um bom trabalho
não tem tido tempo para nada

E. Fale sobre estes últimos meses. O que você tem feito ultimamente.

Resposta pessoal

Futuro do presente composto (terei falado)

A. Você vai estar livre às 11?

(a reunião - acabar)
Vou. Até lá, a reunião terá acabado.

1. até lá, já o terei lido.
2. terei terminado meu trabalho.
3. já terei falado com os diretores.
4. terei dado a última aula.
5. Até lá, o advogado já terá lido o contrato.

B. Pense em você daqui a 5 anos. O que você terá feito até lá?

Resposta pessoal.

C. Complete.

1. terei conhecido
2. terá recebido
3. terá feito
4. teremos recuperado
5. terão visto
6. terão aprendido
7. terei conseguido
8. terá gasto
9. terão vindo
10. terá chegado
11. terei lido
12. terei posto

Futuro do pretérito composto (teria falado)

A. (achar) Sem você, eu não teria achado o caminho.

1. teria chegado
2. teríamos ficado
3. teria sido
4. teria feito
5. teria conseguido
6. teria aberto
7. teria saído
8. teria convencido
9. teria sarado
10. teria obedecido
11. teriam perdido
12. teria saído
13. teria visto
14. teríamos viajado
15. teria descoberto

B. Responda. **1. Ontem foi domingo e você ficou em casa porque estava chovendo. Mas, com um belo dia de sol, o que você teria feito? (Dê 5 ações)**

Respostas pessoais.

2. Pense na sua família, no seu trabalho, no tipo de vida que você leva. Você está contente com tudo? No passado, o que você teria feito de forma diferente?

Resposta pessoal.

Contexto

A. Diga de outra forma.

1. Não receie sair/ Não tema sair/ Não tenha receio de sair
2. Não tenha medo de surpresas/ Não receie surpresas/ Não tenha receio de surpresas
3. Não desperdice seu tempo/ Poupe seu tempo
4. Não desperdice dinheiro/ Poupe seu dinheiro
5. Faça planos de viagem/ Organize sua viagem
6. Organize/ Prepare sua viagem cuidadosamente

B. Explique.

1. atrações de menor importância
2. voltas desnecessárias
3. deixar de visitar lugares diferentes uns dos outros - uma grande vantagem
4. a estrada não podia ser pior
5. de erro em erro
6. importante principalmente neste país tão grande

17.3. Nenhuma dificuldade = dificuldade alguma

1. Você não teve dificuldade alguma.
2. Ele não convidou amigo algum.
3. Nós não tivemos chance alguma no concurso.
4. Meus parentes não me mandaram notícia alguma.
5. Fiz tudo sem ajuda alguma.
6. Sócio algum teve lucro neste negócio.
7. Hoje não atenderei cliente algum.
8. Jornal algum deu a notícia.
9. Resposta alguma está certa.
10. Plano algum deu certo.

17.4. Deixar

As crianças estão me deixando louca.
Ele está deixando a cidade.
O cão não o deixa entrar.
A ginástica o deixa magro.

17.5. Deixar de

A. Explique o sentido.

1. não perca o filme
2. pare de fumar
3. não permitiu que ninguém entrasse
4. não permite que eu fale
5. telefone-me
6. permita que ele vá embora
7. saiu da sala
8. coloque em cima da mesa
9. Fale com ele
10. Pare de falar

B. É a primeira vez que seu amigo vai fazer uma viagem internacional. Dê-lhe conselhos. Substitua as palavras sublinhadas por formas do verbo deixar e deixar de.

Deixe-me / Não deixe o hotel / deixe / pode deixar você / Não deixe de aproveitar / Deixe de trabalhar

17.6. Tempos compostos do Subjuntivo: perfeito/ mais-que-perfeito/ futuro composto - Verbo morar

17.7. Emprego

A. Quem disse isto?

- Eu não disse. Talvez ele tenha dito.

1. Talvez ele tenha trazido.
2. Talvez ele tenha escrito.
3. Talvez ele tenha levado.
4. Talvez ele tenha pago.
5. Talvez ele tinha visto.

B. - Ele perdeu todos os documentos.

- Não é possível! Não acredito que ele tenha perdido todos os documentos!

1. eles tenham chegado ao aeroporto na hora.
2. ele tenha convidado todo mundo.
3. tenha tido problemas, não desistiu.
4. tenha desistido da idéia.
5. tenha sido bobagem.

C. Eles prepararam a reunião com cuidado, mas a reunião não foi boa.

Embora eles tivessem preparado a reunião com cuidado, ela não foi boa.

Agora, transforme as frases abaixo. Comece o texto assim:

mudou. Embora eu tivesse composto um lindo poema, nada mudou. Embora eu a tivesse levado aos melhores restaurantes, nada mudou. Embora eu tivesse lhe dado presentes caros, nada mudou. Embora eu a tivesse convidado para um cruzeiro no Caribe, nada mudou. Embora eu lhe tivesse mandado flores, nada mudou.

D. Você disse aquilo. Lamentei que você tivesse dito aquilo.

1. você tivesse tido coragem de protestar.
2. tivessem chegado
3. tivesse trabalhado no domingo.
4. tivessem ido
5. tivesse feito o trabalho em três horas.

E. Desenvolva a parte sublinhada da frase, usando o mais-que-perfeito do Subjuntivo.

2. Se a gente tivesse falado com ele, teria resolvido o problema.
3. Se nós não tivéssemos tido autorização, não teríamos entrado.
4. Se eu não tivesse tido sua ajuda, não teria entrado.
5. Se tivesse ido de avião, você já estaria lá.
6. Se tivesse feito sol, a gente teria ido ao clube.

7. Se tivesse chovido, o piquenique teria sido um fracasso.
8. Se nós tivéssemos tido jeito, teríamos conseguido um desconto.
9. Se ele tivesse tomado um bom xarope, ele já teria acabado com esta tosse.
10. Se tivesse dependido de nós, tudo teria sido diferente.

F. Quando eu vou poder sair?

- Só depois que você tiver terminado seu trabalho.

tiverem comprado os móveis.
tiverem tido aumento de salário.
tiverem conseguido uma promoção.
tiverem feito um bom pé de meia.

G. Lida a carta, eu a responderei. Quando eu tiver lido a carta, eu a responderei.

1. lido o livro, ...
2. eu tiver escrito a carta, ...
3. tivermos feito as compras, ...
4. tiver feito as contas, ...
5. tiver acabado a reunião, ...
6. tivermos comprado as passagens, ...
7. tivermos feito os cálculos, ...
8. tivermos posto a mesa, ...
9. tiver atendido o último cliente, ...
10. tiver terminado os exames, ...

H. Relacione e complete as frases com os verbos no tempo adequado.

Logo que
- a loja tiver entregado o fogão.
- o jardineiro tiver plantado a grama.
- os pintores tiverem pintado a casa
- a Companhia de Energia Elétrica tiver ligado a luz.
- a faxineira tiver posto a casa em ordem.

I. Complete as frases com o perfeito, mais-que-perfeito ou futuro composto do subjuntivo.

1. tivesse insistido
2. tiver terminado meu trabalho
3. tivesse recebido o prêmio
4. tivesse conseguido
5. ela tenha conseguido o que quero
6. tenha chegado
7. ela tivesse visto o acidente
8. tiver concluído o curso
9. ela tivesse sido famosa
10. tiver distribuído os livros
11. tiver recebido notícias
12. tenha entendido tudo
13. tivesse perdido aquela chance
14. tivesse feito sucesso no passado

17.8. Família de palavras

3. tradutor
4. pintor
5. inventor
6. escultor
7. administrador
8. diretor
9. cobrador
10. comprador
11. vendedor
12. pagador
13. ganhador
14. perdedor

3. carteiro
4. banqueiro
5. jornaleiro
6. fazendeiro
7. pedreiro
8. sapateiro
9. cozinheiro
10. costureiro
11. hoteleiro
12. porteiro

2. dentista
3. tenista
4. pianista
5. violinista
6. violonista
7. artista
8. massagista
9. motorista
10. sambista

Intervalo — Asa-Branca

1. a terra ardendo /fogueira / braseiro / fornalha / morreu de sede - falta d'água / chuva cair de novo
2. a asa-branca, ave comum do Nordeste, permanece na região mesmo durante longos períodos de seca.
3. Ele acredita que a seca acabará e ele voltará para sua terra.

Garota de Ipanema

1. Trata-se de uma garota muito jovem, muito bonita e graciosa. Queimada de sol, ela passa sozinha, andando devagar, num ritmo agradável.
2. Vinicius de Moraes é um dos mais famosos poetas brasileiros, não só pela qualidade de seus poemas iniciais como pela projeção que conseguiu depois por sua ligação com a Bossa Nova e o samba atual. Durante vários anos foi o centro de um grupo de compositores brasileiros, responsáveis pela criação de sambas lindíssimos.
3. a menina que vem e que passa
b. Num doce balanço a caminho do mar
c. ... estou tão sozinho? / Que também passa sozinha
d. ... ah! se ela soubesse
e. O mundo inteirinho se enche de graça e fica mais lindo.

Texto narrativo

Responda

1. Porque o café iniciou sua marcha produtiva no Rio de Janeiro, estendendo-se em direção a São Paulo pelas fazendas do Vale do Paraíba.
2. Porque à medida que evoluía o processo da abolição da escravatura, a mão-de-obra escrava foi sendo substituída pelo trabalho dos imigrantes.
3. São Paulo era uma cidade provinciana, acanhada. Com o café, ela começou a se transformar, abrindo novas ruas, avenidas e bairros, por onde corria muito dinheiro.
4. Os barões do café eram os grandes fazendeiros brasileiros, do Vale do Paraíba, que acumularam fortunas fabulosas e viviam como verdadeiros nobres abastados, graças aos lucros obtidos com o cultivo do café.
5. Os italianos foram os primeiros imigrantes a chegar e invadiram São Paulo com suas tradições, costumes e língua, introduzindo novos hábitos na vida dos paulistas.
6. As luxuosas mansões dos barões do café cederam lugar a imensos edifícios, muitos deles sedes de bancos.

Unidade 18

18.1. Discurso indireto I. Reprodução posterior

A. Eu estou contente porque terminei este trabalho, disse ele.

Ele disse que estava contente porque tinha terminado aquele trabalho.

1. Ela me explicou que morava num apartamento perto do centro e ia para o escritório a pé.
2. Ele me disse que seu telefone estava quebrado, por isso não tinha podido me telefonar no dia anterior.
3. Ela me avisou que no dia seguinte saíram bem cedo e só voltariam no fim do dia.
4. Ela me advertiu que não queria que eu falasse sobre aquilo com ninguém.
5. Ela me disse que quando tivesse mais dinheiro, compraria uma chácara porque adorava a vida no campo.

B. — Você sabe o endereço dele? perguntou-me ela.

Ela me perguntou se eu sabia o endereço dele.

1. O marido quis saber quanto tinha custado o conserto da máquina.
2. Meu filho perguntou se a gente ia a pé até lá e quando ia chegar lá.
3. Mariana perguntou-nos se nós tínhamos visto seu guarda-chuva.
4. A moça quis saber o que eles fariam naquele momento.
5. Ela me perguntou se eu queria que ela ficasse.

C. — Espere um pouco! disse-me ela.Ela me disse para esperar um pouco. Ela me disse que esperasse um pouco.

1. A mãe disse para o menino tirar o cotovelo da mesa/ disse que tirasse o cotovelo...
2. O dentista falou para a mocinha ficar quieta e não abrir.../ que ficasse quieta e não abrisse...
3. Carolina disse-me para estar... / que estivesse...
4. Virgínia aconselhou-me a ter paciência e não perder.../ que tivesse paciência e não perdesse...
5. João chamou a mulher para ver... / para que visse o que ele tinha feito.

II. Reprodução imediata

A. — Não vamos sair hoje porque está chovendo.

Eles disseram que não vão sair hoje porque está chovendo.

1. O aluno disse que não está entendendo nada.
2. Meu chefe está reclamando que eu fiz tudo errado.
3. Nosso chefe está reclamando que fizemos tudo errado.
4. Ele disse que amanha nós faremos tudo de novo.
8. Ela me pediu que eu tenha paciência e não fique bravo com ela.(para ter... ficar).
5. Ele perguntou se isso vai dar certo.
6. Ele me perguntou se não tenho uma idéia melhor.
7. O zelador avisou que vamos ter problemas amanhã.
9. A secretária disse que ele está preocupado porque até agora ninguém telefonou.
10. O rapaz me explica que não teve tempo para nada, por isso não me escreveu

B. Leia o diálogo e depois passe-o para o discurso indireto.

O capitão Rodrigo, tomando seu terceiro copo, disse que garantia que estava gostando daquele lugar. Ele disse, também, que, quando tinha entrado em Santa Fé, tinha pensado consigo que podia ser que só passasse uma noite lá, mas também podia ser que passasse o resto da vida ...
Um cheiro de lingüiça frita espalhava-se no ar.
Rodrigo sorriu e começou a bater com a mão no balcão, perguntando ao amigo Nicolau se aquela lingüiça vinha ou não vinha.
Do fundo da casa, o vendeiro respondeu para ter paciência, que tivesse paciência.

Leia a história e narre-a em discurso indireto. Comece assim:

Ontem Patrícia disse a Leonardo que gostava muito dele e ele declarou que gostava dela.
Patrícia perguntou se ele achava que poderiam se casar naquele ano e ele respondeu que achava que sim.
Ela perguntou se ele já tinha conversado com seu chefe e se já lhe tinha dito que queria se casar, e por isso precisava de um aumento de salário. Ele respondeu que tinha falado mas, que o chefe nem o tinha ouvido. Patrícia disse que não fazia mal e que iriam achar uma solução. O importante é que eles se amavam. Leonardo disse que tinha certeza que tudo daria certo e pediu que ela o abraçasse/ para ela abraçá-lo.

D. Leia os quadrinhos. Depois, conte a história, usando sempre o discurso indireto, começando assim:

Ontem dona Marina disse ao marido que precisava de dinheiro para ir ao supermercado. Ele se espantou e reclamou que o dinheiro que lhe tinha dado no dia anterior era para um mês. Ela concordou, mas observou que ele não tinha especificado de que ano.
A mãe perguntou à filha grávida e ao genro se o bebê seria homem ou mulher. Ela queria saber o que eles achavam. O genro respondeu que o bebê era quem iria decidir isso quando crescesse.

18.2. Voz passiva.

I. Voz passiva com ser

1. Este programa é ouvido por ele.
2. As chaves são postas na gaveta por nós.
3. Os papéis foram postos no armário por nós
4. Entrevistas eram dadas pelo Presidente às 4as. feiras.
5. O relatório será escrito amanhã.
6. O possível será feito.
7. Nenhuma notícia foi recebida por nós até agora.
8. As horas extras não foram cobradas por mim.
9. O problema não seria entendido por ninguém.
10. Quero que o problema seja entendido por vocês.
11. O criminoso tem sido procurado pela polícia.
12. Os feridos estão sendo atendidos pelos médicos de plantão.
13. Não quero que este assunto seja comentado por vocês.
14. Lamentei que minhas palavras não fossem entendidas por ele.
15. Quando a reunião começou a proposta ainda não tinha sido discutida pelos diretores.

18.3. Verbos abundantes - Particípios com duas formas

acendido	acesas	limpado
limpa	entregues	entregado

II. Voz passiva com os verbos auxiliares: poder/ precisar/ dever/ ter que/ ter de

A. Eu preciso dizer a verdade.
A verdade precisa ser dita.

1. Sinto muito. Nada pôde ser feito.
2. Ele tem de ser bem recebido por vocês.
3. Estas crianças não devem ser enganadas por nós.
4. O trabalho precisa ser feito rapidamente por nós.
5. As árvores devem ser protegidas pelo povo.
6. O escritório tem de ser pintado por nós amanhã.
7. Tomara que o bilhete possa ser lido por ele.
8. A porta deve ser trancada por você.
9. Talvez o acidente pudesse ser explicado por ele.
10. Duvido que o contrato precise ser assinado por você.

B. Complete com o tempo adequado. Use a voz passiva.

1. tinham sido contratados
2. era feito
3. está sendo dada
4. sejam feitos
5. foi feito
6. tem sido visto
7. vai ser vendido
8. teria sido recebido
9. são aumentados
10. foi sacudida
11. tiver sido informado
12. tinha sido avisado
13. estava sendo posta
14. tivesse sido resolvido
15. for dada/ tiver sido dada

18.4. III. Voz passiva com se

1. Aluga-se uma casa na praia.
2. Admitem-se motoristas.
3. Dá-se informação
4. Dão-se informações.
5. Procura-se uma datilógrafa.
6. Alugam-se duas salas.
7. Perdeu-se um cão.
8. Perderam-se todos os documentos.
9. Pede-se silêncio.
10. Fala-se português aqui.
11. Mandam-se cartas pelo Correio.
12. Consertam-se móveis.
13. Atendem-se clientes às 7 horas.
14. Ensinou-se Português.
15. Viu-se tudo aqui.

B. Sublinhe o verbo na frase e classifique-o no quadro ao lado, como se pede.

2. tinham lido - voz ativa - Indicativo - Mais-que-perfeito composto
3. calculara-se - voz passiva - Indicativo - Mais-que-perfeito simples
4. teria desapropriado - voz ativa - Indicativo - Futuro do pretérito composto
5. avistavam-se - voz passiva - Indicativo - Imperfeito
6. plantou-se - voz passiva - Indicativo - Perfeito
7. aceitaram - voz ativa - Indicativo - Perfeito
8. se vestiu - voz ativa - Indicativo - Perfeito
9. necessita-se - voz ativa - Indicativo - Presente
10. observem-se - voz passiva - Imperativo
11. tinham sido desligados - voz passiva - Indicativo - Mais-que-perfeito composto
12. tenha entendido - voz ativa - Subjuntivo perfeito

C. Tomando a palavra televisão como centro de ação, faça uma série de frases, nas vozes ativa e passiva, empregando os seguintes verbos:

comprar, ver, vender, ligar, desligar, consertar, trocar, regular.

Sugestões

televisão
Não se vêem bons programas na televisão.
Vende-se uma televisão de 14 polegadas.
Você ligou a televisão?
Você esqueceu de desligar a televisão?
Nossa velha televisão branco-e-preto foi trocada por uma nova colorida.
A imagem da sua televisão precisa ser regulada.

livro
Pouca gente leu este livro.
Embora longo, este livro foi escrito em poucos meses.
Compram-se livros usados.
Emprestei alguns livros a meu vizinho.
Livros bons são sempre bem vendidos.
O seu livro nunca foi publicado.
Guardavam-se livros no porão.
Perdeu-se uma coleção de livros antigos.
Gosto de dar bons livros de presente.
Não critique livros que você ainda não leu.

a casa
Vamos comprar uma casa maior.
Aquela casa foi alugada por uma família japonesa
Depois que foi vendida, a casa foi demolida.
Preciso pintar minha casa.
Reformam-se casas velhas.
Queremos aumentar o terraço de nossa casa.
Constroem-se casas populares.
Depois de terminada a construção, a casa será decorada.

D. Tudo foi feito por ela. Ela fez tudo.

1. Todos os presentes aceitaram as condições propostas.
2. Eles nos acolheram carinhosamente na festa.
3. Um grupo de especialistas fará o trabalho.
4. O chefe do departamento consideraria a situação.
5. Todos os jornais tinham publicado a notícia.
6. Nós poderemos aceitar todos os candidatos.
7. Ninguém nos viu.
8. Um jornalista traduziu o livro.
9. Qualquer pessoa daqui o orientará.
10. Eles venderam muitos livros ontem.
11. Eles iniciaram a reunião com muito atraso.
12. Nós vendemos estas lojas.
13. Eles encerraram as inscrições ontem a tarde.
14. Depois da festa, eles recolheram todo o material jogado no chão.
15. Naquele dia nós entrevistaríamos os últimos candidatos.

Contexto

A. Certo ou errado?

De acordo com o texto,

1. c 2. e 3. e 4. c 5. c
6. c 7. e

B. Responda.

1. Circuito fechado de TV; identificação e crachá; torres com guardas ao longo do muro; muros eletrificados; patrulhas; cachorros; terceira cerca; grades nas casas.
2. Viam um ou outro condômino agarrado às grades da sua casa, olhando melancolicamente para a rua.
3. Porque eles tentavam fugir.

C. Qual é a diferença?

o guarda - pessoa encarregada de vigiar ou guardar algo
a guarda - vigilância
a segurança - ato ou efeito de segurar, proteção
o segurança - guarda, vigilante
a visita - ato de ir ver alguém por cortesia, dever ou afeição - pessoa que faz a visita
o visitante - a pessoa que faz a visita
o condomínio - co-propriedade (objeto que tem vários proprietários)
o condômino - morador do condomínio
a família -grupo de pessoas unidas por laços de parentesco
os familiares - membros de uma família

D. Passe para a voz passiva com ser. Faça as modificações necessárias.

1. É aconselhável que tudo seja controlado por um circuito fechado de televisão.
2. Se o fio de alta tensão fosse tocado por alguém, este morreria eletrocutado.
3. Haverá sossego só quando forem tomadas pelo condomínio medidas de segurança.
4. Um exame demorado dos crachás deve ser feito pelos guardas.
5. No condomínio, periodicamente, inspeções rigorosas eram feitas pelos guardas.

E. Passe para a voz passiva com se.

1. Construiu-se uma terceira cerca.
2. Pulavam-se os muros e assaltavam-se as casas.
3. Decidiu-se eletrificar os muros.

F. Passe para a voz ativa.

1. Um muro alto cercava toda a área.
2. Fizeram um apelo e reforçaram a guarda.
3. Além do controle das entradas, passaram a fazer um rigoroso controle das saídas.

18.5. Infinitivo pessoal

A. Uso obrigatório.

(ter) É necessário (nós) termos paciência.

1. dizermos 3. ir 5. terem
2. ficarem 4. sermos 6. pormos

B. Uso facultativo.

Para fazer o conserto, cobraram um absurdo.
Para fazerem o conserto, cobraram um absurdo.
1. querer / quererem
2. estar / estarem
3. fazer / fazermos
4. ter / terem
5. ter / terem
6. dar / darmos

C. Ela pediu para ele ficar. Elas pediram para eles ficarem.

1. Elas pediram para nós ficarmos.
2. Eles disseram para vocês telefonarem.
3. Nós pedimos para eles chegarem logo.
4. Elas sempre pedem para nós ajudarmos.
5. É bom vocês irem embora.
6. Os ônibus pararam para os passageiros descerem.
7. Os carros pararam para nós passarmos.
8. Elas choraram por estarem tristes.
9. Vimos o acidente sem podermos ajudar.
10. Antes de fecharem o negócio, conversem conosco.

18.6. Oração infinitiva pessoal = com conjunção + verbo no indicativo ou subjuntivo.

1. Ela explicou de novo, para que ele compreendesse.
2. Eu ri, porque estava alegre.
3. Eu tomei um táxi, porque estava atrasado.
4. Ele insiste, para que eu aceite.
5. Vou trancar as portas, porque estou com medo.
6. Ela mudou de idéia, sem que me consultasse.

18.7. Regência verbal

I. Verbos seguidos de infinitivo (sem preposição)

Faça frases com os verbos seguintes.

Respostas pessoais

II. Verbos seguidos de preposição + infinitivo

Faça frases com os verbos seguintes.

Respostas pessoais

III. Verbos seguidos de preposição + substantivos

Faça frases com os verbos seguintes.

Respostas pessoais

IV. Adjetivos seguidos de preposição + substantivo

Faça frases com os adjetivos seguintes.

Respostas pessoais

V. Adjetivos seguidos de preposição + substantivo

Faça frases com os adjetivos seguintes.

Respostas pessoais

A. Ele nos ajudou a fazer as malas.

1. a	5. em	8. de/a
2. a	6. de	9. de
3. de	7. de	10. de/a
4. de		

B. Tudo depende de você.

1. de / dele	6. com / em
2. nele / dele / com	7. com / sobre
3. por	8. de
4. com / de	9. da / dos
5. a	10. com

C. Ele está apto a trabalhar.

1. por	5. por	9. por
2. a	6. de	10. de
3. em	7. a	11. de
4. em	8. em	

D. Fiquei alegre com a notícia.

1. com	5. à	8. em
2. com	6. para	9. a / a
3. ao	7. a	10. com
4. por		

E. Complete com preposição, se necessário.

a falar/ a trabalhar/ ... arranjar/ por ganhar / ... pensar em/ .... gostava de ficar / com um trabalho / de medo / a ler / a selecionar/ da tarefa / ... compreendê-la.

Intervalo

A. Examine o desenho e escolha o provérbio que se aplica à situação.

De grão em grão a galinha enche o papo.
Quem não tem cão, caça com gato.
A cavalo dado não se olham os dentes.

B. Considere os provérbios acima, um a um. Imagine situações às quais eles se aplicariam.

18.8. Símiles

A. Relacione.

1. seda
2. uma flecha
3. piche
4. uma pedra grande
5. noite sem lua
6. urubu
7. grande cansaço

B. Relacione.

1. Hein? O que foi que você disse? Hein?
2. ver um fantasma
3. quindim
4. depois do dia vem a noite
5. café sem açúcar
6. Olivia, a mulher do Popeye

C. Complete as frases com símiles.

1. dormiu como uma pedra.
2. está magra como um palito.
3. escura como breu.
4. rápido como um raio.
5. surdo como uma porta.
6. tremia como vara verde.
7. está pesada como chumbo.
8. feio como o diabo.
9. certo como dois e dois são quatro.
10. pretas como carvão.

D. Faça frases, usando os símiles dados.

Respostas pessoais.

Texto narrativo

Responda

1. A possibilidade de se tornarem pequenos proprietários.
2. Eram italianos e alemães. Os italianos dedicaram-se à cultura da uva e produção do vinho e os alemães, a pequenas indústrias e à lavoura.
3. Os alemães. Estes fundaram aí cidades importantes, como Blumenau e Joinville, e estabeleceram grandes centros comerciais e industriais.
4. É uma região de sítios e chácaras dedicadas à horticultura, situadas nos arredores de São Paulo e responsáveis pelo abastecimento da população da Grande São Paulo.
5. Para o Paraná imigraram eslavos, principalmente poloneses, ucranianos e russos.
6. Os imigrantes registrados como turcos eram, na realidade, sírio-libaneses. A sua chegada, eram registrados como turcos porque a Síria e o Líbano, naquela ocasião, estavam sob domínio da Turquia.
7. Os portugueses vieram para o Brasil desde o início de nossa história. Eles constituem o grupo de imigrantes mais numeroso no Brasil.

Resposta pessoal.

RESPOSTAS DO LIVRO DE EXERCÍCIOS

Respostas dos exercícios do livro de exercícios Falar... Ler... Escrever... Português

Unidade 1

OUVIR E FALAR

I. Ouça os textos: Uma entrevista e Reportagem da jornalista.

COMPREENSÃO DO TEXTO

Ouça o texto novamente para preencher as lacunas com palavras ouvidas na Reportagem da jornalista.

1) trabalha/ é
2) no centro
3) Prefeitura
4) importante
5) jornalista

II. Gramática

A. Modifique, de acordo com o modelo.

1) Eles moram nas casas antigas.
2) Ela mora na rua antiga.
3) Ela trabalha na revista nova.
4) Ele trabalha no projeto importante.
5) Eles trabalham nos projetos novos.

B. Responda, de acordo com o modelo.

1) Eles são do Brasil.
2) Ela é da França.
3) Nós somos da Itália.
4) Eu sou dos Estados Unidos.
5) Elas são da Alemanha.

C. Responda, de acordo com o modelo.

1) Eles trabalham em São Paulo, no Brasil.
2) Ela trabalha em Paris, na França.
3) Nós trabalhamos em Roma, na Itália.
4) Eu trabalho em Washington, nos Estados Unidos.
5) Elas trabalham em Berlim, na Alemanha.

D. Ouça as perguntas e escolha a alternativa correta.

1) c; 2) b; 3) a

III. Frases do cotidiano

A. Ouça as frases e dê respostas.

1) Ele se chama Marcos Ferraz .
2) Eu me chamo...
3) Ele é de Curitiba.
4) Eu sou de...
5) Ele trabalha na firma "Morar bem".
6) Eu trabalho ...

B. Ouça as respostas e faça as perguntas, como no modelo.

1) Como vai?
2) De onde você é?
3) Os documentos estão em ordem?

IV. Automatização de verbos

Ouça as frases e faça como no modelo.

1) Ele é engenheiro.
Você é engenheiro.
Nós somos engenheiros.
Ela é engenheira.
2) Vocês estão aqui .
Eles estão aqui.
Elas estão aqui.
Nós estamos aqui.
3) Eu estou em Campinas.
Você está em Campinas.
Ela está em Campinas.
Ele está em Campinas.
4) Ele trabalha muito
Você trabalha muito.
Eu trabalho muito.
Ela trabalha muito.
5) Eles trabalham na Prefeitura.
Vocês trabalham na Prefeitura.
Nós trabalhamos na Prefeitura.
Ele trabalha na Prefeitura.

LER E ESCREVER

I. Leia o texto: Idéias para dar...

COMPREENSÃO DO TEXTO

A. Escolha a alternativa correta.

1) c; 2) b

B. Complete as orações.

das - das - nas - Onde - Onde - em - na - de - na - gosto de - dos - com

II. Gramática

A. Complete.

no; nas; nos; no; na; em; no; em; em; na.

B. Faça frases. Sugestões.

Eu trabalho na Prefeitura.
Ela mora no centro.
Nós somos de Paris.
Vocês são do Canadá.
Eles trabalham em Buenos Aires.
Elas são dos Estados Unidos.

III. Expressão escrita

A. Primeira entrevista: A médica.

1. Leia a ficha e responda às questões.

1) Eu me chamo Margarida Nabuco.
2) Sou brasileira.
3) Sou de Belo Horizonte.
4) Moro na Praça da Liberdade, no centro da cidade.
5) Porque sou médica.

2) Escreva um texto sobre Margarida Nabuco.

Margarida Nabuco é brasileira. Ela é médica e trabalha no hospital. Ela é de Belo Horizonte e mora na Praça da Liberdade, no centro da cidade.

B. Segunda entrevista: A secretária.
1) Faça as perguntas para as respostas dadas.
1) Como se chama a secretária?
2) Onde ela trabalha?
3) Qual o nome da firma?
4) Onde fica a firma?
5) Onde Ester Araújo mora?
2) Escreva um texto sobre Ester Araújo.
A firma de importação "Bebidas e produtos estrangeiros" fica em Curitiba. Ester Araújo é secretária e trabalha na firma. Ela mora na rua Joaquim Alves, 300, apto. 2

Unidade 2

OUVIR E FALAR

I. Ouça o texto: Santos, uma cidade grande.

COMPREENSÃO DO TEXTO

A. Ouça o texto novamente e preencha as lacunas.
1) correm - dia
2) tem - importante
3) calma
4) porto
5) agitada
6) come - perto do
7) almoçar
8) têm - a pé - estudantes
9) praticam - aprendem
10) encontram - conversar - resolver

B. Ouça o texto e escolha a alternativa correta.
1) a; 2) c; 3) a; 4) b; 5) c.

II. Gramática

A. Modifique de acordo com o modelo.
1) Agora as crianças estão praticando esportes.

2) Agora os filhos estão estudando em casa.
3) Agora Maria Clara está pegando o ônibus.
4) Agora ele está comendo no restaurante.
5) Agora Paulo está tomando um táxi.
6) Agora Paulo está atendendo os clientes.
7) Agora a família está conversando no jantar.
8) Agora eles estão falando com os clientes.
9) Agora os alunos estão aprendendo línguas.
10) Agora eu estou escrevendo uma carta.

B. Modifique de acordo como o modelo.

1) Ela vai de carro para o trabalho.
2) Eles vão de bicicleta para a escola.
3) Ela vai de metrô ao escritório.
4) Eles vão a pé para a escola.

III. Frases do cotidiano

IV. Automatização de verbos

Ouça as frases e faça como no modelo.

1) Eu compreendo o filme.
Nós compreendemos o filme.
Eles compreendem o filme.
Ele compreende o filme.
2) Nós não vamos à cidade a pé.
Ele não vai à cidade a pé.
Eu não vou à cidade a pé.
Eles não vão à cidade a pé.
3) Eles atendem os clientes no escritório.
Ele atende os clientes no escritório.
Vocês atendem os clientes no escritório.
Nós atendemos os clientes no escritório.
4) O senhor está falando com o diretor.
Eu estou falando com o diretor.
Nós estamos falando com o diretor.
Vocês estão falando com o diretor.
5) Vocês estão aprendendo português.
Nós estamos aprendendo português.
Eu estou aprendendo português.
A senhora está aprendendo português.

LER E ESCREVER

I. Leia o texto: Praia bonita.

COMPREENSÃO DO TEXTO

Responda.

1) Santos é uma cidade praiana (de praia) e fica a 72 km de São Paulo.
Os quiosques têm luz elétrica e água encanada. Eles ficam à beira-mar. Eles vendem peixe, refrigerantes, sorvete, cerveja, etc.
2) Ela não está gastando nada. Uma firma de construção da cidade está fazendo os quiosques (o investimento).
3) Ela vende os quiosques e tem prioridade do espaço para a publicidade durante 5 (cinco) anos.
4) Elas não existem mais.

II. Gramática

A. Complete com meu(s), minha(s), nosso(s), nossa(s).

1) meu - minha - minha - meus
2) meu - minha
3) meu - minha
4) nossos - nosso

B. Passe para a 1ª pessoa do plural.

1) Temos paciência com nossos funcionários.
2) Não gostamos do nosso vizinho.
3) Não compreendemos nossa filha.
4) Estamos vendendo nosso apartamento da praia. Gostamos mais da nossa casa da montanha.

C. Complete com **este(a)**, **aquele(a)**, **neste(a)**, **naquele(a)**, **daquele(a)**, **aqui**, **ali**, como no modelo.

1) neste - ali
2) Este - aquele
3) daquele - naquela

III. Expressão escrita

A. "Aqui está meu cartão de visita".

Eu me chamo Armando Benedito Vaz.
Eu sou ecologista e trabalho na Sociedade Brasileira Protetora das Praias do Litoral Sul. Eu tenho um escritório.
Meu escritório(ele) fica na rua Marechal Fonseca, 15, no centro da cidade de Cabo Frio.
Eu moro na rua das Rosas, 80, no bairro da Luz, em Cabo Frio.

B. Você já leu sobre uma cidade grande. Escreva agora sobre sua cidade e seus habitantes. O vocabulário abaixo vai ajudar você. Sugestão:

1) A vida na minha cidade é agitada.
2) A minha cidade tem lojas.
3) Os habitantes são muitos.
4) Eles gostam de cinemas e teatros.
5) Na minha cidade há videotecas.

Unidade 3

OUVIR E FALAR

I. Ouça o texto: Cena familiar.

COMPREENSÃO DO TEXTO

A. Ouça o texto novamente e preencha as lacunas.

1) jogar
2) ainda
3) de
4) cuidado
5) está
6) sorvete - ainda
7) tarde - ter
8) esperando - preparando
9) só
10) comida

B. Ouça o texto e escolha a alternativa correta.

1) b; 2) a; 3) c.; 4) a; 5) a; 6) c

II. Gramática

A. Ouça as frases. Diga de outra forma. Use o verbo **ser**, como no modelo.

1) Ele é rico.
2) Ele é pobre.
3) Ele é jogador de futebol.
4) Você é cozinheiro.
5) Nós somos médicos.

B. Veja as figuras e diga o que eles estão fazendo. Por quê? Ouça a resposta na gravação.

1) Elas estão comendo porque estão com fome.
2) Eles estão tomando água (ou refrigerante) porque estão com sede.
3) Ele está dormindo porque está com sono.
4) Ele está correndo porque está com pressa.

C. Ouça as frases. Diga de outra forma. Use o verbo **estar**, como no modelo.

1) Eles sempre estão em casa.
2) O advogado está sempre no escritório.
3) Eu sempre estou em casa.
4) Nós nunca estamos aqui.

III. Frases do cotidiano

Ouça as respostas. Faça as perguntas, como no modelo.

1) Onde há uma mesa livre?
2) O que você vai comer?
3) O que você vai tomar?
4) Como vamos ao restaurante?
5) O que você acha do cardápio?

IV. Automatização de verbos

A. Ouça as frases e faça como no modelo.

1) No mês que vem, ele vai conhecer a China.
2) No ano que vem, você vai ser o diretor.
3) No domingo que vem, nós vamos almoçar no restaurante.
4) Amanhã, eles vão visitar a fábrica de Belém.
5) Na semana que vem, ela vai viajar para os Estados Unidos.

B. Ouça as frases e faça como no modelo.

1) Depois eles vão almoçar.
2) Depois ela vai ler a revista.
3) Depois nós vamos sair.
4) No mês que vem, eles vão morar em uma casa.
5) Mais tarde, vou falar com o presidente.

LER E ESCREVER

I. Leia o texto: Restaurante "Sabor..."

COMPREENSÃO DO TEXTO

A. Responda.

1) a. português, simples e bom
   b. pequena, mas acolhedora
   c. marido e mulher
   d. atenciosos
   e. portuguesa
   f. de 2a. a 6a. feira -
   almoço: das 11h30 às 14h30
   jantar: das 18h30 às 23h30
   não abre aos sábados e domingos
2) a. o restaurante fica longe do centro
   b. japoneses, chineses, italianos, franceses e até um alemão. Restaurantes simples e muito bons.

II. Gramática

A. Há no texto muitas palavras no singular e no plura.

1) Dê o singular:

o bar   japonês   italiano   o garçon
o freguês   o pastel

2) Dê o plural.

Os professores alemães
As refeições completas
As cidades industriais
Os fregueses bons
As mulheres felizes
Os hotéis simples
Os irmãos atenciosos

B. Numere as perguntas à direita, de acordo com as respostas à esquerda.

(1) Quem são meus amigos?
(2) O que seus pais fazem?
(3) Quanto tempo vão ficar nos Estados Unidos?
(4) O que eles vão fazer nos Estados Unidos?
(5) Quando eles vão voltar para o Brasil?
(6) Como eles vão viajar?
(7) Quantos amigos americanos eles têm?
(8) Quais são seus projetos para o futuro?

C. Complete com o verbo poder.

1) pode   4) pode - posso
2) posso   5) posso - pode
3) podem   6) posso - pode

III. Expressão escrita

A. Responda.

1) Geralmente ficam longe do centro.
2) Porque os funcionários das fábricas e empresas não voltam para casa para almoçar. Eles almoçam perto do lugar onde trabalham.
3) Porque os funcionários não trabalham aos sábados.

B. Leia os anúncios abaixo. Escolha um deles e escreva um pequeno texto sobre ele. Sugestões de respostas

Pousada dos Três irmãos
A Pousada dos Três irmãos é um hotel que fica a 280 km de Curitiba, capital do Estado do Paraná.
A região é tranqüila e tem clima de montanha.
O hotel tem restaurante para os hóspedes e lojas.
Ele tem 35 quartos com banheiro e oferece o café da manhã.
A comida do restaurante é do tipo caseiro.
Pães caseiros, comida alemã e doces caseiros são especialidades do restaurante.
Hotel "Vida Mansa"
O hotel "Vida Mansa" fica a 100 km de Vila Nova, no Estado de São Paulo.
O hotel tem um restaurante especializado em frutos do mar.
Ele tem 42 quartos com banheiro e oferece o café da manhã bem completo.
O hotel oferece como lazer passeios de barco pelas praias vizinhas.
O hóspede pode pagar com cartão de crédito.

IV. Aprendendo palavras novas

A. Relacione.

10, 4, 2, 7, 6, 1, 5, 9, 8, 3

B. Separe por categorias

Voam: coruja, tucano, arara, abelha, pato, pombo, galo, galinha.
Perigosos: onça, elefante, leão, rato.
Alimentos: veado, vaca, javali, cabrito, ovelha, tatu, galo, galinha, pato, pombo, tartaruga, coelho.

Unidade 4

OUVIR E FALAR

I. Ouça o texto: Notícia de jornal.

COMPREENSÃO DO TEXTO

A. Ouça o texto novamente e preencha as lacunas.

1) notícia
2) bateu - contra
3) perto do
4) seis - elevador
5) assustados - barulho
6) escadas - correram
7) manhã
8) ainda
9) quer - pode
10) difícil
11) exame - completo
12) dormindo - direção

B. Ouça o texto e responda.

1) O acidente
Rua São Joaquim.
Liberdade.
Perto de um ponto de ônibus.
ontem.
às 7 horas da manhã.
Um táxi bateu contra um prédio.
2) O prédio
Não, é antigo.
Não, tem apenas seis andares.
Não, não é. Não tem elevador.
3) Os moradores do prédio.
Ficaram assustados.
Desceram as escadas e correram para ver o acidente.
4) A rua do prédio
Tranqüila.
Há uma padaria, uma farmácia e um banco.
5) O motorista
No hospital
Porque precisa fazer um exame médico completo e precisa de repouso.

II. Gramática

A. Ouça as frases e escreva os números nos desenhos correspondentes.

1) Os meninos estão jogando bola perto da calçada.
2) As moças e os rapazes estão embaixo do guarda-sol.
3) O morro do Corcovado fica longe da praia.
4) O banhista está sentado em frente do mar. Há uma bola ao lado dele.
5) Dentro da sacola há garrafas de água e de cerveja.
6) Fora da sacola, em cima da areia, há uma toalha de banho.
7) No mar há homens, mulheres e crianças. Os surfistas ficam sobre as ondas.
8) Atrás do banhista há uma bola.

(8, 7, 1, 4, 3, 2, 5, 6)

B. **Precisar** e **precisar de**. Ouça as frases e faça como no modelo.

1) Ele precisa dormir.
2) Precisamos comer.
3) Precisamos beber água.
4) Eles precisam ir ao banco.
5) Eles precisam fazer exercícios.
6) Ela precisa de dinheiro.
7) Eu preciso de um carro.
8) Eles precisam de uma casa grande.
9) Preciso de um médico.
10) Preciso de um professor.

III. Frases do cotidiano

A. Ouça as expressões:

Agora, ouça as frases e aplique uma dessas expressões nas respostas, como no modelo.

1) - Puxa, que pena!
2) - Valeu a pena?
3) - Puxa, que bom!

Vocês vão fazer um negócio da China!
4) - Porque é mais prático.
5) - Puxa, que absurdo!

IV. Automatização de verbos

A. Ouça as frases e responda, como no modelo.

1) Comprou.
2) Desceram.
3) Bateu.
4) Corri.
5) Morei.
6) Trabalhei.
7) Estudamos.
8) Recebemos.
9) Quero.
10) Prefiro.
11) Estamos.
12) Preferimos.
13) Quero.
14) Queremos.
15) Leio.
16) Li.
17) Lêem.
18) Lemos.
19) Leu.
20) Leio.
21) Vai.

LER E ESCREVER

I. Leia o texto: Bar irresponsável

COMPREENSÃO DO TEXTO

A. Certo (C) ou Errado (E)

1) E; 2) C; 3) C; 4) C; 5) E; 6) E; 7)E.

II. Gramática

A. Passe as frases abaixo para as pessoas indicadas.

1) Na saída, ele recebeu seu carro com a porta amassada. (o carro dele)
2) Foi o jantar mais caro da vida deles. (de suas vidas)
3) O acidente aconteceu durante a ausência dele. (sua ausência)
4) Achamos que a responsabilidade é nossa.
5) Na saída do restaurante, esperamos nosso carro na porta.

B. Leia o texto. Passe o texto para a 1ª pessoa do plural e depois para a 3ª pessoa do plural.

Quando chegamos a São Paulo, procuramos um apartamento para alugar. Nos primeiros dias compramos muitos jornais e anotamos os endereços mais interessantes.
Mas, quando visitamos os apartamentos, percebemos logo a dificuldade de achar um bom lugar.
Nosso apartamento precisa ser pequeno mas funcional, moderno e confortável, novo e barato. Nosso apartamento precisa ter uma sala grande com janelas grandes, um quarto com armários embutidos e banheiro, lavabo social, cozinha e área de serviço bem claras. E naturalmente uma garagem. Não podemos deixar nosso carro na rua.
Quando chegaram a São Paulo, procuraram um apartamento para alugar. Nos primeiros dias compraram muitos jornais e anotaram os endereços mais interessantes.
Mas, quando visitaram os apartamentos, perceberam logo a dificuldade de achar um bom lugar.
O apartamento deles precisa ser pequeno mas funcional, moderno e confortável, novo e barato. O apartamento deles precisa ter uma sala grande com janelas grandes, um quarto com armários embutidos e banheiro, lavabo social, cozinha e área de serviço bem claras. E, naturalmente, uma garagem. Eles não podem deixar seu carro (o carro deles) na rua.

III. Expressão escrita

Vão abrir um restaurante na esquina de sua casa. Você escreve ...Sugestão de resposta: Abertura de restaurante.

Moro em um bairro residencial, onde as ruas são tranqüilas. Nesse bairro não há prédios altos e as casas têm jardim.
Aqui não é zona comercial. Por isso não é possível haver bares, restaurantes ou lojas. Mas, estou vendo que vão abrir um restaurante na esquina da minha casa. Como isso é possível? A Prefeitura não está vendo?

IV. Aprendendo palavras novas

A. Relacione os sinônimos.
3, 1, 7, 4, 9, 2, 6, 10, 8, 5
B. Relacione as duas colunas.
6, 1, 5, 8, 4, 2, 3, 7
C. Relacione.
3, 1, 4, 6, 2, 5
D. Relacione o local com sua definição.
3, 1, 2, 5, 4, 6

Unidade 5

OUVIR E FALAR

I. Ouça o texto: Errar é humano.

COMPREENSÃO DO TEXTO

A. Ouça o texto novamente e preencha as lacunas.
1) de onde
2) Aqui - Supermercado
3) Gostaria
4) desligue - passar
5) assunto
6) erro
7) agora mesmo
8) total - errado
9) tivemos
10) emitiu
11) 873 - 21
12) a
13) diferença

B. Assinale Certo (C) ou Errado (E), de acordo com o texto.

1) (C); 2) (E); 3) (C); 4) (E); 5) (C); 6) (C); 7) (C); 8) (E); 9) (C); 10) (C)

II. Gramática

A. Ouça o texto Feriado de Páscoa.

1) Preencha o quadro abaixo, de acordo com o modelo.

Operação volta
Rodovias
Anchieta/Imigrantes
Dutra e Fernão Dias
Castelo Branco / Ayrton Senna / Raposo Tavares
Horário de maior movimento nas estradas
das 10 da manhã às 10 da noite
das 1 da tarde às 10 da noite
das 2 da tarde às 8 da noite

2) Agora responda às questões.

a. Antes das 10 da manhã e depois das 10 da noite .
b. Porque o grande movimento começa à uma hora da tarde.
c. É bom porque o grande movimento só começa às duas horas da tarde.

B. Ouça as frases e diga de outra forma, como no modelo.

1) O Supermercado abre das sete e meia da manhã às quinze para as nove da noite.
2) O horário de almoço da secretária vai do meio-dia e quinze às quinze para as duas.
3) Este avião sai às 10 para as nove de São Paulo e chega às 10 e vinte a Porto Alegre.

III. Frases do cotidiano

Ouça as frases e responda, como no modelo.

1) O trem está na hora.
2) Ele sempre chega na hora. /está na hora
3) Ele saiu há dez minutos.
4) Eles vão fechar daqui a dez minutos.
5) Ele sempre chega adiantado.

IV. Automatização de verbos

A. Ouça as frases e responda, como no modelo.

1) Esteve. 2) Estive. 3) Fomos.
4) Fui. 5) Foi.

B. Ouça as frases e responda na forma negativa, como no modelo.

1) Não, não insistiu.
2) Não, não emitiu.
3) Não, não permiti.
4) Não, não desisti.
5) Não, não foram.
6) Não, não permito.
7) Não, não desistiu.

LER E ESCREVER

I. Leia o texto: As borboletas

COMPREENSÃO DO TEXTO

Responda.

1) São borboletas brancas, azuis, amarelas e pretas.

2) As borboletas brancas são alegres e francas.
As azuis gostam de luz.
As amarelas são bonitas.
As pretas lembram a escuridão.
3) Elas gostam de brincar na luz.
4) Existem borboletas vermelhas, verdes, cinzas.
5) - Já vi./ - Nunca vi.

II. Gramática

A. Passe para o masculino, como no modelo.

1) um - laranja	5) um - alaranjado
2) um - verde	6) um - esverdeado
3) uns - marron	7) um - rosado
4) um - cinza	

B. Passe para o feminino, como no modelo.
1) a cidadã ilustre
2) a cirurgiã-dentista
3) a professora alemã
4) uma espiã européia
5) uma mulher cristã
6) uma freguesa exigente
7) uma escritora excelente
8) uma chefe difícil

III. Expressão escrita

A. Resposta pessoal
B. Santa Catarina. Escreva um pequeno parágrafo... Sugestão de resposta:
O Estado de Santa Catarina fica no sul do Brasil. Sua área é de noventa e cinco mil, quatrocentos e quarenta e três Km²)
Há duzentas e noventa e três cidades no Estado de Santa Catarina. Fundada em vinte e três de março de mil setecentos e vinte e seis, Santa Catarina tem uma população de quatro milhões, oitocentos e trinta e seis mil seiscentos e vinte e quatro habitantes.
Sua capital é Florianópolis.

IV. Aprendendo palavras novas

A. Separe as palavras em dois grupos

1) sentido positivo	**2) sentido negativo**
excelente	a catástrofe
a delícia	o escândalo
fresco	estragar
esplêndido	o desgosto
o êxito	o desastre
fantástico	a desgraça
extraordinário	a mania

B. Família: parentescos

Dê o correspondente feminino.
a mãe, a irmã, a neta, a sobrinha, a mulher, a sogra, a cunhada, a filha, a avó, a tia, a prima, a nora, a noiva.

C. Assinale, nos parênteses, os substantivos coletivos.

o casal, a sociedade, a turma, a população, a maioria, a família, o par, o maço

D. Ordene as palavras segundo o local onde podem estar.
4, 1, 1, 7, 2, 6, 6, 1, 6, 6, 6, 5, 2, 5, 1, 6, 1, 5, 2, 1, 6, 3, 2, 7, 5, 2, 7, 3, 1, 2

Unidade 6

OUVIR E FALAR

I. Ouça o texto: Na cada do "seu" Roberto.

COMPREENSÃO DO TEXTO

A. Ouça o texto novamente e preencha as lacunas.
1) cedo
2) pude - direito
3) dor - toda
4) Aliás - sono
5) doente
6) saúde
7) coisa - pegar - entregá-los
8) alto - pouco - usa
9) papéis - quarto
10) o - nunca

B. Ouça as frases e escolha a alternativa correta.
1) b; 2) c; 3) a; 4) b; 5) c

II. Gramática

A. Substitua por um pronome, como no modelo.
1) Vou vê-las amanhã.
2) Tenho que tomá-los todos os dias.
3) O senhor precisa consultá-lo.
4) Eu vou entregá-la para Otávio.
5) Vou abri-la.

B. Substitua por um pronome, como no modelo.
1) Não os vi na gaveta da mesa.
2) Mandei-as pelo correio especial.
3) Comprei-o na farmácia da esquina.
4) Achei-a na gaveta da mesa.
5) Não as convidei para o almoço.

C. Imperativo. Ouça a frase e responda como no modelo.
1) Por favor, leia.
2) Por favor, não pegue.
3) Por favor, escreva.
4) Por favor, não insista.
5) Por favor, vá falar com ele.

D. nem... nem. Ouça a frase e responda como no modelo.
1) Não falo nem inglês, nem francês.
2) Não vou passar minhas férias nem na praia, nem na montanha.
3) Não sou amigo nem de Marcos, nem de Rodrigo.
4) Não estou falando nem de Ivete, nem de Cristina.
5) Não vou sair nem com Pedro, nem com Gabriel.

III. Frases do cotidiano

A. Ouça as perguntas e responda com: **acho que sim** ou **acho que não**, como no modelo.

1) - Acho que sim.	4) - Acho que sim.
2) - Acho que não.	5) - Acho que sim.
3) - Acho que não.	

B. Ouça as perguntas e responda, começando a frase com **acho melhor**..., como no modelo.
1) Acho melhor ir ao clube.
2) Acho melhor ficar em casa.
3) Acho melhor você telefonar.
4) Acho melhor ir de táxi.
5) Acho melhor ele viajar com o carro da mulher.

IV. Automatização de verbos

Ouça a frase e responda como no modelo.

1) Vemos.	14) Vê.
2) Viram.	15) Viram.
3) Vimos.	16) Vêem.
4) Quero.	17) Vi.
5) Quis.	18) Viu.
6) Quiseram.	19) Pode.
7) Querem.	20) Podemos.
8) Podem.	21) Pudemos.
9) Posso.	22) Queremos.
10) Puderam.	23) Quer.
11) Pude.	24) Quis.
12) Pôde.	25) Quisemos.
13) Vejo.	

LER E ESCREVER

I. Leia os textos: Texto 1: Zezé, um grande jogador

COMPREENSÃO DO TEXTO

Responda
1) Ele deve dormir e comer bem, não deve beber, nem furar e deve treinar muito.
2) Porque ele está sempre nervoso.
3) Porque ele não tem juizo.
Texto 2: Como ele é mesmo?

COMPREENSÃO DO TEXTO

Agora descreva, em poucas palavras como é Pedro.
Pedro é ruivo e tem olhos castanhos. Não é alto, nem baixo, não é gordo, nem magro.

II. Gramática

A. Formas e dimensões.
1. Dê o antônimo.

a. estreito	d. pequeno
b. curto	e. grosso
c. baixo	

2. Dê o adjetivo.

a. alto	c. largo
b. comprido	d. fundo, profundo

3. Complete.
a. largura - comprimento

b. estreito - comprido
c. largura - comprimento
d. altura

4. Complete.
a. comprido
b. curtas - grossas
c. longas - (compridas) finas
d. loiros e crespos

B. Pronomes

1. Substitua as palavras sublinhadas por pronomes.
a. Eu o faço à noite.
b. Eu não quero fazê-lo à noite.
c. Deram-na pela televisão.
d. Mandaram-no pelo correio.
e. Roubaram-nos.
2. Substitua as palavras sublinhadas por pronomes.
eles - convidaram-nas - tomaram-no - dele - com ela - nele

C. Escolha a alternativa correta, a - à - as - às - há

1) a ; 2) b; 3) c; 4) b; 5) a; 6) b

III. Expressão Escrita

A. Descreva as formas e dimensões deste armário. Diga o que acha dele.

Este armário é de madeira e tem 2 metros de altura, 1,90 m de largura, e sessenta centímetros de profundidade. Ele tem 4 portas e 4 gavetas. É um armário bom, mas comum.

B. Descreva as formas e dimensões deste sofá. Diga o que acha dele.

Este sofá é grande. Ele tem 2) 40 metros de comprimento, 0,95 m de profundidade e 0,85 de altura. É um sofá de três lugares. Não gosto do estilo dele.

C. Escreva

Perdeu-se um cachorro - o nome dele é Rex. Rex é um vira-lata de três meses de idade. Ele é pequeno, tem pêlo liso, branco e marrom. Suas patas são grandes, o focinho longo e o rabo curto. Damos uma boa gratificação para quem achá-lo.

IV. Aprendendo palavras novas

A. O corpo humano é o tema. Separe as palavras na caixa de acordo com sua categoria.

1) Partes do corpo: o fígado, o paladar, o bigode, o pulmão, o lábio, o joelho, o rim, o sangue, o cotovelo, a pele, o pé, a unha, o tato, o paladar, ruivo, o pescoço.
2) Saúde: o remédio, o comprimido, curar, a vacina, o raio X, machucar, a enfermeira, tossir, a medicina, a ferida, o pulmão, a injeção, o medicamento, enjoar, adoecer, a pílula, gripado, desmaiar, vomitar, a ambulância, pálido, a dor

B. Relacione

1, 3, 5, 7, 8, 2, 6, 4

C. Dê as palavras que faltam.

1) um produto venenoso
2) um remédio natural
3) uma família numerosa
4) um compromisso profissional
5) um problema nacional
6) uma casa espaçosa
7) um sistema político
8) uma tradição oriental
9) um costume ocidental
10) uma mulher maravilhosa

D. Complete os verbos com uma ou mais palavras da caixa.

1) dar um beijo, adeus... bom-dia, marcha-a-ré
2) pagar o aluguel, uma multa, um salário mínimo
3) andar de marcha-a-ré, de avião, moto
4) fazer a mala, hora extra, mudança, imitação, a barba.

Unidade 7

OUVIR E FALAR

I. Ouça o texto: Supermercado em domicílio

COMPREENSÃO DO TEXTO

A. Ouça o texto novamente e preencha as lacunas.

1) por - computador
2) preencha
3) instruções - tela
4) vantagens - ofertas
5) 100%

B. Ouça as frases e assinale Certo (C) ou Errado (E).

1) E; 2) C; 3) C; 4) E; 5) E; 6) C; 7) E.

II. Gramática

A. lhe, lhes = para você, para vocês. Responda, como no modelo.

1) Nós lhe trouxemos um presente.
2) Eu lhes dei um livro.
3) Eu lhe disse "não".
4) Eu lhes fiz um café.
5) Nós lhes mandamos um cartão postal.

B. lhe, lhes = para ele, ela, para eles, elas. Responda como no modelo.

1) Nós lhe dissemos a verdade.
2) Nós lhes fizemos um bolo.
3) Eu lhe trouxe o jornal.
4) Eu lhes disse tudo.
5) Eu lhes escrevi uma carta.

III. Frases do cotidiano e IV. Automatização de verbos

Responda negativamente, como no modelo.

1) Não, ainda não pus.
2) Não, ainda não pusemos.
3) Não, ainda não trouxemos.
4) Não, ainda não disse.
5) Não, ainda não dei.
6) Não, ainda não fez.
7) Não, ainda não fizeram.
8) Não, ainda não disse.
9) Não, ainda não dei.
10) Não, ainda não fiz.

LER E ESCREVER

I. Leia o texto: A Cidade Reclama

COMPREENSÃO DO TEXTO

A. Em uma coluna, escreva o que o pacote de viagem incluía. Em outra coluna, escreva o que realmente aconteceu com o turista.

Conteúdo do pacote
uma passagem de avião,
5 dias - hotel 4 estrelas,
hotel praia de Jatiúca,
frente para o mar,
meia pensão e programação de lazer ininterrupta, com direito ao uso de um buggy (100 km por dia).

Fatos da viagem
Hotel sem estrelas,
longe da praia,
no fim do mundo,
sem meia pensão, lazer desorganizado, sem buggy.

B. Escolha a alternativa correta.

alternativa c.

II. Gramática

A. Complete com dar, fazer, pôr e dizer no tempo adequado.

1) fez-fazer-deu-fez-fez- (disse) deu-pôs
2) fez - dei - deram - fez

B. Levar ou trazer? Complete o diálogo.

levando - trazendo - levando

III. Expressão escrita

Você comprou um carro, mas ele só lhe trouxe problemas. Escreva uma carta de reclamação à firma revendedora. Explique-lhe o caso e peça providências. Resposta sugerida:

Prezados senhores
Comprei um carro em sua concessionária, mas até agora ele só me trouxe problemas. O vendedor garantiu que a velocidade normal do carro vai até 180 Km/h, mas ele não corre a mais de 50 Km/h. O vendedor me explicou que o carro gasta 10 km por litro de gasolina, mas, na realidade, gasta 5 km por litro. Um horror! Na loja, o motor me pareceu silencioso, mas, fora da loja, é muito, muito barulhento. Telefonei várias vezes para sua loja, mas ninguém me deu atenção. Espero providências imediatas.
Atenciosamente, ...

IV. Aprendendo palavras novas

A. A que categoria se referem as palavras abaixo?

3, 4, 2, 1, 5, 3, 1, 1, 4, 1, 3, 3, 4, 1, 4, 1, 4, 5, 1, 4, 5, 5, 1, 3, 4, 5, 5, 5, 5, 5

B. Dê o verbo.

produzir, negociar, plantar, ativar, automatizar, movimentar, realizar, transportar, morar, residir, criticar, resumir, transferir.

Unidade 8

OUVIR E FALAR

I. Ouça o texto: Alegrias e decepções

COMPREENSÃO DO TEXTO

A. Ouça o texto novamente e preencha as lacunas.

1) Alberto
- a. estágio - advocacia
- b. vinha - até tarde
- c. lia
- d. tanto - decidi - Trabalhista

2) Cirilo
- a. sonhava - trabalhava - particular
- b. fáceis - bonitas - apesar
- c. paciência - dedicação

3) Vitória
- a. soube
- b. estudei - li - consegui
- c. engenharia - profissão
- d. voltar - primeiro
- e. mal - melhor - contra

B. Ouça o texto e responda.

1) Alberto
- a. Faz o curso de Direito.
- b. Está no 4º ano.
- c. Trabalha em um escritório de Direito Trabalhista.
- d. Está.
- e. Está muito contente.
- f. Ele vai se especializar em Direito Trabalhista e trabalhar no escritório onde fez estágio.

2) Cirilo
- a. Faz o curso de Medicina.
- b. Está terminando o 5º. ano.
- c. Ele trabalha na enfermaria do hospital.
- d. Está muito contente.
- e. Sim, está.
- f. Ele quer ser um bom médico.

3) Vitória
- a. Começou o curso de Engenharia e o abandonou.
- b. Estava no 2º. ano.
- c. Em um escritório de engenharia.
- d. Não, não estava.
- e. Ela quer ser arquiteta.

II. Gramática

A. Ouça as perguntas e responda, empregando o comparativo de igualdade, como no modelo.

1) Não, o curso de Direito é tão interessante quanto o curso de Medicina.
2) Não, os livros de Medicina são tão caros como os livros de Direito.
3) Não, o arquiteto é tão importante quanto o engenheiro.
4) Não, o engenheiro é tão inteligente como o arquiteto.

B. Ouça as perguntas e responda com o comparativo de superioridade (melhor/ pior/ maior/ menor), como no modelo.

1) Não, o ar da montanha é melhor do que o ar de uma grande cidade.
2) Não, o trânsito de uma grande cidade é pior do que o trânsito de uma pequena cidade.
3) Não, trabalhar em uma empresa pequena é melhor do que trabalhar em uma empresa grande.
4) Não, dirigir um caminhão é pior do que dirigir um ônibus.

C. Ouça a frase e complete a idéia, como no modelo.

1) Antigamente era diferente.
Ele trabalhava muito.
2) Antigamente era diferente.
Eles só ouviam música popular.
3) Antigamente era diferente.
Nós só líamos livros.
4) Antigamente era diferente.
Ela vinha aqui todos os dias.
5) Antigamente era diferente.
Ele tinha poucos amigos.
6) Antigamente era diferente.
Ele só punha jeans.

III. Frases do cotidiano

A. Ouça as perguntas e responda com: **vale a pena** ou **não vale a pena**, como no modelo.

1) Vale a pena.
2) Vale a pena.
3) Não, não vale a pena.

B. Ouça a pergunta e a resposta. Repita a resposta, como no modelo. (Se não me engano/ Por falar nisso).

1) Se não me engano, já acabou.
2) Se não me engano, as crianças comeram tudo.
3) Se não me engano, todos os primos e primas.
4) Por falar nisso, onde pus meus óculos?
5) Por falar nisso, você não quer ir ao cinema comigo hoje?
6) Por falar nisso, você já experimentou seu doce de coco?

IV. Automatização de verbos

Responda às perguntas, como no modelo.

1) Tínhamos.
2) Tinham. / Tínhamos.
3) Punha.
4) Eram.
5) Eram / Éramos.
6) Íamos.
7) Ia.
8) Ia.
9) Íamos.
10) Vínhamos.

LER E ESCREVER

I. Leia o texto: Não dá para acreditar

COMPREENSÃO DO TEXTO

A. Ponha na ordem cronológica, as ações que aparecem no texto.

1) - ele chegou às 8 horas da manhã
- os funcionários chegaram depois
2) - nada dava certo
- só havia problemas
3) - uma árvore caiu sobre os fios de eletricidade
- a luz acabou
- o porteiro telefonou para a Companhia de Força e Luz
- ele entrou no carro
- ele foi jantar num restaurante
- a energia voltou logo depois que ele saiu
- ele chegou em casa depois da meia-noite

B. Descreva, em frases completas, como estavam naquela noite.

1) o tempo (chovia muito - fazia frio)
2) o vento (havia um vento muito forte que balançava as árvores)
3) as ruas e as escadas do prédio (estavam às escuras / estavam escuras)
4) O narrador ao chegar em casa às dez horas da noite (nervoso e desanimado)

II. Gramática

A. Complete as frases com pronomes precedidos de preposição.

1) para ela
2) conosco
3) para ele
4) comigo
5) de mim
6) com você - sem mim

B. Complete as frases com os verbos **existir** e **haver** no imperfeito, como no modelo.

1) existiam - havia
2) existia - havia
3) existiam - havia

C. Complete com o imperfeito.

1) lia
2) tinham
3) havia

4) estava
5) Estava chovendo/chovia
6) estava estudando/estudava
7) estava falando/falava - estavam ouvindo/ouviam
8) estava fazendo/fazia - estava preparando/preparava
9) iam
10) ia
11) olhava - olhava
12) telefonava - estava

III. Expressão escrita

Baseado no texto Não dá para acreditar, escreva uma pequena história. Agora é o porteiro que conta suas dificuldades.

Resposta sugerida

Não dá para acreditar! Ontem foi um dia difícil aqui no edifício. À noite começou a chover e a ventar muito. Às dez horas, a luz acabou. Telefonei para a Companhia de Força e Luz e me informaram que uma árvore tinha caído sobre os fios de eletricidade perto de nosso edifício. O bairro todo estava sem energia e não sabiam quando a luz voltaria. Mas o conserto foi rápido. Antes das 11 já estava tudo normalizado.

IV. Aprendendo palavras novas

A. Risque o intruso.

1) trigo	4) casaco	6) neve
2) limonada	5) percebe	7) recente
3) pinheiro		

B. Considere as palavras do exercício anterior, sem o intruso, e relacione.

4, 6, 2, 1, 3, 7, 5

Unidade 9

OUVIR E FALAR

I. Ouça o texto: Consultas pelo rádio.

COMPREENSÃO DO TEXTO

A. Ouça o texto novamente e preencha as lacunas.

1) ouvintes	6) contato - pedir
2) mesmo - mesma	7) contrário
3) mais limpa	8) prazer - como
4) lixo - mau	9) sente
5) providências	10) dia - noite

B. Ouça o texto e responda.

1) Ele se chama "Conheça sua cidade".
2) Ele se chama Carlos Alberto.
3) Eles falam de seus contatos com a cidade, de seus problemas e de seu amor ou de seu ódio por ela.
4) Ele mora no mesmo bairro há 21 anos.
5) Era a mais limpa do bairro.
6) Há lixo 24 horas por dia, deixado pelos bares próximos.
7) Não, ele não se diverte com a sujeira e os outros moradores também não.
8) Ele terá uma resposta no próximo programa.
9) Porque a agitação é vida e alegria.
10) Porque ela se diverte com as diferentes opiniões das pessoas.

II. Gramática

A. Ouça as frases e substitua precisar por **ter de** ou **ter que**, como no modelo.

1) O trânsito da cidade tem de melhorar / tem que melhorar.
2) Os carros estão muito caros. Os preços têm de baixar / têm que baixar.
3) O bairro tem problemas. Os moradores têm de reclamar / têm que reclamar.
4) Esta rua está muito suja. A Prefeitura tem de limpá-la / tem que limpá-la.
5) Este programa é muito antigo. O diretor tem de atualizá-lo / tem que atualizá-lo.

B. Sinais de trânsito:

Você está no final da Avenida 9 de julho e quer ir à Biblioteca Municipal, na esquina da Avenida São Luis com a Rua da Consolação, de carro. (Centro da cidade)

Prossiga por esta avenida até o fim e entre no túnel "Anhangabaú" .

Saindo do túnel, mantenha-se à direita e suba a Rua Augusto Severo, que fica na lateral do túnel Tom Jobim.

No final da Rua Augusto Severo, vire à esquerda, na Rua Senador Queiroz. No final, vire à esquerda e entre na Av. Ipiranga. Você não pode entrar nas ruas Barão de Itapetininga, nem na 7 de abril, porque são ruas só para pedestres (calçadões). Vire à esquerda na Av. São Luís e siga até a esquina com a Rua da Consolação.

1) Porque há muitas ruas contra-mão e de mão única.
2) Porque são ruas destinadas para pedestre.
3) Para poder subir a Rua Augusto Severo.
4) Porque é contra-mão.

III. Frases do cotidiano

A. Ouça as perguntas e responda como no modelo.

1) Estou. Mal posso andar.
2) Estou. Mal posso ler.
3) É verdade. Mal podemos acreditar.
4) É verdade. Mal posso tomá-lo.
5) É verdade. Mal posso resolvê-lo.
6) É verdade. Mal posso compreendê-las.

IV. Automatização dos verbos

Responda como no modelo.

1) Visto.	10) Vejo.
2) Servem.	11) Ouço.
3) Sirvo.	12) Ouviam.
4) Sinto.	13) Divertem-se. Elas se divertem.
5) Ouço.	
6) Eu me divertia.	14) Eu me diverti.
7) Serviam.	15) Eu logo me visto.
8) Peço.	16) Repito.
9) Minto.	

LER E ESCREVER

I. Leia o texto: O melhor de São Paulo

COMPREENSÃO DO TEXTO

O texto indica alguns dos melhores programas de São Paulo...

1) Quais os horários e condições para:
a. andar nos fins de semana
b. só quando tem bons espetáculos
c. nos dias de semana, de manhã
d. só de noite, de carro
2) Quais são os programas que não impõem nenhuma condição?
O Teatro de Cultura Artística, a Livraria de Pedro Correa do Lago, a Livraria Cultura e as livrarias de idiomas, os restaurantes de comidas internacionais e alguns de comidas brasileiras, São Paulo by night
3) O que você acha da visita ao cemitério ? (resposta pessoal)
4) Como o jornalista descreve o outono de São Paulo?
fresco, aquece, mas não esquenta.
tem luzes alaranjadas (= o céu fica alaranjado), faz friozinho.
5) Diga onde:
No Rei das Batidas. No Parque Ibirapuera e no Parque Alfredo Volpi. No Mosteiro de São Bento. Nas bancas Cidade Jardim e República.

II. Gramática

A. Diga de outra forma, empregando o superlativo.

1) ótimo	4) facílimo.
2) péssimo	5) dificílimo.
3) amabilíssimos	6) agradabilíssimo.

B. Observe as imagens e faça frases, empregando o superlativo.

1) O restaurante / é o maior da praça.
2) A casa com jardim é a mais bonita da rua.
3) O / é o melhor filme da semana.
O / é o pior filme da semana.

III. Expressão escrita

A. Leia a carta de Ernesto.

B) Agora responda a carta de Ernesto. Use superlativos. Comece assim:

Caro Ernesto, você está certíssimo e seus colegas erradíssimos.
Hoje, tudo o que é correto parece que é motivo de riso.
Continue a agir da melhor maneira possível. Você é a pessoa mais conscenciosa da sua classe. Não desanime!

Carlos Alberto

IV. Aprendendo palavras novas

A. Separe as palavras abaixo em duas categorias (carro e trânsito).

Carro: a roda, o passageiro, a placa, o pára-choque, o mecânico, o pára-brisa, o

motorista, o farol, a lotação, o pára-lama, o freio, o seguro
Trânsito: o desvio, o viaduto, a ultrapassagem, a mão única, a multa, a alameda, o cruzamento, a batida, a hora do pico, o meio de transporte, o farol.

B. Relacione

6, 1, 8, 2, 5, 7, 3, 10, 4, 9

C. Dê o antônimo

2) concordar, 3) piorar, 4) simpático, 5) moderno, 6) superficial/ raso, 7) o fim, 8) insalubre, 9) a derrota, 10) letra minúscula.

D. Relacione

3, 4, 5, 1, 2

Unidade 10

OUVIR E FALAR

I. Ouça o texto: Os jovens e seus projetos

COMPREENSÃO DO TEXTO

A. Ouça o texto novamente e preencha as lacunas.

1) área
2) concorrer
3) pretende
4) Ninguém - nenhuma
5) várias
6) demorado - ter
7) Exagero - pouquinho - a fazer

B. Ouça o texto e escolha a alternativa correta.

1) c; 2) b; 3) a; 4) b; 5) c

II. Gramática

A. Ouça as palavras e dê o diminutivo.

1) amiguinho
2) pouquinho
3) artiguinho
4) animalzinho
5) mesinha
6) violãozinho
7) cançãozinha
8) cavalinho
9) colherzinha
10) caixinha
11) canalzinho
12) bailinho
13) cãozinho
14) soninho
15) dinheirinho

B. Ouça as frases e responda, negativamente, como no modelo.

1) Ninguém. 3) Nada. 5) Ninguém.
2) Ninguém. 4) Nada.

C. Ouça as frases e responda, afirmativamente, como no modelo.

1) Todos. 2) Todas. 3) Tudo.

D. Ouça as frases e responda, afirmativamente, como no modelo.

1) Alguns. 3) Alguns.
2) Algumas. 4) Algumas.

III. Frases do cotidiano

A. Ouça as frases e responda, negativamente, como no modelo.

1) Não, ainda não falei com ninguém.
2) Não, ele não fez nada.
3) Não, não traremos ninguém.
4) Não, não descobri nada.
5) Não, não tenho nenhuma.
6) Não, não tenho nenhum.

B. Ouça as perguntas e dê respostas com a expressão **de jeito nenhum**, como no modelo.

1) De jeito nenhum.
2) De jeito nenhum.
3) De jeito nenhum.

C. Ouça as frases e dê respostas com **de mal a pior**, como no modelo.

1) Ela vai de mal a pior.
2) Eles vão de mal a pior.
3) Elas vão de mal a pior.

D. Ouça as frases e responda com **estar caindo aos pedaços**, como no modelo.

1) Porque ele está caindo aos pedaços.
2) Não, ela está caindo aos pedaços.
3) Porque ele está caindo aos pedaços.
4) Está caindo aos pedaços.

IV. Automatização de verbos

A. Ouça as frases. Passe os verbos para o futuro, como no modelo.

1) Amanhã ele trará presentes para todo mundo.
2) Amanhã eles dirão sim.
3) Amanhã você fará café.
4) Amanhã eles farão as malas em 5 minutos.
5) Amanhã nós só diremos a verdade.
6) Amanhã vocês trarão informações importantes?
7) Amanhã quem fará as compras para a festa?

B. Ouça as perguntas e responda, como no modelo.

1) Diremos. 3) Trarei. 5) Darei.
2) Farei. 4) Trarei.

C. Ouça as perguntas e responda, como no modelo.

1) Descubro. 4) Dormem. 7) Subi.
2) Cobre. 5) Subo. 8) Descobri.
3) Durmo. 6) Sobem.

LER E ESCREVER

I. Leia o texto: Férias na Foz do Iguaçu

COMPREENSÃO DO TEXTO

A. Escolha a alternativa que tem o mesmo significado.

1) a; 2) b; 3) a; 4) c; 5) b.

II. Gramática

A. Leia o texto: A viagem.

Complete o texto abaixo com palavras de "A viagem".

porém (mas) - algumas - algumas - Ninguém - nenhuma

B. Escreva por extenso os números contidos nas frases.

1) vigésimo-quinto
2) décimo-quinto
3) sétimo
4) milésimo
5) segundo - sexto - sétimo
6) primeira
7) centésimo
8) décima-oitava candidata.
9) décima-terceira

C. Escolha, na caixa abaixo, o significado dos diminutivos nas frases.

1) a 3) e 5) c 7) f
2) b 4) c 6) d

III. Expressão escrita

Uma agência de viagens...Você está interessado nessa viagem. Escreva uma carta para a agência para saber:

Sugestão de resposta
15 de maio de...
Ao responsável pela viagem
"Cruzeiro: Brasil histórico"
Prezado senhor,
Estou muito interessado na viagem de navio: Brasil histórico, mas preciso de algumas informações a mais.
O senhor pode me enviar, junto com o roteiro, o preço e a duração da viagem? Como já conheço algumas cidades do roteiro, quero saber se tenho de descer em todos os portos ou se posso ficar e comer no navio.
Acho que alguns portos não permitem a entrada de grandes navios. Quais são eles? Haverá botes nesses casos?
Nos restaurantes, posso pedir um prato diferente do prato do programa?
Todos os preços já estão incluídos?
Esperando uma resposta o mais rápido possível
Subscrevo-me (ou) (Atenciosamente)
Eduardo Vasconcelos

IV. Aprendendo palavras novas

A. Dê a palavra que falta.

aquecer, caça, treinar, vencer, remar, nadar, a navegação, o protesto, interromper

B. Separe em categorias

1, 2, 2, 2, 1, 2, 1, 2, 1, 2, 2, 1, 2, 1, 1, 1

C. Complete os verbos

1) dar uma boa impressão, férias, responsabilidade

2) ficar à vontade, com vontade, grávida, caro, bravo, barato
3) estar à vontade, com vontade, grávida, caro, bravo, barato
4) ser culpado, caro, bravo, barato
5) fazer assinatura, férias, uma reserva, greve, um trajeto, limpeza, hora extra
6) tirar férias, fotografia, a responsabilidade, a culpa
7) ter boas intenções, interesse, uma boa impressão, férias, culpa, responsabilidade
Faça frases com as combinações do exercício anterior.

D. Dê as palavras que faltam.

saborosa, gordurosa, uma bebida gelada, um homem orgulhoso, um sorvete cremoso, um homem estúpido, um carro veloz, um plano terrível, um costume típico.

Unidade 11

OUVIR E FALAR

I. Ouça o texto: Carta ao amigo Rogério.

COMPREENSÃO DO TEXTO

A. Ouça o texto novamente e preencha as lacunas.

1) aproveito - tinha
2) faz
3) com sorte
4) durante vários
5) mau - qualquer - mau
6) dos quais
7) feito - quase
8) alguns - debaixo
9) visto - pesca
10) outro
11) outra - mal
12) escrevo

B. De acordo com o texto, complete o quadro abaixo.

terceiro, dez, uma, cinco, vários, alguns, cinza, parou.

II. Gramática

A. Ouça as frases e substitua as palavras todos os, todas as pelo pronome cada, como no modelo:

1) Cada livro tem um código.
2) Cada casa da rua recebeu o aviso.
3) Cada sócio tinha pago a mesma mensalidade.
4) Eles tinham visto cada filme desse diretor.
5) O diretor tinha resolvido cada problema do contrato.

B. Refaça as frases, empregando os pronomes: outro, outros, outra, outras, ou com o pronome qualquer um, qualquer uma, como no modelo:

1) Temos que achar outro (candidato).
2) Ele vai ter de achar outras (soluções).
3) Vamos ter de comprar outros (sapatos).
4) Vamos ter de fazer outros (cálculos).
5) Tanto faz. Qualquer um.
6) Tanto faz. Qualquer uma.

III. Frases do cotidiano

Refaça as frases acrescentando: Você está louco? Ora essa! É incrível!, como no modelo:

1) Você está louco? Não temos dinheiro para comprar essa casa.
2) Você está louco? Como você vai viajar sem dinheiro?
3) Não vou me casar porque não gosto dele, ora essa.
4) É incrível! Ele fez um gol no último minuto do jogo.
5) É incrível! Ele sempre consegue o melhor lugar do restaurante.

IV. Automatização de verbos

Responda afirmativamente às perguntas:

1) Saio. 3) Saímos 5) Saí.
2) Saem. 4) Saiu. 6) Saíam

LER E ESCREVER

I. Leia o texto: O culto solar

COMPREENSÃO DO TEXTO

A. Certo ou errado?

1) E 2) C 3) C 4) C 5) E

B. Relacione:

(1) muito sol (2) desastre!
(2) sol demais (3) pele clara, pálida
(3) nenhum, pouco sol (1) pele bronzeada

C. Explique: Sugestões:

1) Antigamente as pessoas iam à praia e às montanhas em seus dias de lazer, mas o sol não era elemento importante na ocasião.
2) Todo mundo queria bronzear-se.
3) Ficar deitado ao sol, geralmente com pouca roupa.
4) Os anúncios e as bulas dos cosméticos garantem que o produto tem efeitos muito positivos.
5) Conseqüências negativas.

D. Indique a alternativa que melhor resuma as idéias do texto:

II. Gramática

A. Complete com o mais-que-perfeito composto, como no modelo.

1) tinha dado 3) tinha viajado
2) tínhamos ido 4) tinha visto

B. Passe o texto abaixo para o passado, empregando os tempos necessários: imperfeito, perfeito, ou mais-que-perfeito.

Ele nunca quis realmente viajar. Fazia planos, consultava agências, falava com amigos, previa datas. Até já tinha feito economias e tinha aberto uma poupança para isso. Mas, na verdade, não tinha coragem de largar tudo e partir. Nunca tinha feito isso.

III. Expressão escrita

Escolha uma das propostas e escreva um ou dois parágrafos.

Resposta pessoal

IV. Aprendendo palavras novas

A. Dê as palavras que faltam, como no modelo.

1) um trabalho produtivo
2) um homem esportivo
3) um problema mundial
4) uma produção regional
5) uma cena habitual
6) uma carta urgente
7) uma situação econômica
8) uma festa familiar

B. Relacione.

5- 7 - 8 - 4 - 6 - 2 - 3 - 10 - 1 - 9

C. Dê os antônimos, usando os prefixos des-, a- ou i(m-n)-.

1) desobedecer 6) indeterminado
2) impessoal 7) desencontro
3) injustiça 8) inativo
4) anormal 9) incompleto
5) indiferente 10) irrealidade

D. Relacione.

2 - 9 - 6 - 3 - 4 - 10 - 5 - 7 - 1 - 8

Faça frases com as combinações acima.

Unidade 12

OUVIR E FALAR

I. Ouça o texto: Chuvas de verão

COMPREENSÃO DO TEXTO

A. Ouça o texto novamente e preencha as lacunas.

1) março / verão / chuvas
2) tempestade
3) caiu / interior
4) ilhada / transbordou / inundou / derrubou
5) próximas / desabaram / fiquem
6) prejuízos
7) legumes / estraguem
8) congestionadas
9) semelhante
10) prometeram
11) diga / faça / melhorar

12) construindo / emergência / comunicação
13) provisória
14) acabem / definitiva

B. Escolha a alternativa adequada, de acordo com o texto:

1) a; 2) c; 3) c; 4) b; 5) a ; 6) a

II. Gramática

A. Ouça as frases e depois repita-as, começando com as palavras indicadas, como no modelo.

1) A população tem medo que a ponte possa desabar.
2) A população quer que a prefeitura tome providências.
3) Tomara que o prefeito peça ajuda ao estado.
4) Todos lamentam que trinta famílias fiquem sem moradia.
5) Ninguém está certo de que as autoridades digam a verdade sobre a tragédia.
6) Lamentamos que os caminhões tenham que esperar durante horas.

B. Ouça as duas frases e una-as, como no modelo.

1) As casas que estavam perto do rio desabaram.
2) O rio derrubou a ponte, que era importante para a cidade.
3) Os agricultores, que perderam toda a produção deste ano, estão em dificuldade.
4) A ponte nova, que é provisória, não é muito resistente.
5) Várias famílias, que perderam suas casas com a inundação, estão morando em escolas.

III. Frases do cotidiano

Ouça as frases e dê a resposta, como no modelo.

1) É mesmo. Tomara que não chova.
2) É mesmo. É pena que o senhor não viaje hoje.
3) É mesmo. Talvez não concordemos com vocês.
4) É mesmo. Nós queremos que vocês fiquem aqui.
5) É mesmo. Talvez nós partamos amanhã.

IV. Automatização de verbos

A. Ouça as frases e faça como no modelo.

1) Ele já tinha sabido da notícia
2) Nós tínhamos planejado viajar.
3) Os engenheiros tinham construído uma nova ponte.
4) Eu já tinha vendido meu carro.
5) A prefeitura não tinha permitido a entrada de ninguém.

B. Ouça as frases e faça como no modelo.

1) Ele proíbe que nós peçamos auxílio.
2) Ela espera que nós sirvamos champanha na festa.
3) Eles estão contentes que façamos uma longa viagem.
4) Estou contente que meus amigos saiam de férias.
5) Prefiro que vocês não falem com ele.

LER E ESCREVER

I. Leia o texto: Um novato na recepção do jornal.

COMPREENSÃO DO TEXTO

A. Vanessa.

1) Descreva Vanessa fisicamente.
clara, castanhos, grandes, maravilhoso, perfeitos, ligeiramente arrebitado, o lábio inferior destacado
2) Qual a sensação que a beleza de Vanessa despertava.
A beleza de Vanessa era viva e seu rosto irradiava uma luz tão intensa que tudo ao redor parecia sem brilho (ofuscado). O lábio inferior destacado dava-lhe um ar ao mesmo tempo infantil e sensual.
3) Como Vanessa sorriu para o autor?
Ela sorriu para ele de modo gracioso e alheio, como uma rainha num cortejo sorri para um súdito que ela não conhece.
4) Como os colegas receberam Vanessa quando ela entrou na redação?
Todos se levantaram para cumprimentá-la, beijá-la e abraçá-la. Uma verdadeira festa.

B. O autor.

1) Ele pensa que ela só quer ser adorada.
2) Porque sua mesa ficava bem na direção da mesa dela.

C. Diga de outra forma.

1) Uma moça entrou, atraindo imediatamente minha atenção.
2) Da minha parte, eu não tirava os olhos dela.
3) ... , e vendo de repente aquela moça, encostada a uma mesa sozinha.
4) Foi então que ela (...) me viu.
5) Como Vanessa ficara na minha direção.

II. Gramática

A. Refaça as orações, empregando um pronome relativo.

1) Vanessa, cuja mesa ficava perto da mesa de Luís, era uma linda jornalista.
2) A jornalista, cujo sorriso encantava a todos, trabalhava com atenção.
3) Meus vizinhos, cujas filhas são bonitas e educadas, não são simpáticos.
4) No avião nós lemos um livro, cujo autor não é muito conhecido.
5) O filme, do qual tínhamos falado, não fez sucesso.
6) Não vemos mais os velhos amigos com os quais (com quem) saíamos muito.

B. Complete o trecho abaixo com: que, quem, o qual/os quais/a qual/as quais, cujo(s), cuja(s), onde.

os quais / onde / quem / as quais/ que / cujos

C. Passe o verbo para o mais-que-perfeito simples.

1) Estávamos tranqüilos porque já avisáramos os amigos.
2) Eles planejaram viajar, mas depois mudaram de idéia.
3) Ele vendera o carro, por isso andava de táxi.
4) Eu não entendera a pergunta, por isso não respondi.

III. Expressão escrita

A. Seguem abaixo, algumas orações inacabadas. Termine cada uma delas, como no exemplo.

Respostas pessoais.

B. Ontem à tarde, ...

Resposta pessoal.

IV. Aprendendo palavras novas

A. Relacione.

1 - 5 - 2 - 4 - 6 - 3

B. Descubra os 12 pares de antônimos.

por último - em primeiro lugar
amor - ódio
esquecer - lembrar
falso - verdadeiro
fraco - forte
acima - abaixo
despir - vestir
conhecimento - ignorância
duro - mole
aprovar - reprovar
primeiro - último
manso - feroz

C. Relacione o substantivo e o verbo.

a tesoura - corta	a agulha - pica
a tinta - pinta	a cortina - fecha
o fósforo - queima	o carpete - cobre

D. Relacione as duas colunas.

boa tarde	por favor
bem-vindo	bom apetite
estimo suas melhoras	um abraço
com licença	até - amanhã

E. Separe as palavras em três categorias.

1) jornalismo: o telejornal, a reportagem, o telespectador, o noticiário, o anúncio
2) polícia: o ladrão, o criminoso, o crime, a lei, o rapto, a criminalidade, a investigação, o assassino
3) escola: o diploma, o exame, o ensino, o giz, educar

Unidade 13

OUVIR E FALAR

I. Ouça o texto: Na selva

COMPREENSÃO DO TEXTO

Ouça o texto novamente e preencha as lacunas.

1) à procura de
2) fritos
3) abaixou-se - botas - tênis
4) que - corra - depressa

II. Gramática

Ouça a pergunta e dê a resposta, como no modelo.

1) Não há ninguém que possa nos ajudar.
2) Não há ninguém que fale chinês aqui.
3) Não há ninguém que queira trabalhar aos sábados.
4) Não há nada que possamos dizer.
5) Não há ninguém que saiba o que aconteceu.

III. Frases do cotidiano

Ouça a resposta e faça a pergunta, como no modelo.

1) Quem é que chegou?
2) Onde é que você está?
3) Quando é que eles vão voltar?
4) Como é que ele quer pagar o carro?

IV. Automatização de verbos

Ouça a pergunta e responda, como no modelo.

1) É possível que ele queira.
2) É possível que ele saiba.
3) É provável que haja.
4) É bom que ele esteja.
5) É importante que eles dêem uma explicação.

LER E ESCREVER

I. Leia o texto: Cheia desabriga 14 mil pessoas em Rio Branco, no Acre

COMPREENSÃO DO TEXTO

A. Diga a que se referem estes números no texto.

17,14 (refere-se ao nível do rio à tarde)
30.000 (refere-se ao número de famílias que foram atingidas pela enchente)
14.400 (refere-se ao número de pessoas desabrigadas)
60 (refere-se ao número de bairros que estão inundados)
12 (refere-se ao número de bairros que estão sem energia)

B. Extraia do texto palavras ligadas à idéia de enchente.

Cheia, enchente, nível das águas, inundados, as águas, subir, chuvas

II. Gramática

A. Reformule a idéia, como no modelo.

1) Embora o avião esteja destruído, o piloto está bem.
2) Eu vou ajudar você contanto que você trabalhe mais.
3) Ele vai trabalhar mais para que possa viajar.
4) Ela vai esperar até que ele chegue.
5) Fuja antes que ele chame a polícia.

B. Complete com a conjunção adequada.

1) para que
2) contanto que
3) a não ser que
4) desde que

C. Substitua o advérbio por uma expressão equivalente, como no modelo.

1) Eles vivem com economia.
2) Ela vai pagar a casa com facilidade.
3) Ela chegou tarde ao encontro de propósito.
4) Faça tudo com muito cuidado.

III. Expressão escrita

Com a ajuda das informações do exercício A da Compreensão de Texto (pág.94), escreva uma carta a um amigo, relatando o que está acontecendo na cidade do Rio Branco, no estado do Acre.

IV. Aprendendo palavras novas

A. Risque o intruso.

1) o circo
2) o cartaz
3) o açougue
4) pomar
5) higiene
6) azeitona
7) lua
8) botão

B. Considere as palavras do exercício anterior sem o intruso e relacione.

6, 2, 1, 3, 7, 5, 4, 8)

C. Considere as palavras do exercício A, observe os desenhos e escreva os nomes.

1) O botão, 2) o abacaxi, 3) a vassoura, 4) o circo, 5) o bosque, 6) a fonte.

D. Separe em categorias (esportes, turismo, artes).

1) Esportes: a bola, a piscina, o vôlei, o judô, o barco a vela, o esqui, o time, o tênis, o atletismo, o piloto, o estádio, o campeão
2) Turismo: acampar, o feriado, a mala, a reserva natural, a máquina fotográfica, a areia, o programa, a excursão, o passeio, a auto-estrada
3) Artes: o artesanato, a cerâmica, a estátua, o músico, o concerto, o monumento, o estilo, a exposição, o romance, o espetáculo, o conto, a personagem

E. Dê a palavra que falta.

o escultor, o pintor, a tradução, o trabalho

1) Dê a palavra que falta.

1) o juiz
2) a transferência
3) concluir
4) a procura
5) a comparação
6) influir
7) a iluminação
8) divórcio

2) Dê a palavra que falta.

transparente, exigente, evidente, independente

3) Dê o substantivo.

vulgaridade, totalidade, necessidade, sociedade

Unidade 14

OUVIR E FALAR

I. Ouça o texto: Presente de aniversário

COMPREENSÃO DO TEXTO

A. Ouça o texto novamente e preencha as lacunas.

1) presente
2) ouvir falar
3) fossem - antiquadas
4) formidáveis - perigoso
5) prometesse - sempre - proteger
6) obstáculo
7) diante - perdessem
8) louco - pensar
9) entusiasmo - moto
10) mudassem
11) tive - correr - entre - respeitar - banco
12) curioso

B. Ouça as frases e escolha a alternativa correta.

1) b; 2) c; 3) a; 4) c

II. Gramática

A. Una as frases, usando a conjunção **embora**, como no modelo.

1) Embora estivesse com fome, saiu sem almoçar.
2) Embora fôssemos muito amigos, nunca viajamos juntos.
3) Embora fizéssemos muitos planos, não realizávamos nenhum.
4) Embora você desse muitos presentes às crianças, elas não lhe agradeciam.

B. Ouça a pergunta e responda. Use **talvez** na resposta, como no modelo.

1) Não sei. Talvez trouxessem.
2) Não sei. Talvez dissessem.
3) Não sei. Talvez quisesse.
4) Não sei. Talvez soubesse.
5) Não sei. Talvez pusessem.

III. Frases do cotidiano

Faça uma frase com o verbo dar, de acordo com a situação, como no modelo.

1) Ontem deu tudo certo.
2) Só dava crianças na festa.
3) Não deu outra. Ele bateu o carro.
4) Lá só dá vagabundo.
5) "Me dê uma colher de chá." (linguagem popular, começando a frase com o pronome complemento).

IV. Automatização de verbos

A. Repita a segunda parte da frase, como no modelo.

1) Como se fossem nossos amigos.
2) Como se tivessem muito tempo.
3) Como se fossem milionários.
4) Como se fosse meu pai.
5) Como se me fizesse um favor.
6) Como se soubesse o que vai acontecer.

B. Passe as frases para o plural, como no modelo.

1) Se nós puséssemos.
2) Se nós pudéssemos.
3) Se nós viéssemos.
4) Caso nós estivéssemos.
5) Caso nós víssemos.

C. Passe a 2ª parte da frase para o plural, como no modelo.

1) Ela proibiu que nós entrássemos.
2) Ela duvidou que vocês soubessem.
3) Ela permitiu que nós víssemos as fotos.
4) Ela não acreditou que vocês viessem.
5) Ela lamentou que nós não pudéssemos ficar.

LER E ESCREVER

I. Leia o texto: Matemática

COMPREENSÃO DO TEXTO

A. Escolha a melhor alternativa.

1) d; 2) b; 3) c; 4) a; 5) e

B. Responda

1) Porque os problemas de matemática de seu tempo de estudante tinham todos os atrativos de uma boa charada e até um certo encanto literário.
2) Ele errava sempre.
3) Não. A matemática moderna, para o autor, não tem nada a ver com a realidade do mundo.
4) O autor ironiza a tentativa dos casais que se separam, de dividir, da mesma forma, os bens materiais comuns, o afeto e as responsabilidades.

C. Dê o contrário

1) desautorizar
2) desconhecer
3) desaprender
4) desempatar
5) desprogramar
6) desadaptar
7) desajustar

D. Dê o contrário

1) o desencanto
2) a indecisão
3) desumano
4) intocado
5) irracional
6) desigual
7) desacerto

Agora, escolha três palavras do grupo acima e faça frases.

Respostas pessoais.

E. Seguindo o modelo, faça frases com os verbos abaixo:

- Ele que pague, ele que se esforce para pagar, que faça um esforço para pagar. Não sou eu que vou pagar.
- Você que traga, você que se esforce para trazer, que faça um esforço para trazer. Não sou eu que vou trazer.
- Eles que expliquem, eles que se esforcem para explicar, que façam um esforço para explicar. Não sou eu que vou explicar.
- Ela que veja, ela que se esforce para ver, que faça um esforço para ver. Não sou eu que vou ver.

II. Gramática

A. Complete as frases nos tempos adequados do passado.

1) teria
2) discutiríamos
3) pudesse
4) faria
5) diria
6) soubesse
7) lesse

B. Complete as frases, de várias formas, com idéia de ordem ou pedido, como no modelo.

1) Sirva o café agora, por favor. Você poderia servir...?/ Será que você poderia servir...?
2) Faça menos barulho, por favor. Você poderia fazer...?/ Será que você poderia fazer...?
3) Digam tudo o que vocês sabem./ Vocês poderiam dizer...?/ Será que vocês poderiam dizer...?
4) Por favor, vejam o endereço na lista telefônica. / Por favor, vocês poderiam ver o...?/ Será que vocês poderiam ver o...?

C. Complete as frases com expressões.

1) de pernas para o ar
2) pisa em ovos
3) cabeça no ar
4) cara amarrada
5) bater um papo

III. Expressão escrita

A. Escreva um parágrafo sobre o tema:

O que você faria nesse fim de semana com seus amigos?
Sugestão: - viajar para uma praia afastada
- ficar em um pequeno hotel, em frente ao mar
- não fazer nada
- nadar, tomar sol, comer peixe na brasa
- dormir cedo, pôr o sono em dia
- retomar o trabalho mais animado

B. Com mais dinheiro, como você viveria?

Respostas pessoais.

IV. Aprendendo palavras novas

A. Relacione os sinônimos.

3 - 6 - 5 - 2 - 4 - 1 - 9 - 8 - 7

B. Complete com os verbos da caixa.

Representar um papel secundário.
Contar uma anedota.
Atacar um problema.
Alargar a avenida.
Mexer nos livros.
Perguntar por alguém.

Faça frases com as combinações acima.

Resposta pessoal.

C. Dê as palavras que faltam.

o governo - o governador / o governante
ler - o leitor
escrever - o escritor
o trabalho - o trabalhador
o convite - o convidado

D. Relacione os verbos com os substantivos da caixa.

o homem: escrever, recordar, gritar, esquecer, imaginar, admirar-se, morrer, rir, machucar
a água: congelar, lavar, despejar, esfriar, esquentar, ferver, limpar, molhar
o papel: rasgar, queimar, furar, riscar, amassar, dobrar, cortar, limpar, escrever
o metal: furar, riscar, esquentar, amassar, dobrar, cortar, limpar, molhar, escrever, esfriar.

Unidade 15

OUVIR E FALAR

I. Ouça o texto: Tudo, menos isto!

COMPREENSÃO DO TEXTO

A. Ouça o texto novamente e escolha a melhor alternativa.

1) c; 2) a; 3) b;

B. Certo ou errado?

1) E; 2) C; 3) E; 4) E

C. Complete as frases com palavras da carta que você ouviu.

1) caçar
2) atendeu - tirar
3) impedem
4) porta-malas
5) cabem

II. Gramática

Diga de outra forma, como no modelo.

1) Se fosse possível, eu tiraria férias agora.
2) Se eu não tivesse medo, eu caçaria jacarés.
3) Se o bicho coubesse em nosso porta-malas, nós o levaríamos para casa.
4) Se ele não tivesse vizinhos, ele poderia soltar o bicho no quintal.
5) Se houvesse jacarés andando pelas ruas, alguém os caçaria.

III. Frases do cotidiano

A. Ouça a frase e responda, de acordo com sua opinião.

1) Vale a pena. - Não vale a pena.
2) Vale a pena. - Não vale a pena.
3) Vale a pena. - Não vale a pena.

B. Ouça a frase e responda, dando sua opinião. Use: **Dá** ou **Não dá**.

1) Dá. - Não dá.
2) Dá. - Não dá.
3) Dá. - Não dá.
4) Dá. - Não dá.

IV. Automatização de verbos

Responda afirmativamente. Use respostas curtas.

Cabem.
Caibo.
Coubemos.
Medem.
Meço.
Valem.
Vale.
Perco.
Perde.
Sigo.
Segui.
Constrói.
Conseguiram.
Consegui.
Consigo.
Consegue.
Odeio.
Odeiam.
Odiamos.
Pronuncio.
Pronunciam.
Destroem.
Freia.
Freia.
Freamos.

LER E ESCREVER

I. Leia o texto: Passeando pelas nuvens

COMPREENSÃO DO TEXTO

A. Diga a que se referem estes números no texto:

1) velocidade do balão (por hora)
2) a altura máxima recomendada para o vôo em balão
3) o tamanho aproximado do cesto dos balões

B. Escolha a alternativa correta.

1) c; 2) b; 3) b.

C. Relacione.

2 - 4 - 1 - 3

II. Gramática

Usando a imaginação! A partir da idéia dada, faça 2 frases, como no modelo. Tente não repetir os verbos.

(Frases pessoais)

III. Expressão escrita

Você fez um passeio num balão. Escreva para um amigo, contando como foi essa sua experiência.
(Resposta pessoal)

IV. Aprendendo palavras novas

A. Complete com os verbos da caixa.

esclarecer dúvidas - praticar esportes - desempenhar um papel importante - desenvolver um plano original - provocar reações violentas - enervar-se com o barulho

Faça frases com as combinações acima.

B. Dê o antônimo, usando os prefixos des- ou i (m,n)

injusto, desorganizar, desligar, desprogramar, despreocupar, imoral, descolar, desocupar, incompreensão, desobrigar, imóvel, impaciência

C. Relacione

2 - 6 - 1 - 4 - 3 - 5 - 7

D. Relacione os sinônimos

3 - 6 - 2 - 8 - 1 - 7 - 10 - 5 - 9 - 4

Unidade 16

OUVIR E FALAR

I. Ouça os textos: Texto1: Quando eu fizer 15 anos... Texto 2: Se eu conseguir o emprego...

COMPREENSÃO DO TEXTO

A. Ouça o texto 1 novamente e preencha as lacunas.

1) adolescente - deselegante - agressiva
2) Ora - ora - nenhum
3) feia - bonita - se acha
4) frequentar - restaurantes
5) isso
6) quiser - todas - disserem
7) disserem - inútil
8) remédio

Ouça o texto 2 e preencha as lacunas.

1) esportivo - sabe - times
2) num - circulação
3) banco - temporário
4) Além - mais
5) houver - mundial
6) terminar - for

B. Ouça os textos e escolha a alternativa correta.

Texto 1: Quando eu fizer 15 anos ...
1) c; 2) a; 3) b
Texto 2: Se eu conseguir o emprego...
1) b; 2) c; 3) c

II. Gramática

Ouça as frases e complete-as, como no modelo.

1) Só farei se você fizer também.
2) Ele só fará o trabalho se nós o fizermos também.
3) Só viajarei se vocês viajarem também.
4) Só sairemos depois que eles saírem também.
5) Só contarei o que sinto depois que você contar também.
6) Eles só irão depois que nós formos também.
7) Nossos amigos só trarão o dinheiro depois que nós trouxermos também.

III. Frases do cotidiano

Ouça as frases e repita, como no modelo.

1) Aconteça o que acontecer, sei que continuaremos amigos.
2) Digam o que disserem, não mudaremos de opinião.
3) Haja o que houver, eles viajam esta noite.
4) Façam como fizerem, nunca farão um bom trabalho.
5) Compre quanto comprar, ela nunca está contente.
6) Venha quem vier, não abra a porta

IV. Automatização de verbos

A. Ouça a pergunta e responda como no modelo.

1) Porque tudo o que fizerem será inútil.
2) Porque tudo o que trouxerem será inútil.
3) Porque tudo o que derem será inútil.
4) Porque tudo o que lerem será inútil.
5) Porque tudo o que mandarem será inútil.

B. Ouça a pergunta e responda, como no modelo.

1) Façam como puderem.
2) Venham como quiserem.

3) Digam o que souberem.
4) Escrevam como preferirem.
5) Almoce onde quiser.

C. Ouça a frase e responda, como no modelo.
1) - Está mesmo. Não deixe de visitá-lo.
2) - É mesmo. Não deixe de experimentá-la.
3) - Quer mesmo. Não deixe de telefonar-lhe.

LER E ESCREVER

I. Leia o texto: Inúteis e essenciais...

COMPREENSÃO DO TEXTO

Escolha a alternativa correta.
1) c; 2) b; 3) a; 4) a

II. Gramática

A. Complete com a preposição adequada.

1) a - a	5) a - de	8) de
2) de	6) de	9) de
3) por	7) para	10) de
4) de		

B. Substitua a palavra grifada por um pronome.
1) Foi muito difícil construí-la
2) Demo-lo a ela ontem.
3) Comeram-na toda.
4) Ele a comprou numa liquidação.
5) Nunca a li.
6) Ao vê-lo as visitas admiram-se.
7) Talvez eu as use um dia.
8) Não sei onde pô-la.

C. Complete o texto abaixo com uma das locuções prepositivas: apesar de, além de, de acordo com, acima de, perto de, por causa de.
De acordo com - acima de - Perto das - além - por causa do - apesar de

D. Complete o texto abaixo com uma preposição simples. Oriente-se, para isso, lendo o quadro.
em - dele - nele - em - em - a - a - às

III. Expressão escrita

Agora faça uma frase com cada uma das expressões acima.
(Frases pessoais)

IV. Aprendendo palavras novas

A. Dê os antônimos, usando os prefixos a-, i (m, n)- ou des-.

desconfiar	desiludido
intranqüilo	inconsciência
desunião	desconhecido
desembarcar	desembrulhar
inútil	incompetente
atípico	apolítico
desilusão	descarregar

B. Descubra os 12 pares de antônimos.

positivo - negativo	mais - menos
natural - artificial	cozido - cru
ativo - preguiçoso	delicado - estúpido
ótimo - péssimo	vivo - morto
maduro - verde	pão-duro - generoso
tristeza - alegria	empurrar - puxar

C. Complete com os verbos da caixa.
deitar-se - filmar - perder - cancelar - justificar - colar - emprestar - declarar - reduzir - segurar
Faça frases com as combinações acima.
(Frases pessoais)

D. Separe as palavras abaixo em duas categorias

(1) Religião: o altar, a fé, a capela, o judeu, o santo, Deus, a missa, protestante, a catedral, sagrada, rezar, católico, o templo, o bispo, o voto.
(2) Política: o comício, a democracia, o deputado, o golpe, o sindicato, a repressão, a oposição, o voto, a revolução, socialista, o ministério, a república, comunista, o congresso, votar.

Unidade 17

OUVIR E FALAR

I. Ouça o texto: Uma exposição diferente.

COMPREENSÃO DO TEXTO

A. Ouça o texto novamente e preencha as lacunas.
1) expondo - estranhos
2) vestuário
3) confusão
4) tem seguido
5) nem para
6) tinha pensado
7) teria ido - tivesse sido
8) terá terminado - vá

B. Ouça o texto e escolha a alternativa correta.
1) a; 2) c; 3) b; 4) a; 5) c; 6) a.

II. Gramática

A. Ouça as frases e depois repita-as nos tempos compostos adequados do indicativo, como no modelo.
1) Ultimamente nós temos repetido sempre que nem tudo é arte.
2) Ontem, eu não o teria ajudado em seu trabalho se ele não me tivesse pedido.
3) Ultimamente, eles têm feito progresso no seu trabalho.
4) Ontem, se ela tivesse terminado o trabalho a tempo, teria podido ir ver a exposição.
5) Ultimamente, eles têm saído muitas vezes juntos.

B. Modifique as frases sem mudar seu sentido, como no modelo.
1) Ela não tem tempo livre algum.
2) Este tipo de arte não apresenta interesse algum para o grande público.
3) Vocês não têm nenhum motivo para viajar.
4) Nunca senti nele nenhum amor por mim.
5) Nunca visitei nenhum país do Oriente.

C. Ouça as respostas e formule as perguntas, como no modelo.
1) Você conheceu algum pintor interessante?
2) Você tem feito algum trabalho para ele?
3) Você recebeu alguma carta deles?
4) Ela tem tido algum lucro?

III. Frases do cotidiano

A. Modifique as frases, empregando a expressão **Na hora H**, como no modelo.
1) O diretor não assinou o contrato. Ele desistiu na hora H.
2) Nós quase perdemos o exame. Chegamos na hora H.
3) Ele não falou com ninguém antes da festa. Ele chegou na hora H.
4) Você nunca consegue chegar com antecedência nos encontros. Você sempre chega na hora H.
5) Meu irmão escapou por pouco. Ele desviou o carro na hora H.

B. Modifique as frases, empregando **andar para cima e para baixo**, como no modelo.
1) Minha secretária, anda para cima e para baixo o dia inteiro, mas trabalhar que é bom, não trabalha.
2) Minha secretária, anda para cima e para baixo o dia inteiro, mas está sempre em dia com o trabalho.
3) Meu filho anda de carro, para cima e para baixo, o dia inteiro e não estuda muito.
4) Para comprar tudo para a festa, ela andou para cima e para baixo por toda a cidade.
5) Para achar um apartamento bom e barato, estive em todos os bairros, para cima e para baixo.

C. Modifique as frases, como no modelo.
1) A situação econômica está feia.
2) O tempo está feio. Acho que vai chover.
3) Pobre Fernando! A situação do escritório está feia.
4) A relação entre o chefe e os funcionários já esteve feia. Agora está melhor.
5) As notícias pareciam feias, mas tudo foi um engano.

IV. Automatização de verbos

A. Modifique as frases, como no modelo.
1) Ele desfez o noivado. Mas talvez ele tenha tido sorte. Poderia ter sido pior.

2) Os ladrões levaram todos os aparelhos de casa. Mas talvez tenhamos tido sorte. Poderia ter sido pior.
3) Ele bateu o carro e quebrou a perna e o braço. Mas talvez ele tenha tido sorte. Poderia ter sido pior.
4) Não conseguimos fechar o negócio. Mas talvez tenhamos tido sorte. Poderia ter sido pior.
5) Alguns pacotes não chegaram. Mas talvez tenhamos tido sorte. Poderia ter sido pior.

B. Modifique as frases, como no modelo.
1) Se ele tivesse podido, teria mandado o dinheiro pelo banco.
2) Se a empresa tivesse contratado novos funcionários, teria aumentado seus lucros.
3) Se nós o tivéssemos conhecido melhor, teríamos dado um jantar para ele.
4) Se os eleitores tivessem podido escolher, não teriam votado nele.
5) Se eu tivesse sabido com antecedência, teria ido à festa.

LER E ESCREVER

I. Leia os textos

Seguem, abaixo, 5 textos. Em cada um deles falta um parágrafo.
A, B, C, D, E

COMPREENSÃO DO TEXTO

A qual texto pertencem os parágrafos abaixo.
1) a; 2) d; 3) e; 4) b; 5) c

II. Gramática

Refaça as frases abaixo, eliminando a palavra "embora, como no modelo.
1) Ultimamente temos viajado muito, mas não vimos nada interessante.
2) Ultimamente temos convidado nossos colegas da firma para jantar, mas não conseguimos fazer muitos amigos.
3) A situação era dramática. Eu já tinha pago várias contas, mas ainda não conseguira-tinha conseguido saldar todas as minhas dívidas.
4) Nós tínhamos tido boa vontade, mas não compreendêramos-tínhamos compreendido a situação.
5) Ultimamente o tempo tem melhorado, mas não temos saído muito

III. Expressão escrita

Escreva dois comunicados. Empregue tempos compostos. ***Sugestões***
1) Comunicamos a todos os funcionários que estamos suspendendo o fornecimento do cafezinho ao longo do dia porque ultimamente temos notado que é baixo seu consumo em nosso escritório. O café será servido somente às 10 horas da manhã e às 3 da tarde.
2) Senhores gerentes. Embora tenhamos tentado não suspender as vendas a prazo, somos obrigados a fazê-lo. Ultimamente os casos de inadimplência entre nossos clientes têm sido numerosos, o que tem afetado negativamente os nossos resultados.

III. Aprendendo palavras novas

A. Relacione a palavra com sua definição.
6 - 2 - 1 - 4 - 5 - 3 - 7

B. Relacione os sinônimos.
3 - 5 - 7 - 1 - 2 - 4 - 6

C. Observe os exemplos e faça outras frases com as mesmas palavras.
(Frases pessoais)

D. Aponte as palavras ligadas à idéia de chuva ou à idéia de vento.
1) Chuva: trovoada, relâmpago, garoa, raio, temporal, granizo, tempestade, trovão.
2) Vento: brisa, vento, ventania, tufão

Unidade 18

OUVIR E FALAR

I. Ouça o texto: Mensagens na secretária eletrônica.

COMPREENSÃO DO TEXTO

A. Ouça o texto e preencha as lacunas.
1) secretária eletrônica - batida
2) preencheu - acidente
3) juntamente
4) tiver feito
5) autorizar
6) na rua
7) tinha preenchido
8) deveria
9) portaria
10) estar - toda

B. Ouça o texto e escolha a alternativa correta.
1) a; 2) c; 3) b; 4) b; 5) c.

II. Gramática

A. Ouça o que eles dizem e transmita, como no modelo.
1) Ele está dizendo que só vai falar com ele amanhã.
2) Ele está dizendo que Paulo esteve aqui ontem.
3) Ele está dizendo que ela não queria falar com ele.
4) Ele está dizendo que quando eles chegaram, a porta estava fechada.
5) Ele está perguntando por que nós não o ajudamos.
6) Ele está pedindo para fecharmos a porta quando sairmos-Ele está pedindo que fechemos a porta quando sairmos.
7) Ele está pedindo para eu trazer mais café-Ele está pedindo que eu traga mais café.
8) Ele está querendo saber como ela é.

B. Ouça o que eles dizem e transmita, como no modelo.
1) Ele disse que terminaria seu trabalho à noite e que no dia seguinte poderiam viajar.
2) Dona Susana disse que no dia seguinte levaria seu carro à oficina.
3) O sr. Arnaldo perguntou se ela já tinha preenchido o formulário.
4) O sr. Arnaldo perguntou se o formulário já tinha sido preenchido.
5) O sr. Arnaldo pediu a dona Susana para lhe telefonar até as 6 horas da tarde.
6) O sr. Arnaldo disse para avisá-lo para que ele fizesse o relatório.
7) Dona Susana perguntou se era preciso que ela levasse o carro pessoalmente.

III. Frases do cotidiano

A. Ouça a frase e complete a idéia inicial com um provérbio, como no modelo.
1) Quem não tem cão caça com gato.
2) Quem ama o feio, bonito lhe parece.
3) De grão em grão a galinha enche o papo.
4) Água mole em pedra dura, tanto bate até que fura.
5) A cavalo dado não se olham os dentes.

B. Ouça a frase e complete a idéia com um símile, como no modelo.
1) Ela é leve como uma pluma.
2) Ele está pesado como chumbo.
3) Ele é rápido como um raio.
4) Ele é surdo como uma porta.
5) Ela é escura como breu.
6) Ela estava doce como mel.
7) Ele dormia como uma pedra.

IV. Automatização de verbos

Ouça a resposta e faça a pergunta, como no modelo.
1) Estão acostumados a viajar quando?
2) Estão acostumados a ler o quê?
3) Cansaram-se do quê?
4) Você sempre se esquece do quê?
5) Seus filhos pensam em quê?
6) Seu filho não gosta de quem?
7) Finalmente ele desistiu do quê?
8) Você não acredita em quê?

LER E ESCREVER

I. Leia o texto: Temístocles, o Grande.

COMPREENSÃO DO TEXTO

A. Leia o texto novamente e assinale a alternativa correta.
1) b; 2) a; 3) c; 4) a; 5) b; 6) a; 7) c.

B. Leia o texto e responda, da forma mais completa possível.

1) O jogo se realizou num domingo. A cidade ficou vazia porque todos foram ao campo para assistirem ao jogo.
2) Porque ele sabia que estava acabado, quer dizer, que não tinha mais condições para jogar por causa da bebida.
3) Ele veio por curiosidade, para saber como o time jogaria sem ele. Ele não disse quem era porque, certamente, estava com vergonha de mostrar seu estado atual de mau jogador, por causa da bebida.
4) Ele seguia a entrada dos jogadores da cidade pelas palmas; a entrada dos jogadores rivais pelas vaias; as boas jogadas eram acompanhadas de "ohs" e de "ahs" e os gols do time da cidade eram anunciados pelos foguetes.
5) Resposta pessoal.

II. Gramática

A. Passe para a voz ativa.

1) Outro time atraiu o centroavante.
2) (A diretoria) enviou um representante com pleno poderes para trazer Temístocles.
3) (Os torcedores) saudaram Temístocles com vivas.

B. Passe para a voz passiva com se ou para voz passiva com o verbo ser conjugado.

1) Enviou-se um representante com plenos poderes.
2) Uma clareira de silêncio foi aberta.
3) Ouviram-se gritos vindos do estádio.

C. Leia as notícias dos jornais abaixo e complete os textos com os verbos indicados, na voz passiva.

Jornal Última Hora

foram atingidas
foram chamadas
tinha sido prevenido
deverá ser condenado

Jornal Notícias Populares

foram vistos
foram assaltados
possa ser identificado
foi preso
terão de ser postos

Jornal dos Livros

tenha sido escrito
fosse vendido
for posto

D. Leia as frases abaixo e passe para a Voz Ativa as que estão na Voz Passiva, como no modelo.

1) Pessoas, em todo o mundo, conhecem a praia de Copacabana.
2) Prainha - Morros cobertos de Mata Atlântica cercam a prainha.
3) Pão de Açúcar - do alto do morro, podemos ver toda a Baía de Guanabara, o Cristo Redentor e as montanhas da Serra dos Órgãos
4) Voz ativa
5) D.João VI criou o Jardim Botânico para aclimatação de plantas tropicais.
6) Uma grande pedra separa o Recreio dos Bandeirantes da Barra.
7) Voz ativa
8) Muitas pessoas visitam o Mirante.
9) O corcovado sustenta o monumento ao Cristo Redentor.

III. Expressão escrita

Conte um passeio que você já tenha feito por uma cidade turística.
(Resposta pessoal)

IV. Aprendendo palavras novas

A. Complete as frases com expressões da caixa de significado próximo ao das palavras entre parênteses.

1) por isso
2) exceto
3) graças a
4) em relação aos
5) pelo menos
6) só que
7) portanto
8) a não ser em
9) entretanto
10) quer dizer

B. Complete com as palavras da caixa.

1) baixar os preços
2) vencer o campeonato
3) pagar no dia do vencimento
4) estacionar na zona azul
5) criar gado
6) marcar um gol
7) pedir licença
8) dar parabéns
9) tirar férias / fotografia
10) estar com sono / com pressa / com calor
11) fazer calor / propostas
12) dar

Faça frases com as idéias acima.

C. Dê dois sentidos para cada uma das palavras abaixo

o tênis 1) jogo de origem inglesa
2) sapato de lona
a vela 1) bastão de cera com fio, para iluminação
2) vela - barco a vela
xadrez 1) jogo sobre um tabuleiro de 64 casas
2) estampa em tecido, como um tabuleiro de xadrez
a partida 1) ato de sair, partir
2) "partida" (jogo) de futebol, golfe
segurar 1) pôr no seguro
2) firmar, fixar, agarrar
explorar 1) procurar, descobrir, pesquisar
2) aproveitar-se de alguém ou de alguma coisa

LISTA DE PALAVRAS

Indice de palavras

As principais palavras que aparecem no livro estão listadas abaixo. Os números indicam a unidade e a página em que a palavra aparece pela primeira vez.

Impresso por
EGB
EDITORA GRÁFICA BERNARDI LTDA
Aqui, os sentimentos são impressos.
Tel/Fax: 11 6422-6459
www.egb.com.br